Sombras

Jessica Verday

Sombras

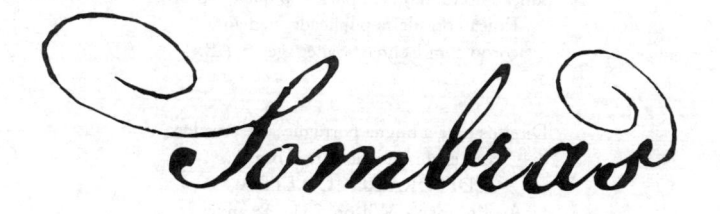

Primeiro volume da Trilogia das Sombras

Tradução
Fal Azevedo

ROCCO
JOVENS LEITORES

Título original
THE HOLLOW

Este livro é uma obra de ficção. Quaisquer referências a acontecimentos históricos, pessoas reais ou localidades foram usadas de forma ficcional. Outros nomes, personagens, lugares e incidentes são produtos da imaginação da autora, e qualquer semelhança com acontecimentos reais, localidades ou pessoas, vivas ou não, é mera coincidência.

Copyright © 2009 *by* Jessica Miller

Todos os direitos reservados, incluindo o de reprodução no todo ou em parte sob qualquer forma.
Edição brasileira publicada mediante acordo com Lennart Sane Agency AB.

Direitos para a língua portuguesa reservados com exclusividade para o Brasil à
EDITORA ROCCO LTDA.
Av. Presidente Wilson, 231 – 8º andar
20030-021 – Rio de Janeiro – RJ
Tel.: (21) 3525-2000 – Fax: (21) 3525-2001
rocco@rocco.com.br
www.rocco.com.br

Printed in Brazil/Impresso no Brasil

preparação de originais
GABRIELA CUZZUOLL

CIP-Brasil. Catalogação na fonte.
Sindicato Nacional dos Editores de Livros, RJ.
V591s   Verday, Jessica
Sombras/Jessica Verday; tradução de Fal Azevedo. – Rio de Janeiro: Rocco Jovens Leitores, 2011. (Trilogia das Sombras; v. 1)
Tradução de: The hollow
ISBN 978-85-7980-054-2
1. Literatura infantojuvenil. I. Azevedo, Fal, 1971-.
II. Título. III. Série.
10-5602   CDD – 028.5   CDU – 087.5

Para Lee – Que venham muitas outras Felizes Navidades, Tainted Loves *e* Cocaine Blues, *querido. A partir do momento em que olhei para baixo e vi aqueles coturnos pretos, nunca mais olhei para trás. E se tivesse que fazer tudo de novo, eu faria. Obrigada por ser meu companheiro de* brainstorming, *minha usina de ideias, meu primeiro leitor, crítico residente, chefe da minha torcida organizada, assistente dedicado e meu melhor amigo.*

Prefácio

Disseram que ela se matou. Era o que todos diziam. O que começou como um rumor, sussurrado com discrição em rodinhas de pessoas educadas, rapidamente cresceu e se transformou em algo discutido abertamente em grandes grupos formados por pessoas rudes. Eu estava muito cansada de ouvi-los falar sobre aquilo.

Eles me interrogaram. De novo e de novo, tentando entender se eu sabia o que havia acontecido. Mas minhas respostas não se alteravam. Ainda assim, era sempre a mesma história – alguém mais faria perguntas, como se algum dia minha resposta pudesse ser diferente.

Eu não sabia, mas deveria saber... e tenho sido assombrada por isso desde então.

Capítulo Um

ÚLTIMAS PALAVRAS

Pela calma indiferente do lugar e a personalidade peculiar de seus habitantes... este vale isolado é conhecido há muito tempo pelo nome de Sleepy Hollow.

– *A lenda do cavaleiro sem cabeça*, de Washington Irving

Engraçado. Em uma época como esta, eu não deveria pensar seriamente sobre a eternidade, a vida após a morte e todas essas coisas? Enquanto eu dava uma olhada nas pessoas reunidas em grupinhos pela sala, pareceu que era nisso que todas elas pensavam. Cada um daqueles rostos sombrios refletia pensamentos piedosos, mas tudo em que *eu* conseguia pensar era no incidente do tingimento do cabelo.

Engraçado.

Acho que eu deveria estar pensando sobre tudo o que queria dizer. Todas as coisas que não poderia dizer. E sobre as que eu jamais teria a chance de dizer. Mas não fiz isso.

E, de qualquer forma, aquilo tudo não parecia estar *realmente* acontecendo. Ela só estava desaparecida desde o dia nove de junho. Sessenta e oito dias. Não era tempo suficiente para ela estar... morta.

Você não pode fazer um velório se não há um corpo. E ninguém pode ter saído para sempre de sua vida se você não se despediu, se não houve velório. É simples assim. Aquilo tudo era apenas uma encenação. Cenas das quais participávamos juntos...

Encarei o caixão fechado por mais algum tempo e depois me afastei para o lado, dando lugar a quem estava logo atrás de mim. A mensagem era silenciosa, mas ainda assim estava lá. *Você já teve sua chance. Agora, saia da frente.*

Eu saí da frente.

Cada vez mais perto da parede, fui tentando me misturar à multidão. Uma lufada de ar me alcançou, trazendo o cheiro de algo envelhecido, mofado, e me dei conta de que era o aroma de flores murchas. A sala havia absorvido anos e anos daquele mau cheiro. Colocando uma das mãos nas costas, consegui tocar o papel de parede estampado com lírios do vale. Ele pareceu áspero e irregular a meu toque e cobria cada centímetro do salão, que parecia ter sido decorado pela última vez em 1973. Era um horror.

O salão começou a ficar cheio de gente, e escapei para a esquerda, onde o carpete de lã cor de ervilha estava completamente gasto em vários lugares. Nas paredes, viam-se pinturas descoradas que mostravam pastores cuidando de seus rebanhos. Todas tinham manchas de umidade e estavam penduradas com arames dourados um tanto bregas. Eu estava assombrada pelo estado de desleixo completo daquele lugar.

Em nome de que alguém escolheria um lugar como este para reunir um grupo grande de pessoas? Aquele era o salão mais feio que eu já tinha visto na vida. Um salão de bingo seria mais apropriado.

Toda vez que eu pensava em escapulir dali e me afastar daquelas pessoas, minha mãe me encontrava e me lançava um olhar. Aquele olhar "desculpe-querida-prometo-que-não-vai-demorar-muito". O que significava que, na verdade, iria, sim, demorar muito. Especialmente porque mamãe e papai pareciam superfelizes em passar pelo menos vinte minutos conversando com cada uma das pessoas que entrava no salão. Então, dei uma boa olhada no papel de parede horroroso... e naquele carpete nojento... e naqueles quadros pomposos...

Eu tinha de sair dali. Fiz um sinal para mamãe ou, pelo menos, o que eu esperava ser considerado algum tipo de sinal que indicasse que eu estava saindo dali, indo dar uma volta. Ela não respondeu, mas como estávamos a meia sala de distância, não poderia fazer nada para me impedir.

A porta mais próxima me levou a um corredor que acabava em um vestíbulo amplo, na entrada da casa funerária. O vestíbulo tinha uma aparência gasta e empoeirada, decorado com flores falsas medonhas e painéis de madeira também falsa, que cobriam a metade inferior de todas as paredes. Pelo jeito, alguém tinha pensado que seria uma boa ideia dar continuidade ao tema floral naquela sala e tinha enfeitado as paredes com uma borda de hera verde logo acima dos painéis, que era tão pavorosa quanto os lírios do vale no papel de parede.

Não era, de forma nenhuma, uma decoração legal.

Então, vi um banco. O cabide para casacos próximo a ele estava cheio, mas o banco estava vazio. E era todo meu.

De repente, eu não me importava mais com os painéis horrendos ou com as bordas de hera mais horrendas ainda. Tudo parecia bem calmo naquele cantinho, e eu me sentei e fiquei pensando em como alguém havia sido gentil ao colocar um banco justamente ali.

Porém, meus pensamentos foram interrompidos quando três pessoas vindas do salão do velório entraram no vestíbulo, vindo em minha direção. Como o banco e o cabide ficavam bem perto das portas de saída, torci desesperadamente para que elas estivessem deixando o prédio. Eu não estava em condições de dar um sorrisinho falso e ficar de conversa fiada com pessoas de quem eu sequer queria estar perto.

Elas estavam vestidas de preto dos pés à cabeça, usando o que, tenho certeza, eram suas "melhores roupas para velório". A srta. Horvack, uma professora substituta, estava à direita; e vi a sra. Kelley, a historiadora da cidade, à esquerda. Não reconheci a mulher entre as duas. Sleepy Hollow pode ser uma cidade pequena, mas isso não significa que eu conheça *todo mundo* que vive aqui.

Seus sussurros audíveis perturbaram a atmosfera do lugar e me esforcei para não ouvir o que elas estavam dizendo. Abandonei essa ideia quando algo interessante chamou a minha atenção. Escorreguei até a beirada do banco para ouvir melhor.

– ... tentando atirar ovos nos carros pelas janelas do banheiro. Elas tinham onze e nove anos. Onze e nove anos! – A voz desagradável da srta. Horvack ia desafinando conforme ela ia falando mais e mais alto.

– Hum-hum... – concordou alguém.

– Graças a Deus que eu estava lá para fazê-las parar. Depois de dez minutos, eu simplesmente abri a porta e dei uns gritos, dizendo que aquilo era o tempo máximo de uso do banheiro e que elas tinham de sair de lá naquele mesmo instante. Ainda bem que fiz o que fiz – bufou ela, a voz cada vez mais alta pela excitação. – Vocês jamais imaginariam, elas saíram gingando do banheiro, com ovos aparecendo nas aberturas dos bolsos. Eu fiquei chocada! Estou dizendo a vocês: chocada!

A sra. Kelley também tinha algo a dizer:

– Os pais não se importam mais, essa é a verdadeira vergonha nisso tudo. As crianças de hoje em dia precisam aprender boas maneiras.

– As crianças de qualquer idade não têm mais respeito nenhum; seja por seus pais, seja pelos mais velhos. Nenhum respeito. Aposto que foi isso que aconteceu com aquela menina, a Kristen.

Prestei mais atenção ainda quando a mulher que eu não conhecia se envolveu na conversa.

– Ela não tinha respeito pela própria família. Ouvi dizer que estava usando todo o tipo de drogas, exatamente como o irmão.

As outras engasgaram ruidosamente, o que encobriu meu próprio grunhido de descrença. Kristen jamais usaria drogas. Essa mulher recebia informações *muito* equivocadas.

– É bem provável que isso tudo *tivesse mesmo* a ver com drogas – concordou a srta. Horvack. – Essa garotada de hoje está toda usando drogas. Tudo está relacionado a drogas.

A sra. Kelley concordou veementemente.

– E toda essa história acaba dando nisso – a terceira mulher fez uma pausa, e depois continuou a falar –, nenhum respeito, exatamente como eu disse. Eles não têm respeito por coisa nenhuma. Ah, coitados dos pais dela.

A srta. Horvack e a sra. Kelley logo concordaram, cada uma delas enumerando uma série de motivos para a óbvia decadência dos jovens de nossa sociedade.

Eu não podia acreditar no que estava ouvindo. Quem *eram* aquelas pessoas para espalhar rumores sobre Kristen desse jeito? Todo mundo em Sleepy Hollow sabia que a família dela não tinha superado a perda do único filho por causa de uma overdose, oito anos antes. Se tinha uma coisa com a qual Kristen nunca se envolveria seria com qualquer tipo de droga.

Cerrando os punhos, senti cada uma de minhas unhas se enfiarem nas palmas das mãos e tentei controlar minha raiva, mas eu não podia aguentar mais aquilo. Aquelas mulheres estavam *muito enganadas* e precisavam saber disso. Eu me coloquei de pé para interrompê-las, mas então, vi mamãe espiando pela porta, vindo do salão do velório. Ela também me viu e ergueu a sobrancelha.

– Aí está você, Abigail.

Eu conhecia aquele olhar. E aquela sobrancelha erguida. Encarei a sra. Kelley e a srta. Horvack enquanto passava para deixar claro que eu tinha escutado o que disseram e para que soubessem que aquilo tinha me irritado profundamente. Elas fingiram não perceber.

Quando entrei de novo no salão dos lírios, fui para o lado de papai. Ele passou o braço em volta de meus ombros, e foi muito bom sentir aquele apoio. A conversa que eu tinha escutado quicava em minha cabeça, e eu ouvia tudo de novo e mais uma vez. Eu queria confrontar aquelas mulheres e esclarecer as coisas. Queria dizer a elas o que eu pensava de quem andava por aí falando sobre Kristen daquele jeito, e como isso era horrível. No final das contas, o que eu queria mesmo era dizer que elas estavam muito, muito erradas.

Porém, em vez disso tudo, o que fiz foi ficar ali em pé, olhando meio abobada para o caixão.

A foto de escola que Kristen tinha tirado no ano passado havia sido posta ao lado do caixão, e eu estava muito concentrada naquela imagem, tentando me desligar de todos a minha volta. A mãe dela me pedira para usar uma foto de nós duas com uns chapéus enormes e bobos, dando sorrisos também enormes e também bobos. Mas eu não fora capaz de responder. Quando ela pediu, eu apenas não soube o que dizer e acho que ela entendeu aquilo como um não.

Olhando para a foto comum de escola, de repente desejei ter dito sim. Deveria haver uma foto nossa ali, ainda que tudo aquilo fosse apenas uma encenação. Eu devia ter sido capaz de realizar pelo menos aquele gesto por Kristen. Todos ali mereciam ver a Kristen verdadeira, não aquela imagem formal, dura e artificial dela.

As pessoas ao redor começaram a curvar a cabeça e a fechar os olhos, e percebi que o reverendo Prescott estava encerrando a noite com uma oração que não foi muito longa e tão logo ela terminou, segui mamãe e papai pelo salão para as despedidas.

Os pais de Kristen estavam muito emocionados, então, nos despedimos rapidamente deles. No fundo, eu estava um pouco aliviada, porque a última coisa que eu queria era deixar escapar algo terrivelmente inadequado, como a falta que eu sentiria da lasanha que a mãe dela costumava preparar para mim.

Em seguida, nos despedimos do reverendo Prescott e de todos os outros que cruzaram nosso caminho. Enfim, levou 25 minutos até que conseguíssemos sair do salão, e nunca fiquei tão feliz em ver o corredor que dava na saída.

O trio de fofoqueiras ainda estava no vestíbulo, só que agora elas haviam reunido um grupo maior a seu redor e nem se incomodaram em interromper a conversa quando passamos por elas, e suas palavras me atingiram em cheio.

– Coitadinha.

– Tão triste ter que enterrar um caixão vazio.

– Provavelmente o corpo nunca será encontrado.

– Se ela estava deprimida, com certeza foi suicídio.

Eu me virei e dei outra boa olhada na sra. Kelley e a srta. Horvack enquanto passava, só que, desta vez, encarei as três abertamente, com raiva. Empurrando as pesadas portas de saída, abri caminho para o pátio, ao lado de mamãe e papai, para que o ar da noite esfriasse minha cabeça. As portas provocaram um eco ruidoso quando bateram atrás de nós.

As fofoqueiras nem notaram.

Fiquei acordada na cama, olhando para o teto, até que os primeiros raios da manhã começassem a invadir meu quarto. Tentei me obrigar a dormir um pouco, mas não consegui fazê-lo por muito tempo, nem a luz do sol durou tanto assim. No meio da manhã, o tempo já tinha virado, o céu estava carregado de nuvens e cinzento.

O funeral deveria acontecer às quatro e meia da tarde, mas depois do almoço eu não conseguia mais ficar trancada dentro de casa, então peguei uma capa de chuva e disse à mamãe que ia dar uma caminhada. Ela estava no meio de uma discussão com papai sobre os proclamas e os elogios fúnebres, por isso a única reação que teve foi acenar distraidamente em minha direção. Eu já havia saído antes que ela tivesse a chance de perguntar aonde eu ia, grata porque dessa forma ela não me faria sentar para uma conversa de mãe e filha sobre "meus sentimentos" ou algo assim.

Sem saber exatamente aonde ir, comecei a subir devagar a colina que levava para longe de nossa casa. Soprava uma brisa fria e parei por um instante para me encolher dentro da capa e enfiar as mãos dentro dos bolsos.

Então, reparei que o chão se movia abaixo de mim, a cada passo que eu dava, e não muito tempo depois de começar a andar, vi que estava no único cemitério de Sleepy Hollow, o qual se estendia por muitos quilômetros e onde Kristen e eu vínhamos praticamente todos os dias. Era o *nosso* cemitério.

Deixando para trás os enormes portões de ferro que guardavam a entrada principal, meus pés seguiram automaticamente a trilha gasta que percorremos juntas tantas vezes. Segui meu ritmo, perambulando pelos montes cobertos de mato, desviando de árvores e arbustos, e parando de vez em quando para olhar em volta.

Todas as vezes em que eu vinha aqui, sempre havia alguma coisa interessante para ver, quer fosse uma cova recém-aberta ou uma lembrança colocada sobre uma lápide, uma coisa ou outra sempre estava diferente. Sempre alguma mudança. Mas, às vezes, algo estranho e incomum aparecia. Algo que fazia você se perguntar por que aquele item em particular tinha sido deixado ali, e que espécie de história estava por trás disso.

Hoje era uma cadeira.

Uma cadeira antiga de ferro batido, com assento de madeira, havia sido colocada ao lado de uma cova recém-coberta. A cadeira estava ali esperando, como se alguém fosse se acomodar nela para poder conversar com quem quer que tivesse sido colocado debaixo da terra recentemente. Era, ao mesmo tempo, perturbador e tocante.

Hesitando um pouco, dei uma rápida olhada em volta para ter certeza de que estava mesmo sozinha. Eu não queria incomodar nenhuma família de luto que pudesse estar por ali. Então, saí da trilha e fui na direção da cadeira, tomando cuidado ao pisar no solo recém-escavado.

– Posso sentar aqui por um instante? – perguntei à sepultura recente. – Prometo sair se a pessoa que tem direito à cadeira aparecer.

Um dos galhos de uma cerejeira próxima balançou, e entendi isso como um "sim". Limpando o assento com cuidado, sentei-me.

Uma área enorme, pontuada por explosões de cores, cercava-me. Várias árvores bem altas tinham começado a mudar a cor de suas folhas, e cada uma delas contrastava de uma forma brilhante e ousada com os tons tímidos e mais discretos das folhas das cerejeiras espalhadas entre elas. O cemitério estaria incrível quando o outono chegasse para valer e todas as folhas já tivessem mudado de cor.

– Este é um lugar lindo – falei baixinho, conversando com a poeira ao meu lado. – Eu sei que você não está aqui há muito tempo, mas acho que gostará dele. Há um bordo enorme atrás de nós, e a sombra dele chega até o sopé da colina. Algumas das folhas dessa árvore estão começando a mudar agora, e ela é linda, de tirar o fôlego.

Eu já havia passeado tantas vezes, por tanto tempo, por este cemitério que não me parecia estranho conversar com uma sepultura.

– Tenho uma amiga que será enterrada aqui hoje à tarde – continuei –, não exatamente aqui nesta parte do cemitério, um pouco mais para baixo, perto da velha igreja holandesa. Espero que eles tenham uma árvore para ela por lá. Ela gostaria de uma árvore. Onde quer que ela esteja...

Eu me calei quando o vento começou a soprar, uivando em volta de mim, como um lamento de dor, queixoso, sinistro. Mais triste que assustador, era como se ele estivesse lamentando minha perda. E mesmo que toda essa história pudesse ser apenas uma grande ilusão, eu realmente sentia a perda. De certa forma, acho que saber que ela estava realmente morta teria sido mais fácil de entender. Talvez essa certeza facilitasse lidar com isso tudo.

Alguma coisa brilhante, de repente, chamou minha atenção. E então, inclinei-me para tentar ver melhor.

Era uma pequena escavadeira, movendo-se devagar ao longo das trilhas lá embaixo da colina. Após rodar de forma barulhenta por uns instantes, ela parou ao lado de uma espécie de toldo. Várias pessoas estavam por ali, e duas delas tinham pás nas mãos. Em algum lugar de minha cabeça, eu sabia o que eles iriam fazer. E também sabia que não deveria ficar observando aquilo.

Porém, não conseguia desviar os olhos.

Prestando muita atenção, observei enquanto os trabalhadores começavam o lento processo de abrir uma cova. A escavadeira baixou e ergueu sua pá muitas vezes, e, a cada vez, levantava um monte de terra escura e úmida. Entendi que eles estavam tirando a terra de dentro da cova e fazendo montinhos dos lados.

O processo se repetiu inúmeras vezes e eu não conseguia parar de assistir. Eu devia ter sentido alguma coisa ao ver aquilo. Raiva... repugnância... tristeza. Mas não senti nada disso... Pelo contrário, eu estava hipnotizada.

Quando sua tarefa acabou, a escavadeira afastou-se, fazendo o mesmo barulho, pelo caminho que a levara até lá. Os trabalhadores jogaram suas pás no chão e se uniram para colocar uma estrutura de metal dentro da cova, o que garantia que o buraco permaneceria aberto até a hora do enterro. Quando isso acabou de ser realizado, eles arrastaram o toldo e uma porção de cadeiras para perto da sepultura aberta, depois jogaram as pás e a si mesmos num caminhão, e foram embora.

Eu estava abismada por testemunhar a transformação de um pedaço de terra vazio em uma sepultura pronta para ser usada. E achava meio complicado compreender o quão facilmente aquilo era feito.

O vento soprou de novo, e gotas de chuva começaram a cair sobre minha cabeça. Eu tinha perdido totalmente a noção do tempo e devia voltar para casa para me trocar para a cerimônia de logo mais. Pelo canto do olho, vi quando uma enorme sombra escura se moveu, mas quando olhei na direção em que achei que estava, não havia nada.

Olhando novamente para a sepultura perto de mim, ergui um pouco a voz para ser ouvida acima do vento.

– Obrigada pela companhia. – Eu me levantei da cadeira e acenei com a mão antes de voltar com cuidado para a trilha. Dei mais uma olhadela para trás, mas a sombra havia desaparecido.

Foi quando o céu desabou sobre mim.

Pingos de chuva grossos me atingiam com força. Enfiei as mãos por dentro da capa de chuva, assim, pelo menos uma parte de mim ficaria seca. Mesmo que fosse só uma partezinha.

A trilha do cemitério ficou escorregadia devido à lama formada por toda aquela água, que espirrava na barra do meu jeans e nos meus sapatos enquanto eu andava. Infelizmente, eu ainda estava bem longe da entrada e ainda mais distante de casa. Não havia nada a não ser uma caminhada longa, encharcada e miserável me esperando.

Capítulo Dois

O Funeral

Um trilar característico ainda pode ser ouvido naquela igreja... e dizem que é descendente legítimo do nariz de Ichabod Crane.

— *A lenda do cavaleiro sem cabeça*

Mal tive tempo de me secar e vestir um vestido preto antes de ter que voltar para o cemitério.

O serviço fúnebre aconteceu na velha igreja holandesa e todos os bancos de madeira estavam ocupados. Só havia espaço para quem quisesse ficar em pé. Toda a cidade compareceu. Com o barulho marcante do tamborilar da chuva servindo de acompanhamento, o reverendo falou e falou, fazendo um discurso monótono e maçante. A forma como ele falou de Kristen a fez parecer bem diferente da melhor amiga que sempre conheci tão bem e uma estranha que eu jamais conhecera. Aquilo foi muito esquisito, embaraçoso e desconcertante.

Um leve cheiro de queimado pairava naquele lugar, um odor familiar produzido pela caldeira de calefação que havia sido ligada por causa do tempo cinzento e gelado lá fora. Desconfortável, tentei me ajeitar naquele banco duro da igreja, sem tirar os olhos de um quadro enorme pendurado acima da cabeça do reverendo. A obra era a representação de uma cena escrita pelo famoso escritor Washington Irving, e mostrava um *Ichabod Crane* apavorado, olhando para trás enquanto era perseguido por um cavaleiro bem ameaçador, todo vestido de roupas escuras e sem cabeça.

Certa vez, perguntei ao reverendo Prescott por que aquela pintura estava exposta na igreja e ele adorou me explicar, nos menores e mais chatos detalhes, por que, sob seu ponto de vista, havia toda uma série de virtudes em mantermos nossos olhos no Senhor quando o demônio nos persegue para oferecer a tentação. Quando ele finalmente parou de falar, eu estava arrependida de ter feito a pergunta.

De repente, o reverendo ficou quieto e todo mundo em volta de mim começou a se levantar. Estava na hora dos ritos finais.

As pessoas foram saindo da igreja, uma a uma, amontoando-se debaixo dos guarda-chuvas e contando com a proteção dos beirais o máximo que podiam. Mas não adiantou de nada e logo elas tiveram de aceitar que tinham sido vencidas pela chuva.

Segui meus pais, que se uniram à multidão solene que se movia devagar na direção do lugar onde estava a sepultura. Apesar da maioria das pessoas tentar andar com cuidado pelo caminho incerto, a cada passo que davam, afundavam a ponta do sapato ou o calcanhar na lama. O caminho até a sepultura de Kristen seria sujo e encharcado.

Eu caminhava à margem da multidão, afastada. Escolhi uma trilha cheia de mato que não tinha tanta lama, mas a chuva corria pelo meu rosto visto que eu não tinha levado um guarda-chuva comigo. Mais uma vez, eu havia sido apanhada pela chuva.

Quando cheguei perto da sepultura, tive a sorte de encontrar um lugarzinho livre, debaixo do toldo, e fiquei ali, esperando, em silêncio. Os carregadores de caixões o levaram por todo o cemitério e então o baixaram, encaixando-o na estrutura de metal que estava dentro da cova aberta. Mamãe tentou chamar minha atenção enquanto as pessoas iam até a beira da sepultura para prestar suas condolências finais e dizer suas últimas palavras.

Ela ficou fazendo movimentos com a cabeça, como se me mandasse ir até lá e dizer alguma coisa, mas só acenei para ela dizendo que não. Eu não poderia me levantar e encarar aquela gente. Não naquele momento, não daquela maneira. Aquilo tudo era uma farsa, mas eu não podia ir lá na frente e dizer isso.

Mais pessoas se levantaram. Muitas delas tocaram no caixão, e um garoto colocou uma flor sobre o tampo. Fiquei surpresa quando ele se postou na frente de todos e disse, com simplicidade, que lamentava não ter tido a chance de conhecer Kristen melhor. Seu cabelo castanho e encaracolado estava uma bagunça, e seus olhos, também castanhos, estavam avermelhados e cheios d'água. Parecia que ele começaria a chorar a qualquer momento. Eu sabia que ele ia à mesma escola que nós e que o nome dele era Brad ou Brett, mas não sabia mais nada a respeito dele.

Então, por que parecia que ele *iria mesmo* sentir falta da Kristen?

Reconheci algumas outras meninas da escola além dele, líderes de torcida, que ficaram falando sem parar sobre as lembranças afetuosas que tinham de Kristen. Como ela havia sido uma boa pessoa... que iriam sentir tanta falta dela... blá-blá-blá. Palavras que não queriam dizer nada. Elas não conheciam Kristen *de verdade*. Para elas, aquele era apenas um momento para se exibirem.

E então, tudo acabou.

A última flor foi lançada na sepultura, a última lágrima derramada, o último adeus dito e o serviço fúnebre terminou. Era hora de ir. Um caixão vazio colocado debaixo de um solo frio e duro supostamente deveria simbolizar a vida de minha melhor amiga.

Aquilo me pareceu muito, muito inadequado.

As pessoas se apressaram em sair dali, enfrentando com coragem as poças de lama para alcançarem seus carros. Elas haviam cumprido com sua obrigação, feito a parte delas. Agora era hora de seguir em frente.

Fiquei onde estava até que a última pessoa tivesse ido embora. Mamãe e papai caminhavam de volta para a igreja ao lado do reverendo Prescott, e eu torcia para que eles tivessem entendido que eu queria passar um tempo sozinha para pensar direito no que estava acontecendo.

Chegando mais perto, concentrei-me no caixão. As coisas tinham virado de cabeça para baixo nesses últimos meses. Eu não sabia mais onde estava a saída daquela confusão e, de repente, eu não tinha a quem perguntar. Aquilo fazia minha cabeça doer e parecia que eu nunca mais conseguiria colocar meus pensamentos em ordem outra vez.

Mas acima de tudo, aquilo destroçava meu coração. Uma força enorme apertava meu peito e estava lentamente massacrando tudo que funcionava lá dentro. Um dia eu não teria nada dentro de mim, a não ser um enorme buraco negro.

De repente, um breve clarão atingiu meus olhos e quando olhei para cima, esqueci minha tristeza.

O sol estava saindo detrás de uma nuvem, tentando com bravura abrir caminho através da chuva. Uma faixa de luz se espalhou pelo caixão e envolveu sua superfície opaca numa nuvem brilhante. Cada centímetro do verniz que recobria a madeira, por um momento, foi iluminado, fazendo o caixão ficar todo vermelho-vivo, e sorri. *Vermelho era a cor que preferíamos.*

E, então, o sol desapareceu.

Estendi a mão e toquei na tampa do caixão. Estava fria. Tão fria que tirei minha mão no mesmo instante. Foi quase como se ela tivesse me queimado.

Eu só fiquei ali parada. Eu não conseguia balbuciar uma única palavra... não em voz alta, pelo menos. Mas um milhão de pensamentos colidiam em minha cabeça, ao mesmo tempo em que um milhão de sentimentos colidiam em meu coração.

O tempo era um reflexo de minhas emoções. Um vento feroz soprava selvagem, uivando em desafio. As laterais de plástico do toldo esvoaçavam com raiva contra os mastros de alumínio que mantinham a estrutura em pé e faziam um som irritante de sininhos.

Até a chuva caía com mais força, como se deixasse clara sua amargura.

E foi nesse momento que senti alguém me observando.

Olhei em volta, procurando pelas fileiras ordenadas de lápides, placas sepulcrais, mausoléus e criptas. Olhei também por entre arbustos e árvores. Foi quando vi, perto de um mausoléu enorme erguido ao lado da colina, um garoto.

Ele estava usando um terno escuro, com camisa branca e gravata preta, e seu cabelo era tão louro que parecia quase branco. Tinha as mãos bem fechadas na frente do corpo e notei que não usava um sobretudo ou um guarda-chuva. Ele estava encharcado por causa da chuva. Eu não podia ver a cor de seus olhos; ele estava afastado demais, mas parecia olhar direto para mim, e o olhar dele sustentou o meu.

Quem é ele? Ele conhece Kristen? Ou será que está aqui por causa de outra pessoa?

O vento continuou a soprar a minha volta, e a chuva a castigar o toldo acima de minha cabeça. Quem quer que ele fosse, era louco por ficar debaixo de uma chuva daquelas. Antes que eu pudesse me dar conta do que fazia, dei uns passos para fora da proteção do toldo.

Eu deveria ir falar com ele, pensei. *Descobrir se é por causa de Kristen que ele está aqui. Descobrir por que está me encarando. Dizer a ele que é maluco por ficar ali, tomando toda aquela chuva.*

Mas o vento me empurrou de volta. A força dele me atingiu tão subitamente que cambaleei para trás e tive de agarrar o mastro mais próximo do toldo para não cair. A chuva, que não dava sinais de querer serenar, escorreu pelo meu rosto como se fosse lágrimas, deixando as mesmas marcas que estas deixariam.

Com o rosto erguido, segurando firme no mastro, encarei o estranho de volta. Eu o desafiava a vir até onde eu estava, exigindo que ele não olhasse para mim com pena.

O vento fazia as roupas dele esvoaçarem e soprava seu cabelo no rosto, mas ele permaneceu onde estava. Então, curvou a cabeça levemente.

Algo me disse que aquilo fora um gesto de respeito, então curvei minha cabeça também. Em seguida, eu me virei para dar uma última olhada no caixão atrás de mim. Conhecê-lo teria que esperar. Eu tinha outras coisas com as quais me preocupar naquele momento.

A chuva começou a diminuir e me afastei da sepultura. De relance, vi meus pais batendo papo com o reverendo Prescott nos degraus de pedra da igreja e se havia uma coisa que eu não queria naquele momento, era ser apanhada no meio daquela conversa. Desviei rapidinho em direção ao carro, enquanto tirava o celular do bolso do casaco e teclava o número da mamãe.

Ela pegou o telefone na bolsa e deu uma olhada para a tela, antes de se afastar do reverendo.

– Abbey? – disse ela, distraída.

– Eu vou andando para casa aqui do cemitério, mamãe, tudo bem?

Mesmo a distância, pude notar que ela não havia gostado da ideia. Ela começou a fazer uma espécie de careta.

– Acho que você deveria ir conosco para a casa dos Maxwells, Abbey. Eles estão se esforçando muito para oferecer uma reunião aos amigos e como Kristen era sua melhor amiga, o certo seria você comparecer.

– Mamãe – suspirei –, eu não estou mesmo a fim de encarar um monte de gente agora. Só quero ficar sozinha.

– Você deveria ir, Abigail. – Mamãe usar meu nome de batismo *não era* um bom sinal. Não mesmo. – Você pode tirar todo o tempo que precisa para si mesma depois da reunião.

– Mas, mamãe...

– Eles contrataram um serviço de bufê, Abigail!

A súbita mudez de seu telefone, que havia sido fechado de forma abrupta, encerrou a discussão e a decisão havia sido tomada por mim. Minha mãe *vivia* para comparecer a eventos com comida de bufê. O que significava que eu também tinha de viver.

– Ah, tudo bem, o que você mandar – resmunguei para mim mesma enquanto me arrastava pelos degraus da igreja. Esperei impaciente que eles se apressassem e acabassem logo aquela conversa com o reverendo. Mas, é claro, que eles não tiveram a menor pressa.

Depois de dez minutos agonizantes de conversinha fiada, finalmente se despediram do reverendo e nós saímos do cemitério.

De carro, a viagem para a casa dos Maxwells era bem curta, mas já havia carros estacionados em volta do quarteirão quando chegamos lá. Papai deixou mamãe e eu na frente da casa dos Maxwells e foi procurar um lugar para estacionar. Mal mamãe deu três passos dentro da casa deles, foi parada por alguém. Ouvi sua risada ecoando conforme eu me afastava da horda e seguia para a cozinha.

A mãe de Kristen estava lá. Ela estava de costas para a porta e seus braços estavam na pia, cheios de espuma de detergente. Chegando mais perto, pude ver que havia apenas duas canecas e alguns pratos lá dentro. Não era algo com o que ela devesse se preocupar quando a casa dela estava cheia de convidados.

Então, vi seus ombros sacudindo. Não quis interromper seu choro, de modo que, em silêncio, dei meia volta.

Apanhei uma caneca limpa em cima da mesa de bebidas arrumada por ali e coloquei água quente nela. Depois, joguei um saquinho de chá de ervas dentro, esperei um minuto, pinguei um pouco de leite e coloquei açúcar. A sensação da caneca quentinha em minhas mãos era reconfortante e bebi meu chá devagar, tentando me desligar de todas as pessoas em volta de mim.

Mas meu momento de paz foi interrompido quando alguém esbarrou de repente em meu ombro, fazendo com que eu agarrasse a caneca com força.

– De-desculpe – gaguejou a pessoa.

Eu me virei olhando feio e vi alguém com um monte de cabelo castanho encaracolado na minha frente.

– Está tudo bem – respondi. – Não se preocupe com isso, Brad.

Ele também pegou uma caneca e depois lutou para abrir um saquinho de chá.

– Na verdade, ah... é Ben. Estou na sua turma, na escola. *Certo.*

– Bom, tudo bem, vejo você por aí. – Eu *não estava mesmo* com a menor vontade de bater papo naquele momento. Tudo o que eu queria era ficar sozinha.

Considerei a ideia de ir até o quarto de Kristen, mas preferi não fazer isso. Não parecia certo, por alguma razão, entrar no quarto sem ela por perto. Então, decidi ir ao porão. Havia um leve cheiro de mofo lá, que respirei assim que comecei a descer as escadas. Lá em cima eu me sentia na casa de estranhos, com toda aquela gente circulando, mas ali embaixo tudo era como eu me lembrava. Era um alívio estar em um ambiente cheio de coisas familiares de novo.

Em cima de uma velha mesinha de centro, um abajur surrado tinha sido deixado ligado, emanando uma luz amarelada que deixava a maior parte do cômodo imersa na escuridão. Esse porão sempre tinha sido um porto seguro que eu achava acolhedor e toda aquela escuridão não me incomodava nem um pouco. Fui até uma cadeira de balanço velha, meio escondida pelas sombras, e me sentei ali, ninando minha caneca de chá. Deitei a cabeça para trás e fechei meus olhos enquanto me balançava devagar, para a frente e para trás, e pensava sobre os velhos tempos.

– *Isso está um horror, Abbey! Nunca mais vou sair de casa!*

A voz dela saiu de uma pequena fresta na parte de baixo da porta do banheiro. Pensei ter ouvido uma fungada e depois o inconfundível som de nariz sendo assoado.

— *Ah, por favor, Kristen. Abra a porta* — pedi. — *Deixe-me ver como ficou. Não pode ser tão ruim. Abra a porta.*

— *Ah, está horrível. Muito, muito horrível. Eu deveria raspar a cabeça. Você sabe quanto custa uma peruca? Ou talvez eu devesse colocar um alongamento.*

— *Você* não vai *raspar a cabeça, Kristen* — gritei do lado de fora do banheiro. — *E você tem ideia de como esses alongamentos são caros? Se realmente tiver ficado horroroso, simplesmente tingiremos de outra cor. Isso é fácil de consertar.*

— *E o que você acha de chapéus?* — continuou ela. — *Seria muito esquisito se todo dia eu aparecesse usando um chapéu diferente?*

Apesar de ela não poder me ver, sacudi a cabeça e estava a ponto de usar o famoso se-você-não-sair-logo-daí-eu-vou-entrar-de-qualquer-jeito, quando a tranca da porta fez um clique e a porta do banheiro onde ela estava se abriu lentamente.

Dei três passos para dentro e tentei mesmo não revelar meu choque.

— *O que foi que você... fez?*

— *Eu não sei!* — lamentou-se, com uma mecha do cabelo pessimamente tingido na mão. — *Eu estava cansada de usar o cabelo vermelhão daquela forma! Pensei que uma tinta preta pudesse escurecer um pouco a cor. Eu sei que ficou horroroso!*

Ela estava quase chorando de novo.

— *Ah, Kris, não está tão ruim. Deixa eu dar uma olhada.* — *Chegando mais perto, inspecionei o cabelo dela, que ainda estava molhado. A tinta preta tinha coberto o vermelho em certos pontos, mas em outros ela não tinha "pegado" de jeito nenhum.*

— *Por que você não seca seu cabelo para a gente ver se faz alguma diferença?* — sugeri.

— Tudo bem. — Ela suspirou com tristeza e tirou o secador do armário debaixo da pia.

— Por que você não esperou por mim? — gritei acima do barulho do secador quando ela o ligou na potência máxima. — Eu teria ajudado você.

— Eu não sei! — gritou ela de volta. — Acho que eu queria que fosse uma surpresa! Só deixar você ver quando já estivesse feito, entende? Bom, feito do jeito certo, claro.

— Você é maluca. — Fiz um gesto circular com meu dedo ao lado da cabeça e sorri. Ela riu alto e sentei na beirada da banheira enquanto a esperava acabar de secar o cabelo. Dez minutos depois, o cabelo dela estava seco e parecia ter listras e não mechas.

Eu levantei.

— Agora vamos dar uma olhada em como ficou.

Ela passou uma escova no cabelo, repartindo-o de lado como sempre fazia.

— Viu? — eu disse, dando uma arrumada no cabelo dela, afofando um pouco e assentando algumas mechas mais rebeldes. — Se você usá-lo assim, vai ficar ótimo. Como se fosse mesmo o resultado que você queria.

— Verdade? — Em frente ao espelho, ela virou para se olhar de um lado, depois do outro. — Você acha mesmo que ele ficou legal? Você me contaria se não tivesse ficado, não é?

— Claro que eu contaria, Kristen, é para isso que servem as amigas. Mas digo com sinceridade que ficou bom desse jeito. É quase como se você tivesse pintado de preto e feito luzes vermelhas.

Ela deu outra olhada no espelho.

— Não sei não, Abbey. — Ela parecia preocupada.

– Ficou bom – falei de novo. – De verdade.
Então, tive uma ideia.
– Ei, e se eu fizesse luzes vermelhas no meu cabelo? Diríamos a todo mundo que fizemos nosso cabelo juntas. O que é que você acha?
Os olhos dela se acenderam.
– Essa é uma ótima ideia. Obrigada, Abbey. Podemos pegar o material que vamos precisar agora, e você pinta seu cabelo depois do jantar.
– Isso me parece um ótimo plano. – Apanhei uma esponja de um suporte perto dela e comecei a limpar as manchas de tinta na pia.
– Mamãe e papai têm uma reunião no Cavaleiro Assombrado esta noite, então a casa será toda minha.
Seu sorriso era enorme.
– Vou dizer à mamãe que você vai ficar para o jantar. – Ela começou a sair do banheiro, mas parou de repente e se virou para mim parecendo sem jeito.
– Será que você pode afastar bem o secador de mim?
Concordei com a cabeça, e sorri para mim mesma quando a ouvi gritar para a mãe que queria lasanha e pão de alho para o jantar.
Minha comida preferida.
Sim, é para isso que as amigas servem.

Um som leve, quase imperceptível, fez com que eu abrisse meus olhos e inclinasse minha cabeça para a frente. Dei uma boa olhada pelo porão, certa de ter ouvido passos.
Eu quase não o vi.

Apesar de ele estar sentado a poucos metros de mim, seu terno preto desaparecia nas sombras. Só seu cabelo o denunciava. O louro, quase branco, brilhava naquele porão escuro. Era o garoto que eu havia visto no cemitério.

Senti que ele olhava para mim e posso jurar que meu coração disparou. Eu não sabia o que fazer, o que dizer... mas eu tinha que perguntar *algo* a ele. Falei com calma, tentando diminuir as batidas do meu coração.

– Você conhecia Kristen?

Esperei pela resposta. Meu coração bateu com muito mais força... e de novo e de novo. Minha pergunta pairava no porão entre nós.

Não houve resposta.

Aumentei o volume de minha voz, para o caso de ele não ter me ouvido.

– Ah... hum... como você conheceu Kristen Maxwell?

Eu me remexi na cadeira e o barulho que ela fez ecoou pelo porão. Dei um golinho no meu chá para me distrair.

– Desculpe, você falou comigo? – falou ele de forma tão suave que, num primeiro momento, pareceu-me que eu tinha apenas imaginado ouvir sua voz.

Fiquei perplexa com a resposta dele. *Será que ele tinha mesmo me ouvido?*

– Eu queria saber se você conhecia Kristen. – Eu ficava mais ousada a cada palavra. – Eu vi você hoje no funeral e fiquei me perguntando de onde vocês se conheciam.

– Você ficou imaginando de onde eu conhecia a Kristen – repetiu ele, ainda falando mansinho, quase para si mesmo. Então, ele ergueu a voz, inclinando-se em minha direção.

– Eu já a havia visto... por aí.

Mas *eu* nunca havia me encontrado com ele antes. Seria ele um admirador secreto ou alguma coisa assim? Tentei examiná-lo mais de perto, mas ele ainda estava escondido pelas sombras. Sua voz parecia a de alguém mais velho. Será que ele era amigo do irmão de Kristen?

– Você chegou a conhecer Thomas?

– Thomas? – Ele pareceu confuso. – Não, eu não conheço nenhum Thomas.

– O irmão de Kristen? – insisti, esperando por sua resposta.

– Não, nunca soube que ela tinha um irmão – falava ele um pouco mais alto. Era como se ele estivesse chegando mais perto de mim, mas não o vi se mexer de jeito nenhum. *Aquilo* me deixava um pouco nervosa. Lá estava eu, sozinha com um estranho que tinha ido até a casa de Kristen e descido até o porão, embora não parecesse conhecê-la de verdade, ou sequer a família dela. Tudo isso era muito estranho.

Disfarcei meu nervosismo com uma risadinha.

– Ah, tudo bem. Bem, vou lá para cima, para ver se precisam da minha ajuda na arrumação. – Abandonei meu chá aos pés da cadeira de balanço e andei na direção da escada. Subi quatro degraus antes de me dar conta de que o estranho tinha me seguido. Virei-me.

Ele estava ao pé da escada, oculto na escuridão.

– Você não deve ter medo de mim, Abbey. Na verdade, estou aqui por sua causa.

– Como você sabe meu nome? – Agarrei o corrimão, quase gritando. – Quem é você? O que você quer dizer com estar aqui por minha causa?

– Não se preocupe, Abbey. Sou um amigo. – Ele se moveu para a frente, colocando-se sob um feixe de luz para que eu pudesse vê-lo bem.

Primeiro, fiquei chocada. E depois senti... algo mais. Ele era *lindo*. Muito sexy.

Quase ri de mim mesma por pensar nisso numa hora daquelas.

O cabelo dele foi a primeira coisa que notei agora que estávamos mais próximos. O tom de louro, tão claro, era incomum, e ele ainda tinha uma mecha preta que caía sobre a testa. Suas sobrancelhas também eram escuras, e ele tinha um nariz bem retinho e lábios carnudos. Mas foram seus olhos que mexeram mesmo comigo. Eles eram de um verde tão vivo e surpreendente que senti um arrepio percorrer minha espinha quando ele me encarou. Seus olhos eram incríveis. E pareciam bondosos.

– Você é a melhor amiga de Kristen, certo? – A voz dele tinha uma nota de calma e serenidade, e ele me olhava com tanto interesse que eu senti um pouco do meu nervosismo desaparecer. – Conte-me sobre ela.

Desviei o olhar por um momento, envaidecida por ele estar prestando atenção em mim, e depois fiquei zangada comigo mesma por permitir que me sentisse assim. Meus olhos se detiveram no canto do porão onde Kristen e eu havíamos passado tanto tempo juntas, e comecei a falar sobre aquilo para tentar distrair a mim mesma das emoções turbulentas que me invadiam.

– Vê aquele canto ali, onde está aquela estante de livros? – Apoiei-me no corrimão e apontei. Ele concordou com a cabeça.

– Quando éramos pequenas, Kristen e eu costumávamos descer aqui nos dias chuvosos. A mãe dela trazia dois lençóis e os estendia em volta da estante, para fazer uma tenda. Nós escolhíamos livros, pegávamos uma lanterna, sentávamos lá dentro e líamos histórias uma para a outra. A mãe dela fazia sanduíches de pepino com manteiga de amendoim, enquanto estávamos aqui. – Aquela lembrança provocou o meu riso. – Passamos mesmo por uma fase de pepinos com manteiga de amendoim. Não faço a menor ideia do motivo. – E então, eu me peguei confessando ainda mais. – Era quase como se Kristen tivesse um lugar secreto em seu porão aonde podíamos ir sempre que chovesse. Eu costumava chamá-lo de meu castelo mágico da chuva e achava que aquilo era a coisa mais legal que existia. – Meu rosto ficou vermelho por causa dessa história e de tudo que eu havia revelado. – Não sei por que contei tudo isso a você. É bem bobo, não é?

Ele tinha uma expressão divertida.

– Não acho que seja. Toda criança deveria ter um lugar como esse para brincar. Eu mesmo gostaria de ter tido um local assim. Parece ser muito divertido.

– Obrigada. Essa foi uma lembrança muito boa. Eu precisava disso. – O silêncio se instalou no poço da escada e percebi como minha respiração estava alta e rápida. Eu me concentrei em regulá-la, tentando respirar normalmente.

Ele falou baixinho e tive que me inclinar em sua direção para entender suas palavras.

— Se você decidir construir um castelo mágico da chuva de novo, Abbey, avise. Eu vou fazer uma visita.

Eu não soube o que dizer, então, não disse nada. Aquilo me deixou sem ar e meu coração parou por um segundo, quando me dei conta das implicações por trás das palavras dele. Meus neurônios corriam em todas as direções, desesperados com o monte de perguntas que eu queria fazer-lhe ao mesmo tempo.

Fomos interrompidos pelo toque irritante do meu celular. Olhei para a tela e fiz uma careta quando vi quem era.

— Desculpe, mas tenho que atender. É minha mãe.

Subi a escada e atendi o telefone.

— Hum, oi, o que você... Quer dizer, o que foi, mamãe? — Olhei por cima de meu ombro. Eu ainda podia ver o brilho de seus olhos verdes. Ele me encarava com firmeza, então, a resposta para minha mãe foi um tanto distraída.

— Hum, sim... Tudo bem.

A voz dela ecoava alta no telefone e desviei o olhar.

— Estou quase pronta também, eu estava lá embaixo, no porão... é, eu sei. Claro que vou me despedir dos Maxwells. Vejo você em cinco minutos.

Olhei de novo por cima dos ombros e murmurei "Desculpe", enquanto saía pela porta do porão. Ele fez um sinal com a cabeça e desapareceu nas sombras enquanto eu seguia na direção da cozinha para encontrar a mãe de Kristen.

Ela ainda estava lá, lavando pratos, e eu me aproximei cuidadosamente. Ela parecia mais calma e olhou para trás quando me ouviu chegando.

— Abbey, oi. — A voz dela era suave, e seus olhos estavam um pouco vermelhos, mas seu sorriso era encorajador.

Abraçando-a, lembrei de repente que havia deixado minha caneca no porão. Ela não disse nada enquanto me abraçava, palavras não eram necessárias. Eu sabia o que ela estava sentindo.

— Quer que eu fique e ajude com a limpeza? — perguntei. Ela balançou a cabeça.

— Não, não se preocupe com isso, querida. Eu dou conta de tudo. Isso vai me manter ocupada. — A voz dela fraquejou na última frase, mas fingi não perceber.

— Você vai nos chamar se precisar de alguma coisa, não vai? Qualquer coisa.

— Claro, linda. — Ela tentou me dar um sorriso forte, mas não conseguiu. — Despeça-se de seus pais por mim.

— Tudo bem — respondi. — Farei isso. Cuide-se bem. — Ela concordou com a cabeça e eu a abracei mais uma vez antes de sair da cozinha.

Mamãe estava me esperando do lado de fora, no corredor.

— Volto em um instante e então estarei pronta para ir embora — eu disse a ela. Ela concordou e me virei indo em direção ao porão. Eu tinha que me despedir de um outro alguém.

Mas quando desci ele havia ido embora.

— Olá? — chamei, indo até a cadeira de balanço para apanhar minha caneca. Eu me senti uma idiota por não ter perguntado o nome dele. Alcancei um interruptor e o porão, no mesmo instante, foi invadido pela luz de oito lâmpadas de sessenta watts.

Aquilo só confirmou o que eu já sabia. Ele não estava mais lá. Eu não teria a chance de me despedir ou sequer de perguntar seu nome. Eu nem sabia se iria vê-lo outra vez.

Apagando as luzes ao me virar para sair, parei por um segundo no escuro.

– Obrigada – sussurrei, olhando para o porão vazio que ficava atrás de mim.

Capítulo Três
PESADELOS E ALUCINAÇÕES

Eles eram dados a crer no divino e no sobrenatural; acreditavam em agouros e visões e, com frequência, enxergavam estranhos sinais e ouviam música e vozes no ar.

– A lenda do cavaleiro sem cabeça

Não consegui dormir muito bem nos dias seguintes. As aulas iriam começar em duas semanas, mas aquela era a última de minhas preocupações. Desde o dia do funeral, eu vinha tendo pesadelos. Não conseguia me lembrar de nenhum, mas eles estavam sempre lá, escondidos em minha mente, no limite de minha consciência.

Então, a situação começou a piorar.

Eu acordava de repente, meu corpo ensopado de suor, meus olhos esquadrinhando os cantos escuros do quarto. Geralmente eu enxergava o vulto de uma pessoa. Como se houvesse alguém ali comigo.

Se eu me concentrasse, apertasse meu olhos, a silhueta desapareceria. Eu sabia que aquilo não era nada além das sombras na parede, mas a cada noite, durante alguns breves segundos, o mais absoluto terror fazia meu coração disparar.

Mais de uma vez me flagrei chamando pelo nome de Kristen. Pedindo, suplicando que ela estivesse lá. Minha cabeça sabia que era impossível, mas meu coração tinha a esperança de que, de alguma forma, ela estivesse. Pensei que fosse ficar louca.

Depois da quarta noite de uma série de pesadelos e alucinações, achei mesmo que tivesse começado a ficar um pouco maluca. Eu lutava para ficar acordada durante a noite e só dormia quando o dia nascia. Eu não descansava nada desse jeito, mas pelo menos mantinha os pesadelos sob controle.

Porém, me manter ocupada a noite toda trazia uma série de outros problemas.

Primeiro tentei ler. Descobri um livro que eu ainda não havia lido, e que foi interessante o suficiente para prender minha atenção na primeira noite. Mas durante a tarde seguinte eu estava cansada demais para procurar novos livros, então, quando a meia-noite chegou, voltei a ter problemas.

Na segunda noite, folheei revistas velhas para matar o tempo, mas não funcionou tão bem, e cochilei várias vezes. A manhã demorou séculos para chegar e meu corpo implorava para que eu dormisse.

Foi na noite seguinte que eu acabei chamando por Kristen.

Depois de verificar meu e-mail, incluindo todas as contas antigas que eu já tivera, tudo o que eu tinha matado de tempo havia sido uma hora. Havia uma porção de sites de novas lojas on-line para navegar, porém eu não conseguia prestar atenção a nenhum deles. Do que sentia falta de verdade era daquele aviso na tela, informando que Kristen também estava conectada. Uma de nós quase sempre entrava on-line logo depois da outra. Era estranho não ver o nome dela aparecer na tela logo depois que eu me conectava.

Dando um suspiro, cliquei para desligar o computador e a tela se apagou diante de meus olhos.

Girando devagarinho para lá e para cá em minha cadeira, dei uma olhada em minha mesa. Várias pilhas de papéis estavam se acumulando em um dos cantos, e alguns CDs eram cuspidos de dentro de uma caixinha. Meu telefone celular estava ligado ao recarregador na tomada, e uma luz vermelha piscava para avisar que ele estava recarregado. Eu o apanhei e apertei a tecla que automaticamente fazia uma ligação para o celular de Kristen. Só quando comecei a ouvir a mensagem da caixa postal dela que me dei conta de que eu era uma idiota.

A voz dela parecia tão normal e era tão familiar, tão... real. Eu havia ligado para o celular dela quase todos os dias antes de ela desaparecer e nunca tinha pensado nisso de verdade. Mensagens curtas, mensagens longas, mensagens engraçadas, até mesmo mensagens irritadas... Eu deixara todo tipo de mensagens ao longo dos anos, coisas que amigas dizem uma a outra. Algo pequeno, insignificante de se fazer, mas agora eu entendia como cada uma daquelas mensagens tinha sido realmente importante.

Um bipe alto no final da gravação me assustou. Eu não sabia se deveria dizer alguma coisa. Prendendo a respiração por um instante, fiz uma pausa e depois disparei a falar, palavras e pensamentos jorrando desordenados de minha boca.

— Oi, Kristen, sou eu. Eu não sei... eu não sei o que dizer, não sei nem mesmo por que estou fazendo isso. Não é como se... isso é... estupidez... me desculpe.

Desliguei o telefone me sentindo frustrada e brava comigo mesma por ter feito a ligação. Não era como se ela fosse me ligar de volta. Onde quer que Kristen estivesse, seu celular não estava com ela. Ela o havia deixado em casa sem bateria na noite em que desaparecera.

Peguei um papel em branco da mesa e comecei a desenhar. Figuras pequenas, coisas estranhas, símbolos malucos... qualquer coisa que me viesse à cabeça. Rabisquei essas coisas de novo e de novo, até que tive que pegar outra folha em branco. E então, recomecei a escrever meus pensamentos. Eu escrevia sobre tudo e sobre nada.

Ao amanhecer, eu tinha preenchido oito folhas de papel com palavras aleatórias. Fora um processo exaustivo, mas com a chegada da manhã caí em um sono profundo.

Dormi durante a hora do café da manhã outra vez e queria dormir também durante a hora do almoço, mas mamãe me deu uma olhada estranha quando entrei pela cozinha.

— Você está se sentindo bem, Abbey? — perguntou ela, colocando a mão em minha testa.

— Sim, estou bem — eu disse, sentando-me à mesa —, mas tenho tido muita dificuldade para dormir.

Ela se sentou também, com duas garrafas de água nas mãos, e empurrou uma em minha direção. Examinei minhas mãos que estavam sobre a mesa, sem prestar atenção a mais nada. *Eu realmente deveria voltar para a cama. Estou exausta.*

– Você acha que não está dormindo bem por causa do funeral? – A pergunta súbita de mamãe me tirou do transe.

– Provavelmente. – A conversa que eu tinha ouvido na casa funerária estava bem viva em minha cabeça, e eu podia ouvir aquelas mulheres falando sobre Kristen de novo. – Ou pode ter alguma coisa a ver com o fato de que, nesta cidade, algumas pessoas não têm um pingo de bom-senso ou boa educação.

Ela franziu a testa.

– O que você quer dizer?

– Quero dizer que esta cidade é tão minúscula que basta uma pessoa começar uma fofoca maldosa para que, antes que você saiba o que está acontecendo, ela se transforme em uma verdade absoluta. – Minha voz era pura frustração. – Você *sabe* do que estou falando, mamãe, e você sabe que isso não está certo. Ouvi algumas pessoas dizendo que Kristen tinha se matado ou estava usando drogas. Elas não deveriam andar por aí espalhando mentiras! Não é justo com a família dela, e não é justo com ela.

Dando tapinhas em meu braço, ela disse, solidária:

– Sei como você se sente, Abbey. Mas não há muito o que possamos fazer. As pessoas falam. Uma hora ou outra, a fofoca acaba.

– Você *não* entende, *nem tem a menor ideia* de como eu me sinto – revidei. – Porque se soubesse, faria alguma coisa para impedir que essas pessoas falassem sobre Kristen por trás. Use sua posição no conselho municipal. Faça alguma coisa!

— Eu não posso controlar o que as pessoas da cidade pensam, Abigail. Você sabe disso. — Ela se levantou e foi até a máquina de lavar pratos. — Não dê importância, e logo isso acaba.

Eu não conseguia acreditar que ela estava me dizendo para apenas ignorar tais pessoas. Eu dar de ombros e deixar que falassem aquelas coisas sobre minha amiga? De jeito nenhum.

— Bem, há algo que eu posso fazer, mamãe. — Senti a raiva tomando conta de mim. Eu estava furiosa. — Posso defender minha melhor amiga. Mesmo que você não queira fazer isso.

Saí intempestivamente da cozinha, deixando minha garrafa d'água para trás e fui pisando firme até meu quarto. Bati a porta com força para que ela soubesse que eu estava falando sério. Era bem provável que mais tarde ela gritasse comigo por isso, mas eu não dava a mínima.

Quando me deitei, só queria fechar os olhos um pouquinho, mas devo ter caído no sono porque, quando me dei conta, mamãe estava inclinada sobre mim e chamando meu nome.

Lutando para me sentar, bocejei alto e esfreguei os olhos.

— Cansada... Só tirando uma soneca... Por que você me acordou? — resmunguei.

— Você gostaria de ir à nova loja de produtos naturais comigo? — convidou ela.

— Aquela perto da cabana? — perguntei, ainda grogue de sono. — Mas fica a uma hora daqui. Tem certeza de que quer ir até lá?

– Claro, por que não? – Ela deu de ombros. – No caminho, tenho uns papéis para deixar na casa do prefeito Archer, mais que isso, se você estiver a fim, eu topo.

Eu estava cansada demais para discutir sobre se eu me importava ou não com o passeio ou com o prefeito Archer, então, deixei para lá. Pelo menos ela estava tentando.

– Tudo bem. – Eu me obriguei a sorrir. – Vamos nessa.

No caminho para o carro, peguei umas uvas para comer na ida. Pular o café da manhã e o almoço tantas vezes estava me deixando faminta. O cacho acabou num instante, e joguei a última uva na boca antes de me sentar no banco do passageiro e prender o cinto de segurança.

Mamãe também entrou no carro, colocou a chave na ignição, mas não deu partida. Fiquei tensa, dando como certo que ouviria, logo a seguir, um belo sermão sobre como eu deveria aprender a controlar minha raiva.

– Abbey... – começou ela. Limpando a garganta, tentou de novo. – Se alguma vez você precisar falar sobre Kristen... ou sobre qualquer outra coisa, bem... Quero que você saiba que sempre pode contar comigo. E se eu não puder ajudar, nós vamos encontrar ajuda profissional para você. – Seus olhos azuis estavam cheios de preocupação, e havia ruguinhas em volta deles.

– Obrigada, mamãe. – Dei um sorriso sem graça. – Se eu precisar de alguma coisa, direi a você. – Eu devia estar deixando transparecer como me sentia de verdade, ou seja, no limite, para mamãe sugerir que eu fosse ver um profissional.

Minha resposta pareceu deixá-la satisfeita, e ela parecia aliviada por ter feito a parte dela. Ela deu partida no carro e seguimos em direção à casa de Archer. Dez minutos depois, estávamos na porta da frente da casa do prefeito, e mamãe prometeu que estaria fora de lá em cinco minutos. Assim que ela bateu a porta do carro, apanhei uma caneta e um bloquinho de dentro do porta luvas, sabendo que eu teria de esperar por um tempo. Os tais "cinco minutos" da mamãe costumavam durar vinte.

Comecei a fazer uma lista de todas as coisas que eu queria achar nessa loja nova e estava perdida em meus pensamentos quando a porta do lado de mamãe abriu de novo.

– Desculpe por ter demorado tanto – disse ela, sentando-se em seu assento e ajustando o espelho retrovisor –, tive que discutir umas coisinhas com o prefeito.

– Sem problema – respondi. Acrescentei frascos de dosagem e óleo de bergamota à minha lista, porque os meus estavam acabando. Voltamos à estrada principal e guardei o bloquinho, sentindo que cairia no sono. Eu sabia que não aguentaria muito tempo.

O barulho da porta do carro sendo aberta me assustou, e acordei com um sobressalto. Olhando para mamãe, sorri envergonhada.

– Desculpe, eu caí no sono. Estava muito cansada.

– Não se preocupe. Chegamos.

Ergui o pescoço para ver tudo quando desci do carro.

Uma grande placa verde com acabamento dava as boas-vindas, anunciando o nome da loja: *Um Tempo e Uma Razão*. Caí de amores pelo lugar no mesmo instante.

A própria loja parecia que tinha vivido uma outra vida como casa grandiosa da virada do século, completa com decorações cor de pão de gengibre, janelas que iam do chão ao teto e um telhado com uma aresta. O lado de fora era pintado em diversos tons de verde e magenta que se complementavam de uma forma maravilhosa, e eu sabia que esse era o tipo de loja que queria ter um dia.

Quando entramos, vi que o lugar era ainda melhor do que eu esperava: não apenas tinha uma grande variedade de ervas disponíveis, como também várias seções de potes e frascos, garrafas, kits de amostra, e produtos para fazer embalagens de todo tipo. E lá ainda havia quase todo tipo de óleo perfumado conhecido pela humanidade.

Eu estava no paraíso. Podia passar a semana ali, feliz da vida. Eles tinham quase tudo da minha lista.

Depois de dar uma olhada pela loja por quarenta minutos escolhendo um monte de coisas, comecei a pensar se eu não estava "dando nos nervos da minha mãe". Então, fui diminuindo minhas escolhas. Por fim, escolhi levar alguns frascos de teste, algumas garrafas âmbar grandes e um jogo novo de conta-gotas.

Mamãe foi me encontrar na frente da seção de óleos.

– Para que serve óleo de bergamota? – perguntou ela, observando enquanto eu decidia que tamanho de frasco ia querer.

– Sabe aquele perfume outonal que eu fiz para você ano passado? Quero fazer outro este ano, mas com um tom mais terra. – Enquanto falava com ela, eu me perguntava se deveria levar óleo essencial de gengibre ou de *cranberry*.

– Eu adorei aquele perfume! – disse ela. – Você pode fazer um outro para este inverno também? Algo que tenha cheiro de Natal?

– Claro! – respondi, pegando frascos de hortelã-pimenta, baunilha e de óleos essenciais e colocando junto das outras coisas que eu queria. A última coisa que escolhi, antes de me obrigar a sair de perto da prateleira, foi um frasco enorme de óleo de jojoba.

Eu já tinha tudo o que precisava.

– Estou pronta para ir embora, finalmente – falei, enquanto me dirigia à saída da loja, andando curvada por causa do peso de minha cesta abarrotada de produtos.

– Este lugar é sensacional – disse para a senhora que operava a caixa registradora, quando consegui chegar lá. – Os donos fizeram uma decoração maravilhosa e os produtos são incríveis!

Ela riu.

– Bem, obrigada. Eu decorei tudo sozinha e acho seus elogios muito gentis.

– Você tem um site onde eu possa fazer compras on-line? – perguntei, ansiosa. – Costumo encomendar produtos naturais de uma loja perto de casa, mas ela é superpequena e não tem nem a metade dos produtos que você tem.

Ela riu concordando e me deu um cartão com o nome da loja e o endereço do site que guardei no bolso de trás da minha calça, e então ela começou a registrar minhas compras. Mamãe me surpreendeu por pagar minha conta, que ficou bem alta, sem me mandar devolver nada, e também escolheu um CD de musica clássica para si mesma.

Eu me despedi da dona da loja com um sorriso enorme e então saímos de lá.

– Obrigada por me trazer aqui, mamãe – eu disse, guardando as sacolas no carro. – Foi muito divertido.

Ela apenas sorriu para mim e nós nos acomodamos no carro. Não conversamos no caminho de volta para casa. Mamãe colocou o CD que havia comprado e a música encheu o carro. A volta foi calma e tranquila, e consegui ficar acordada.

Mais tarde, naquela noite, cercada pelas minhas recentes comprinhas, eu estava ansiosa para finalmente começar a trabalhar. Desde o desaparecimento repentino de Kristen, eu havia perdido toda a minha paixão por fazer perfumes. Meu coração não estava naquilo, então desisti completamente. Mas naquela noite, tudo estava diferente. Eu me sentia centrada de novo, pela primeira vez em muito tempo. Estava pronta para me lançar em um novo projeto.

Enquanto preparava meu espaço de trabalho, não tive nenhuma preocupação com o fato de não conseguir dormir durante a noite. O processo de criar um novo perfume sempre exigia concentração total e uma enorme quantidade de anotações, por isso eu sabia que ficaria bem ocupada. A meia-noite chegou e passou sem que eu sequer notasse. Às cinco da manhã, fiquei surpresa ao verificar que já era hora de tentar dormir um pouco. Dormi profundamente e acordei impaciente e animada depois do trabalhado da noite anterior. Criar perfumes novos era difícil. Envolvia várias baterias de testes das mais variadas combinações de óleos essenciais, nos quais eu procurava resultados diferentes, verificava anotações anteriores, comparava amostras, tomava novas notas e depois começava tudo de novo, com cada nova essência escolhida.

E eu amava cada minuto desse processo.

Havia um milhão de combinações possíveis com cada uma das essências, e eu tinha de descobrir quais delas se complementavam. Às vezes era complicado, mas nunca, nunca tedioso. E a melhor coisa sobre essa história toda é que as noites pareciam voar. Elas não se arrastavam mais nem me ameaçavam com sombras e sonhos.

Comecei a trabalhar um pouquinho mais cedo a cada noite e a dormir um pouco menos durante o dia. Depois de aperfeiçoar a fórmula do perfume outonal da mamãe e de criar uma nova essência para o inverno, dediquei-me a algo diferente. Algo que me dava medo a ponto de me fazer tremer, mas algo que eu sabia que tinha de fazer.

Eu iria criar um perfume para Kristen.

Kristen havia me pedido uma porção de vezes para fazer um perfume especialmente para ela, mas eu sempre hesitava. Criar essências que não apenas tivessem um cheiro agradável, mas que também combinassem com a pele de quem as usa é um desafio. Como Kristen era minha melhor amiga, eu sempre me senti pressionada a fazer um perfume que captasse sua personalidade e que, de alguma forma, fosse sua assinatura. Eu nunca quis decepcioná-la, em nenhum aspecto. Mas dessa vez, decidi me arriscar.

E essa tarefa acabou se revelando muito mais difícil do que imaginei.

Eu não conseguia encontrar essências que combinassem e, várias horas depois de trabalhar com afinco, desisti. Levantei de minha mesa de trabalho, e andei um pouco pelo quarto para esticar as pernas. Minha cabeça começou a latejar, a dor martelava a região entre meus olhos. Então decidi pressionar minhas têmporas com as pontas dos dedos. Não havia como continuar trabalhando com todas aquelas essências fortes sentindo uma dor de cabeça tão intensa. Eu não conseguiria me concentrar.

Apanhei algumas almofadas aos pés da minha cama, levei-as até o banco junto da janela e fiz uma pilha alta. Tinha esperanças de que descansar meus olhos um pouquinho faria a dor de cabeça desaparecer.

Ajeitei-me naquele ninho de almofadas e pressionei meu rosto contra o vidro da janela. O contato com o vidro frio pareceu diminuir minha dor. Suspirei pelo alívio momentâneo. Aquele lugar era muito confortável. Eu poderia ficar ali por horas...

Quando abri meus olhos de novo, o mundo lá fora estava todo coberto por um suspeito tom alaranjado. Então me dei conta de que era o sol nascendo. Eu havia dormido a noite toda, sem pesadelos.

Nos dias seguintes, devagarinho, reajustei meu horário de dormir. Mesmo não conseguindo adormecer antes da meia-noite, ao menos não estava mais dormindo durante o dia. E isso era uma coisa muito boa, já que as aulas começariam na segunda-feira.

Capítulo Quatro

OS PRIMEIROS DIAS

A escola dele era um prédio baixo com apenas uma grande sala, feita de toras rústicas; as janelas eram parte de vidro e parte revestidas com folhas de antigos cadernos de respostas.

– A lenda do cavaleiro sem cabeça

Somente quando eu já estava a quatro quarteirões de distância de casa, na segunda-feira pela manhã, foi que me dei conta de que estava indo na direção errada. Parei de repente, no meio da calçada. Eu não faria minha parada diária na casa de Kristen para irmos juntas à escola. Nem neste ano... nem no próximo. Isso nunca mais iria acontecer.

Uma dorzinha começou a brotar perto do meu coração, e aquilo fez meu peito doer. Esfreguei a região que doía, enquanto me virava e seguia devagar em direção à escola. Sozinha. Respirei fundo várias vezes para tentar afastar aquela sensação, mas ela não ia embora. Durante toda a caminhada, eu sentia como se estivesse esquecendo alguma coisa.

Eu ainda estava perdida em meus pensamentos quando atravessei as portas de metal da entrada da escola e, quando dei por mim, já estava no corredor principal. Um aviso grande e escrito à mão preso na parede à minha esquerda informava a todos os alunos que chegavam que eles deveriam ir ao ginásio para uma assembleia.

Seguindo o barulho que uma porção de tênis novos faziam contra o piso de madeira recentemente encerado, eu me arrastei, só mais uma aluna em uma fila imensa. Ao empurrar as portas de vaivém do ginásio, pude ver que várias arquibancadas de metal já tinham sido armadas e estavam sendo ocupadas rapidamente. Enquanto me obrigava de novo a lembrar que neste ano não haveria ninguém guardando um lugar para mim, andei em direção ao fundo do ginásio e sentei perto da área que costumava ser reservada aos professores.

O diretor Meeker, todo desajeitado, estava em pé em um tablado na parte da frente do ginásio. Ele limpou a garganta várias vezes, bem alto, enquanto esperava que as conversas e o barulho de pés se arrastando cessassem. Ele usava uma camisa estilo anos setenta, marrom estampada, que *não* era a escolha mais adequada a seu porte, digamos, corpulento, e que, infelizmente, já revelava manchas arredondadas de suor debaixo de cada braço.

Aquilo era muito nojento.

Quando o barulho finalmente se transformou em um rangido lento, o diretor Meeker bateu palmas uma vez para começar a falar.

— Sejam bem-vindos de volta, alunos e corpo docente. Acredito que todos tenham tido um verão proveitoso e educativo, não? – Atrás de seus óculos fundo de garrafa, de aros pretos, as sobrancelhas dele, que mais pareciam com taturanas, se ergueram cheias de expectativa e ele fez uma pausa. Depois de um instante de silêncio constrangedor, arrumou os óculos no rosto e recomeçou.

– Antes de explicar as regras deste novo ano escolar, quero falar sobre a tragédia recente que afetou profundamente nossa escola e comunidade. Como a maioria de vocês sabe, durante as férias de verão, Kristen Maxwell se envolveu em um... ah... afogamento por acidente, fatal.

Eu pude ouvir a movimentação nas cadeiras quando, de repente, centenas de cabeças pareciam virar e olhar em minha direção. Hollow High era uma escola com mais ou menos quatrocentos alunos e, naquele momento, pareceu que cada um deles estava me encarando.

Meus olhos se fixaram no chão. Eu me concentrei na ponta do meu sapato para não ter de ver aquela gente toda olhando para mim. Quanto tempo mais ele falaria sobre aquilo?

– Por causa desse terrível acontecimento, a escola terá mais psicólogos disponíveis para ajudar qualquer um que queira falar sobre essa perda e que precise de ajuda para lidar com o luto e superá-lo. – As cabeças se voltaram para o diretor de novo, eu não era mais a principal atração. – Eles estarão disponíveis antes e depois do horário do almoço, no escritório do psicólogo da escola, durante toda a semana. Por favor, não hesitem em ir até lá falar com um deles se quiserem conversar sobre isso.

Ele olhou para nós e suas sobrancelhas se ergueram de novo.

– Lembrem-se, crianças, isso não é um "passe livre para escapar das aulas". Os psicólogos só devem ser procurados por aqueles que realmente precisem deles.

Depois, ele falou sobre algumas lembranças que tinha de Kristen e abriu espaço para qualquer um que quisesse fazer o mesmo. Alguns professores se levantaram e falaram a mesma baboseira falsa de sempre. Aquelas coisas que as pessoas dizem quando não conheciam *de verdade* a pessoa que se foi, mas se sentem obrigadas a falar bem dela, de alguma forma. Todos esses discursos vazios viraram uma coisa só, indistinta, sem começo e sem fim.

De vez em quando, alguém se virava na minha direção e me dava uma "olhada", com certeza se perguntando quando é que eu ia me levantar e começar a falar. Aqueles olhares estavam *mesmo* começando a me cansar. De ter outras pessoas tentando decidir por mim o que eu devia ou não fazer. Por fim, três garotas se levantaram debulhando-se em lágrimas, soluçando e fungando, e foram devagar até a frente do ginásio. Elas estavam, claro, perfeitamente vestidas e maquiadas, e eram as pessoas mais arrumadas de toda a escola. Um murmúrio de excitação agitou a multidão.

Todo mundo sabia quem aquelas garotas eram.

E *eu* sabia que nenhuma delas nunca tinha se importado em falar com Kristen, ou comigo, porque tínhamos estudado juntas desde o ensino fundamental.

A mais alta e, claramente, a líder do bando, Shana Williams, falou primeiro.

– Nós só queremos dizer que não podemos acreditar que uma coisa tão terrível tenha acontecido. Perder uma de nossas colegas tão nova é muito... muito... trágico. – Ela fungou, frágil, e jogou seu cabelo, de um louro perfeito, para trás.

Virei os olhos. Aquelas garotas não ligavam para Kristen. Tudo com o qual se importavam era a atenção que estavam recebendo.

– O time de líderes de torcida decidiu dedicar essa temporada à memória de Kristen Maxwell – disse Aubra Stanton, a menina do meio. Ela era a única morena do grupo. – Faremos o melhor que pudermos para que a memória dela viva por meio de nós.

Eu bufei alto, o que fez alguns professores me olharem com simpatia. É bem provável que eles tenham pensado que eu estava "externando a minha dor" ou qualquer coisa assim.

A loura mais baixinha, Erika-alguma-coisa, tomou a palavra.

– Ela era uma pessoa tão boa, sabem? Não consigo me conformar que ela tenha ido embora tão cedo. – Ela começou a soluçar baixo, tomando o máximo cuidado para não borrar sua maquiagem imaculada, enquanto as outras duas meninas a abraçavam.

Eu quase engasguei.

Elas não conseguiam nem dizer o sobrenome de Kristen do jeito certo e tinham a *audácia* de ficar ali, na frente de todo mundo, agindo como se tivessem sido as melhores amigas dela a vida toda? Aquilo tudo era uma enorme bobagem. Elas não davam a mínima para Kristen. Elas nem sequer *conheceram* Kristen.

O barulho das minhas botas batendo no chão de madeira ecoou por todo o ginásio na hora em que me levantei para sair dali. Deixei que as portas batessem conforme eu passava e não me dei o trabalho de olhar para trás. Preferi ir me esconder em um boxe do primeiro banheiro que encontrei, até que o sinal para a primeira aula tocasse.

Aquele ia ser um ano *muito* longo.

A manhã se arrastou, e enquanto todos a minha volta se esforçavam para readquirir o hábito de prestar atenção no que os professores diziam e tomar notas, eu me esforçava para não pensar em Kristen. Não havia sequer uma carteira vazia esperando por ela. Como se ninguém acreditasse que ela pudesse voltar.

Quando finalmente soou o sinal, avisando que a aula de história tinha acabado e que o horário de almoço estava começando, escapuli para a cantina. Eu precisava muito de um tempo, mas não havia a menor possibilidade de solidão ali, e eu, automaticamente, procurei pelo rosto de Kristen enquanto ia até o lugar onde costumávamos sentar juntas para almoçar. Algumas pessoas sorriram para mim conforme eu passava, mas não consegui sorrir de volta. Eu não queria a pena de ninguém. E nenhum tipo de companhia imposta.

Depois de passar vinte minutos martirizantes brincando com minha comida, saí da cantina antes de ser atropelada pela "manada". Ao mexer em meu armário, fiquei grata pelo armário de Kristen não ter sido dado a outra pessoa, porque ele era bem ao lado do meu. Enquanto permanecesse vazio, eu não teria que tolerar ninguém novo invadindo o espaço dela. Comecei a separar os livros para colocá-los em minha mochila mais rápido quando o segundo sinal tocou. Bati a porta do armário e corri para a aula seguinte.

A tarde passou ainda mais devagar que a manhã, e cada segundo foi uma agonia. Fiquei aliviada ao descobrir que meu último horário do dia era reservado a "um horário de estudos" que, como logo aprendi, era o período em que garotos de anos diferentes tinham "autorização" para matar aula.

Aquela notícia foi a luz do meu dia.

No entanto, mesmo aquele breve momento de alegria desapareceu e, cinco minutos depois de estar ali, eu já queria ir embora. Os últimos dezoito minutos de aula que me separavam da liberdade pareceram dezoito horas.

Já que eu *não ia mesmo* estudar ou fazer algo do gênero, e que não havia ninguém sentado perto de mim, empilhei meus livros de modo que eles escondessem meu rosto e então fechei meus olhos. Por um instante, fiquei apenas sentada ali. Pensando sobre o dia que tivera até aquele momento e temendo o que o resto do ano me reservava. Talvez eu devesse falar com mamãe sobre ser educada em casa...

Fui acordada pelo barulho estridente do sinal e por alguém que esbarrou em minha carteira quando saiu apressado. Limpando um pouco de saliva da minha boca com uma de minhas mãos, olhei em volta para ver se alguém mais havia notado. Ainda bem que não havia sobrado ninguém para reparar em mim. Eu era a única que ainda estava lá. Enfiei meus livros na mochila e fui para casa.

Eu havia sobrevivido ao primeiro dia. Só faltavam mais oitocentos milhões.

Escolhi o caminho mais longo para casa, enquanto remoía as horas dolorosas que acabara de passar na escola. Aquela não havia sido uma experiência agradável e a última coisa que eu queria era repetir o dia de hoje. A ideia de ser educada em casa parecia cada vez melhor.

Assim que passei pela porta dos fundos, a voz de mamãe me alcançou.

– E então, como foi seu primeiro dia? O diretor me ligou.

As fantasias sobre educação doméstica desapareceram e eu congelei. Um milhão de hipóteses passaram pela minha cabeça enquanto eu digeria aquela informação. O diretor havia telefonado para falar sobre o quê? Será que eu havia me metido em encrenca por ter saído daquele jeito do ginásio? Ou por ter tirado uma soneca na aula de estudos dirigidos? Como é que eu ia sair dessa?

Sondei o terreno, dando de ombros como se não me importasse.

– Foi legal. O diretor Meeker fez uma reunião e falou sobre Kristen...

Com o canto do olho, vi que mamãe estava entretida com uma papelada que estava sobre a mesa e suspirei aliviada. Aquele era *sempre* um bom sinal. Queria dizer que ela estava pensando em coisas mais importantes que eu.

– Foi por isso que ele telefonou. – Ela nem olhou em minha direção, só remexeu mais seus papéis. – Ele estava avisando a todos os pais sobre os psicólogos que estão à disposição dos alunos do colegial. Eu espero que você dê um bom exemplo para os outros alunos, Abigail.

Eu nem sequer podia imaginar o que ela queria dizer com aquilo.

– Claro, mamãe. – *Qualquer coisa. Dane-se.* – Vou subir para fazer minha lição de casa. Você me chama quando o jantar estiver pronto?

– Tudo bem – respondeu ela, distraída, e aproveitei a chance para escapulir para meu quarto.

Jogando minha mochila sobre a cama, fechei a porta e vaguei inquieta, me sentindo presa pelo quarto. Eu não sabia o que fazer comigo mesma. Eu *deveria* estar com Kristen naquela hora, fosse andando sem rumo pelo cemitério ou vagando pela ponte. Falando sobre o primeiro dia de volta às aulas e sobre quem vestiu o quê. Deveríamos estar solidárias uma com a outra e comentando a falta de sensibilidade dos professores em passar tanta lição de casa logo no primeiro dia de aula... Esse tipo de coisa.

Isso tudo não estava certo. Eu não estava acostumada a tanta solidão.

Desesperada para ouvir sua voz e fingir para mim mesma que tudo era como antes, peguei meu telefone e liguei para ela. Fui atendida por uma mensagem indiferente que disse "O número chamado encontra-se desligado". A mensagem com a voz dela na secretária eletrônica havia desaparecido.

Desabei na cama, bombardeada por imagens daquele dia. Tudo estava tão confuso e eu me sentia tão sufocada que não pude mais segurar as lágrimas.

Eu ainda podia ouvir o diretor Meeker anunciando a morte de Kristen na frente de toda a escola. E podia ver o armário dela ao lado do meu, intacto, o armário que deveria estar guardando as coisas dela. Ah, e ligar para ela e saber que ela não atenderia mais o telefone...

Escorregando para o chão, eu me enrolei em mim mesma e fiquei me embalando para a frente e para trás, tentando afastar a dor e o vazio, mandar aquilo tudo de volta para um ponto onde eu não sentisse mais nenhuma daquelas coisas. Parecia que meu coração estava sendo espremido em um torno e toda minha vontade de viver tinha acabado.

Eu não sabia lidar com uma dor tão grande.

Era grande demais. Brutal demais. Demais.

Quando mamãe me mandou descer para jantar, eu disse a ela que não estava me sentindo bem e iria cedo para a cama. Não era exatamente uma mentira, já que meu peito doía e eu me sentia um pouco enjoada. Mas eu não pretendia mesmo ir para a cama. Em vez disso, fiz toda a minha lição de casa e comecei a trabalhar no perfume de Kristen. Foi uma noite longa e cansativa, e eu não dormi nem um segundo. No dia seguinte, tive dificuldade em me concentrar nas aulas e acabei caindo no sono outra vez durante o "horário de estudo".

Mas eu sabia que isso não importava. De qualquer forma, ninguém dava a mínima para o que eu fazia.

Na sexta-feira à tarde, arranquei meu traseiro da carteira depois do sinal da última aula e praticamente corri para fora da sala. Só comecei a andar mais devagar quando consegui sair do prédio.

Por um lado, eu estava *muito* feliz por ter dois dias livres à minha frente, longe daquele buraco negro sugador de almas que alguns chamam de escola, mas, por outro, eu sabia que não teria o que se poderia chamar de louca diversão sozinha em casa.

Fui me arrastando na direção de casa, mas quando estava quase lá... mudei de direção e fui para o outro lado. Talvez eu não tivesse que passar *todo* o meu tempo presa em casa...

Bati duas vezes na porta da casa dos Maxwells e fiquei parada ali, sem jeito, na varanda. Tempos atrás, eu simplesmente teria entrado com Kristen, mas as coisas eram... diferentes agora. Então, esperei.

A mãe de Kristen abriu a porta e deu um sorriso enorme quando me viu.

– Abbey, entre! Você não precisa bater. Pensei que fosse o carteiro.

Devolvi o sorriso, dei um passo para dentro daquele corredor tão familiar e me esforcei para não pensar sobre a última vez em que estivera ali.

– Olá, sra. M. Eu só quis dar uma passada e dizer um "oi" para a senhora. Com as aulas recomeçando esta semana, eu andei meio... ocupada – expliquei, pouco convincente.

Era mais ou menos tudo a mesma coisa. Triste, arrasada, transtornada, ferida... ocupada? A diferença era a mesma.

Ela fez um sinal para que eu fosse até a sala de estar e me sentasse em um sofazinho azul-bebê, perto de uma poltrona de tecido verde e rosa estampado.

– Então, conte tudo sobre o segundo ano do ensino médio. Como está indo tudo até agora? – perguntou, inclinando-se um pouco em minha direção. – Disseram que o segundo ano é bem difícil para que você possa aproveitar melhor o último ano.

Dei uma risada forçada.

– Não duvido nada. Já estou cheia de trabalho, na verdade. Este ano não vai ser fácil.

– Tenho certeza que não – disse ela com doçura, com as mãos unidas em seu colo. – Eu sei que Kristen... – A voz dela falhou, mas ela continuou falando: – Bem, ela estava ansiosa por este ano. Mal podia esperar pelo baile e por começar a procurar uma faculdade.

Cheguei mais perto dela e fiz um carinho em seu braço.

– Eu sei disso, sra. M. Eu sei mesmo. – Tentei pensar em alguma outra coisa para falar. Aquela visita não estava indo nada bem.

– Ela deveria estar aqui, Abbey, com você. – Esse comentário tão sincero e doloroso havia me ocorrido inúmeras vezes durante a semana. – Recomeçando a escola. Fazendo os deveres de casa. Planejando o fim de semana. E não... isso. – Ela olhou em volta parecendo tão indefesa. – Agora tudo o que existe é essa casa vazia.

– E se ela estiver lá fora, em algum lugar? – perguntei num impulso. – Por que vocês desistiram das buscas tão rápido? – Eu sabia que não devia dizer aquelas coisas, mas não conseguia me conter. O filtro entre meu cérebro e minha boca não estava mais filtrando coisa alguma, pelo jeito.

Ela me olhou cheia de tristeza.

– Você sabe que ela não está lá fora, Abbey. Você sabe o que eles encontraram. – Ela não conseguia dizer em voz alta, mas eu sabia sobre o que ela falava.

– A polícia deveria ter feito mais alguma coisa – eu disse, cheia de raiva. – Eu já vi casos como esse em *Law and Order*. Eles não desistem *tão rápido*. Eles convocam outros departamentos. E o FBI? Por que o FBI não foi chamado? Eles teriam feito alguma coisa. Só porque ela está desaparecida não significa que esteja morta.

– Não foi a primeira vez que aconteceu – respondeu ela. – Quando aquele senhor caiu lá no ano passado, o corpo dele demorou seis meses para aparecer.

– Eu sei, só que... – Suspirei e balancei a cabeça.

– Como não houve pedido de resgate, nenhuma prova de sequestro, *e ela foi vista* indo na direção do rio...

– E o sangue encontrado? – interrompi. – Pode significar que alguém a machucou.

E então foi a vez de ela balançar a cabeça.

– A polícia sabe o que faz, Abbey. Eles disseram que a pequena quantidade de... sangue naquela pedra era consistente para provar que alguém bateu a cabeça ao cair. E você *sabe disso* muito bem.

– É... bom, mesmo assim, acho que eles deveriam ter tentado mais. Como os policiais na televisão.

– A vida real não é como as séries da televisão. – Ela deu um suspiro cansado, antes de se levantar. – Quer tomar sorvete? Acho que preciso de umas duas bolas de sorvete com calda dupla de caramelo imediatamente.

Concordei e ela saiu da sala, voltando momentos depois, com uma embalagem grande e duas colheres.

Ficamos passando o pote de sorvete de uma para a outra, e demorou para que ela voltasse a falar de novo.

– Eu não queria desistir dela, Abbey – disse ela de um jeito franco. – Mas nós precisávamos de algum tipo de conclusão. Com Thomas foi diferente. Desta vez, nós só precisávamos de algum tipo de fechamento, de explicação. Você entende?

Eu *não* entendia. Mas desejava de todo coração que a tristeza dela acabasse tão rápida e suavemente quanto aquele pote de sorvete.

Capítulo Cinco

ESCOLHAS

Sobre uma parte escura do rio, não muito longe da igreja, onde antigamente havia uma ponte de madeira... Esse era um dos lugares que o Cavaleiro sem cabeça mais gostava de assombrar.

— *A lenda do cavaleiro sem cabeça*

Na terça-feira seguinte, depois de outro dia duro na escola, tive a sensação de que, se fosse direto para casa, acabaria no chão do meu quarto outra vez, embalando-me para frente e para trás. E isso *não seria* nada bom. Descartei a ideia e saí andando, sem muita certeza de onde estava indo, mas certa de que eu tinha de continuar.

Quando cheguei a uma bifurcação na estrada, parei um pouco, ponderando sobre minhas opções. Foi então que alguma coisa que eu não entendia o que era me empurrou e me disse que direção eu deveria seguir. Cinco passos depois, os dois portões enormes de ferro batido, da entrada do Cemitério de Sleepy Hollow, estavam bem à minha frente.

Respirei fundo, dei um passo para trás, dois passos para a frente e selei minha sorte.

Jamais imaginei que algo tão simples quanto andar pudesse ser tão complicado, mas aquele primeiro passo foi enorme. E difícil de dar. A cada tentativa de me mover, eu sentia a terra tremer quando me lembrava da última vez em que estivera ali... do motivo que havia me levado até lá...

Não era uma boa lembrança.

Concentrada em seguir andando, com um pé na frente do outro, segui pelo caminho com dificuldade. Eu tinha de continuar, havia alguém lá dentro com quem eu precisava falar. Lápides de todos os tamanhos e formatos me saudavam ao longo do percurso. Lotes de várias gerações estavam enfileirados atrás de uma cerquinha branca e estreita que os separava uns dos outros. Barreiras débeis erguidas entre os vivos e os mortos.

Mausoléus e criptas, com nomes quase apagados que eu conhecia de cor, erguiam-se majestosos da terra. Seus exteriores indicavam que ainda eram um refúgio seguro para os corpos que descansavam lá dentro, apesar dos danos causados pelo tempo. Por isso, eu inclinei minha cabeça em sinal de respeito pelos outrora graciosos lugares do último descanso de tantos que já haviam partido.

E então passei pela cadeira.

Ela estava no mesmo lugar, ao lado daquela cova, coberta por um matinho rasteiro e cercada por algumas flores que cresciam naquele lote. Acenei para cumprimentar, antes de seguir em frente.

As árvores em volta de mim explodiam com as cores vivas do outono. Era um espetáculo lindo e eu dei uma parada para aproveitar a vista. Então, me dei conta do tanto que realmente sentia falta de passear por ali. Aquele lugar era a minha casa. O meu santuário.

Quando finalmente cheguei ao final da trilha, virei à esquerda e dei a volta em outro mausoléu enorme, entalhado na lateral da colina. Uma porta gigantesca de ardósia guardava a entrada, mas meu destino era o lugar ao lado desse... o túmulo de Washington Irving.

Subindo pelos degraus estreitos de pedra, cheguei a um pequeno portão de ferro, que abri com cuidado para entrar no lote da família Irving. Eu conhecia esse lote melhor que qualquer outro. Kristen e eu vínhamos aqui quase todo dia.

Quando éramos mais novas, costumávamos brincar de faz de conta por entre as lápides e passávamos horas tecendo teorias sobre o legendário escritor que tornou nossa cidadezinha tão famosa. Sonhávamos com todas aquelas figuras míticas que estavam enterradas lá embaixo, na área da velha parte holandesa do cemitério, e pregávamos sustos uma na outra, com histórias bobocas sobre fantasmas e o *Cavaleiro sem cabeça*. E em mais de uma ocasião, revelamos nossos segredos a um contador de histórias que já havia ido embora há muito tempo, mas que ainda nos fascinava com suas palavras.

Eu não conseguia pensar numa infância mais perfeita que a minha.

De repente, eu me lembrei de um projeto da escola, da quarta série, e sorri. Parecia que havia sido em uma outra vida que Kristen e eu tínhamos, meticulosamente, copiado nossos nomes nas lápides da família Irving (o cemitério não permitiu que fizéssemos decalques), e usamos informações colhidas em jornais antigos da biblioteca para fazer uma árvore genealógica ultradetalhada. Também fizemos "dossiê familiar", com os fatos mais marcantes e mais divertidos sobre a vida de cada membro da família.

Tiramos nota máxima com aquele trabalho: A++.

Kristen ficou tão orgulhosa com aquele "+" extra dado pela professora que falou naquilo por dias. Sacudi a cabeça e a lembrança desapareceu, relegada novamente à parte mais remota de minha mente. Realmente havia sido há uma vida. A vida dela.

Vagando sem pressa por entre as sepulturas, fui lendo as datas e os dizeres inscritos em cada uma delas. Cumprimentando cada membro da família conforme eu ia passando, parei perto do enorme carvalho que ficava no meio do lote e passei os dedos pelas iniciais entalhadas em seu tronco. Havia tantas letras ali. Tantas histórias diferentes.

Mas eu não me demorei e quando cheguei à sepultura de Washington Irving, olhei para baixo e vi as lembranças deixadas pelos fãs que o adoram. Moedas de diferentes valores, algumas estrangeiras, espalhavam-se em volta da lápide do escritor. As pessoas vinham fazendo aquilo há muitos anos ou, no mínimo, desde que eu vivia ali, e ainda não conseguia entender o porquê daquela tradição.

Havia também alguns bilhetes, sob pequenas pedras. Mensagens, sem dúvida nenhuma, deixadas para o autor famoso.

Em uma cidade que celebrava e reverenciava *A lenda do cavaleiro sem cabeça*, era impossível não aprender sobre Washington Irving. O currículo escolar exigia que lêssemos seus livros como parte da história da cidade, e os estudantes eram encorajados a escrever cartas para ele nas aulas de inglês; como Kristen e eu havíamos feito várias vezes. A maioria dos garotos adorava a emoção extra envolvida nesse processo, que incluía entregar a carta ao falecido, na noite do Dia das Bruxas. Fizemos isso também. Mas desta vez, meu gesto foi arrancar uma violeta do ramalhete que crescia perto do carvalho para deixar no túmulo dele, como lembrança.

Para mim, *A lenda* sempre tinha representado... mais. Mais que uma simples tarefa escolar ou uma obsessão municipal. Mais que um assunto de bate-papo com a minha melhor amiga. Significava mais que qualquer coisa dessas. Eu não entendo que ligação é essa que tenho com esse livro nem sei como isso começou ou por quê, mas é algo que sempre me acompanhou.

– Um bom dia para o senhor, sr. Irving – eu disse em voz baixa, enquanto me inclinava para colocar a flor ao lado das pilhas de moedas. Fiquei em pé novamente e hesitei sem saber muito bem como começar. – Desculpe se fiquei um tempo afastada. Algumas coisas... mudaram.

Eu não conseguia pensar sobre o que iria falar ou em como iria falar, então tentei fazer com que as palavras simplesmente fluíssem.

– Kristen também não veio visitar o senhor. Ela não... não voltará mais. Aconteceu um acidente.

As palavras soavam vazias e estranhas a meus ouvidos.

– Correm vários rumores por aí, mas nenhum deles é verdadeiro – eu disse bem depressa para acabar logo com aquilo. – Eles dizem que ela se afogou no rio Crane, mas seu corpo ainda não foi encontrado. Houve um funeral há algumas semanas, durante o qual enterraram um caixão vazio. – Minha voz falhou no final da frase e fiz uma pausa. – Bem... basicamente foi isso que aconteceu.

Eu não esperava nenhum tipo de resposta e, é claro, não houve nenhuma. Uma brisa leve soprou e, por um segundo, juro que ouvi duas meninas rindo. Tentei ouvir melhor, mas o som desapareceu. Não havia ninguém lá. Corri os dedos pelas letras em baixo-relevo da lápide enquanto sussurrava com tristeza.

– É, ela não vai voltar.

Um barulho suave como o de papel sendo amassado me distraiu, e eu me virei e vi um velho de cabelos grisalhos apanhando as folhas secas que haviam caído sobre o lugar. Eu não fazia a menor ideia de há quanto tempo ele estava ali ou do que ele tinha ouvido, mas era incrível ver como ele se movia com graça e leveza por entre os túmulos.

Depois de fazer cinco ou seis pilhas com as folhas, ele tirou uma escovinha de cerdas duras do bolso de trás da calça e começou a limpar a parte de cima de cada lápide. Ele não me disse nada, sequer indicou que havia percebido minha presença. Esperei mais um minuto e andei em sua direção quando ele se apoiou em um dos joelhos e começou a arrancar o mato que crescia junto à grade de metal.

– Posso ajudar, se o senhor quiser – ofereci.

Ele ergueu seus enormes olhos castanhos que tinham rugas profundas nos cantos e pareceu surpreso por eu querer ajudar.

– Agradeço sua oferta e aceito com alegria.

Olhei para ele achando aquilo muito esquisito. Ele estava falando sério? A maior parte dos idosos que eu conhecia não falava daquela maneira. E então ele sorriu, e seus olhos brilhavam, divertidos. Dava para ver que ele sabia exatamente o que eu estava pensando.

Vermelha de vergonha, eu me ajoelhei e comecei a arrancar a erva daninha sem me importar com as manchas que a grama faria em meu jeans. Trabalhamos lado a lado em silêncio por algum tempo, e então ele se levantou. Havia algo em sua mão e ele estendeu para mim.

– Olhe, tiramos a sorte grande.

Dei uma boa olhada para a folha verde em sua mão cheia de marcas e cicatrizes.

– Hera venenosa? – tentei adivinhar.

Ele sorriu e balançou a cabeça.

– Não, algo ainda melhor. – Então, ele rasgou a folha, enfiou metade na boca e começou a mastigar.

Fiquei olhando aquilo e achando o velhinho maluco. Se ele começasse a ter convulsões ou a espumar, eu iria correndo buscar ajuda.

– É hortelã – disse ele, rindo da minha expressão e oferecendo a outra metade da folha para mim. Peguei o presente com cautela, ainda observando o velho como uma águia. Levei a folha até meu nariz e respirei fundo, surpreendida pelo aroma pungente.

– O senhor tem razão. – Cheirei de novo, sentindo o aroma familiar mais forte cada vez que eu respirava. – Eu nunca vi hortelã crescendo assim, naturalmente. Estou acostumada a usar o óleo.

Ele pareceu surpreso, mas gostou do que ouviu.

– Que maravilha! Serve para tantas coisas!

Concordei.

– Eu misturo óleo essencial de hortelã com outros para criar perfumes. – Foi estranho contar algo tão pessoal a um completo estranho, mas senti uma espécie de orgulho por ele se impressionar com meu conhecimento.

Ele sorriu com entusiasmo e se abaixou para continuar sua tarefa.

– É um jeito muito criativo de usar a hortelã.

Quando ficou em silêncio, olhei de novo para ele, "vendo" pela primeira vez o estranho que trabalhava a meu lado. Ele usava um macacão encardido cheio de remendos e uma camisa de manga curta. Suas botas pretas eram velhas e gastas, e pareciam ser muito macias e confortáveis. Seu cabelo grisalho esvoaçava e ele tinha cara de que seria um ótimo avô.

– Ah, meu nome é Abbey – eu disse. – Na verdade é Abigail, mas eu prefiro Abbey.

– Meu nome é Nikolas – respondeu ele. – É um prazer conhecê-la, Abbey.

Recomecei a arrancar o mato, e não demorou muito para que, juntos, déssemos a volta na grade. Quando terminamos, varremos os montes de erva daninha até as pilhas de folhas.

Eu não sabia o que fazer em seguida.

– Hum, você é um amigo da família, alguma coisa assim? – perguntei sem graça.

– Acho que você pode dizer isso – respondeu Nikolas.

– Você sabe que o cemitério tem um zelador que deveria fazer esse tipo de coisa, não é? O nome dele é John.

Eu havia encontrado John várias vezes, e embora ele fosse muito competente, não era muito cordial. Mas acho que é preciso ter um certo tipo de personalidade para ser capaz de trabalhar sozinho, apenas tendo os mortos como companhia, todos os dias. Definitivamente, esse não era um emprego para alguém que goste de conviver com pessoas.

Nikolas tirou um saco preto de lixo de outro bolso e encheu de folhas e mato antes mesmo que eu tivesse a chance de oferecer ajuda.

– Velhos hábitos demoram a morrer – disse ele, fechando o saco de lixo com um nó. – Eu mesmo sou uma espécie de zelador. – Ele sorriu para mim, e os cantos de seus olhos se encheram de rugas de novo. – Obrigado pela ajuda que você me deu hoje, Abbey, e tente ficar só com as lembranças boas. Elas vão ajudá-la nos momentos de tristeza.

Prestei mais atenção em Nikolas enquanto ele erguia o saco por sobre o ombro e descia as escadas estreitas para seguir a trilha que levava para o outro lado do cemitério. Bem, então ele tinha ouvido cada palavra que eu dissera. E mesmo assim, não fiquei chateada. Que esquisito.

Fiquei quieta por mais um instante, sabendo que meu tempo por ali não tinha acabado. Acenei para me despedir da família Irving, atravessei o portão e comecei a andar na direção da velha igreja holandesa.

O medo me enchia a boca do estômago, enquanto a estrutura de pedra aparecia no horizonte, grande e imponente. À minha direita, estava a ponte Washington Irving, de onde Kristen caíra no rio. À minha esquerda, estava o lugar onde ela havia sido enterrada.

Olhei em ambas as direções, tentando fazer uma escolha, inutilmente. De novo, senti como se fosse puxada. Havia algo inexplicável e oculto que me guiava e dizia em que direção seguir. E eu acatei o que ouvi. Escolhi a ponte.

A ponte Washington Irving era um projeto inacabado, estava *sempre* em construção. Supunha-se que ajudaria a atrair turistas para a cidade se a famosa ponte coberta pela qual Ichabod Crane foi perseguido em *A lenda* fosse recriada. Mas tudo o que a obra tinha conseguido até então havia sido atrapalhar o trânsito. E turistas detestam trânsito.

Então, *aquele* plano não tinha dado muito certo.

Com os atrasos causados pela investigação da morte de Kristen e o inverno se aproximando com rapidez, uma pausa tinha sido imposta ao projeto. Do jeito que as coisas iam, a ponte ainda iria demorar *mais* três anos para ser terminada.

Andei devagar até a margem do rio e parei ali. A água passava rápido, borbulhando, formando redemoinhos, numa cadência hipnótica. O barulho repentino de esquilos conversando em uma árvore próxima me assustou e eu continuei andando. Na direção da ponte. Na direção de nosso lugar.

Muito tempo antes de a cidade resolver reconstruir a ponte, Kristen e eu já costumávamos nos encontrar no rio

Crane, batizado em homenagem ao professor magricelo, alto e apaixonado da escola, que é amedrontado pelo cavaleiro na lenda de Washington Irving. Uma plataforma deixada da velha ponte ficava diretamente acima de uma das torres de suporte de concreto e dava um ótimo banco. As vigas de madeira formavam uma bancada e seus pés podiam ficar balançando na água. Não havia nenhuma grade para segurá-lo no lugar ou ampará-lo se caísse, mas era como se você literalmente estivesse sentado em cima do rio. A construção recente havia deixado a plataforma um pouco mais difícil de alcançar, mas eu ainda era capaz de fazer isso. Escalei a torre e me sentei ali, prestando atenção na água. O sol aquecia meu rosto, mas eu estava fria por dentro. A coisa toda tinha mesmo acontecido ali, naquele lugar? Será que eu teria outra chance de me sentar debaixo dessa ponte e conversar com Kristen mais uma vez? Tudo parecia tão surreal. Não era assim que minha vida deveria ser. Não era justo.

O barulho estrondoso de um carro que passou acima do cemitério fez com que eu sentisse as vibrações percorrendo todo meu corpo, até os dedos dos pés, mas ignorei aquela sensação. Fiquei ali, pensando sobre o ano anterior, no qual havíamos passado nosso primeiro "pós-aula" bem ali, naquela ponte...

– *Você nunca vai adivinhar quem foi que me perguntou se você iria fazer aulas de francês este ano – provoquei Kristen.*
    Ela arregalou os olhos verdes.
    – Quem?

— Ah, pode até ter sido Trey Hunter. — Arruinei minha pose dando um sorriso. — Ele me perguntou onde você costumava se sentar e se havia alguém especial sentado perto de você.

Sorri mais ainda, quando vi que seus olhos se iluminaram com a notícia.

— Ele me agradeceu muito depois que contei tudo a ele. Acho que ele gosta de você.

Ela corou e desviou o olhar. Depois seu sorriso se apagou um pouco e ela sacudiu a cabeça.

— Provavelmente ele só quer pedir que eu troque de lugar com ele ou alguma coisa assim. Não acho que ele queira mesmo sentar perto de mim.

— Você não tem como saber disso, Kris.

— Tenho sim, Abbey. Eu simplesmente... sei. — Ela encolheu os ombros. Quando ela virou o rosto para mim, a Kristen tristinha havia desaparecido e a Kristen feliz havia tomado seu lugar.

— Tenho que mostrar essa camisa para você — disse ela animada. — É vermelha e tem um corpete de renda na frente. Mas você tem que me deixar vesti-la pelo menos uma vez antes de pegar emprestada, certo? Porque eu sei que você vai tentar roubá-la de mim.

Nossa gargalhada saltou pela superfície da água e ecoou de volta para nós...

Alguma coisa cruzou meu campo de visão; o som de nossa gargalhada me escapou e um golpe seco me trouxe de volta à realidade. Virei a cabeça devagar, seguindo uma sombra até que eu conseguisse claramente ver o que era. Um pequeno pedaço de faixa de cena do crime flutuava ao longo da beirada rasa da água, bem abaixo de mim, enroscada num pedaço de ramo de árvore. Era uma cruel lembrança do que quer que fosse que tivesse acontecido aqui.

Eu olhei para aquilo, observando-o emergir da água e depois chocar-se contra a árvore. Aquilo não pertencia àquele lugar. Não pertencia a lugar nenhum e, *principalmente, não tinha nada a ver com* um lugar que significava tanto para mim. Aquela coisa não pertencia àquele lugar.

Descer do local onde eu estava foi fácil, eu já tinha feito aquilo milhares de vezes antes, e não demorou muito para que meus pés estivessem em terra firme outra vez.

Falando a verdade, remover a fita foi tudo, menos fácil.

Primeiro, tentei esticar o braço por cima do rio e simplesmente puxá-la do galho onde estava enroscada, mas a fita estava bem presa. Então, agarrei um pedaço de pau com a ponta afiada e irregular e tentei usá-lo para soltar a fita. Mas ela estava longe. Não importava o quanto eu forçava, a fita não se soltava. Então, tentei debruçar ainda mais sobre a água.

Mas o pedaço de pau que eu segurava era longo demais. Quanto mais perto eu chegava, menos sucesso eu parecia ter em fazer com que a fita se enrolasse no pedaço de pau. Pensei em quebrá-lo, mas fiquei com medo de ficar curto demais. Eu teria de inventar alguma outra coisa. Aquela estratégia não estava funcionando.

Olhando em volta, vi uma pedra que parecia se encaixar perfeitamente em meus planos. Ela estava suficientemente perto da árvore, e se eu ficasse em pé em cima dela, poderia quebrar o pedaço de pau e tentar alcançar a fita dali.

O único problema é que a pedra estava dentro da água. Se eu quisesse *mesmo* aquele pedaço de fita, teria de me molhar. Olhei em volta, avaliando minhas opções. Mas não havia. Era aquilo ou nada. Era agora ou nunca.

Fui seguindo pela margem do rio até encontrar o lugar mais seco e menos lamacento que pude e tirei as botas. Depois, tirei as meias, enfiei-as dentro das botas e enrolei meus jeans até os joelhos. O rio parecia fundo ali, e eu não queria ficar nenhum centímetro mais molhada que o necessário. Caminhei até um ponto um pouco mais profundo, rangendo os dentes enquanto o frio subia pelos meus calcanhares. Permitindo que meu corpo se acostumasse com a temperatura um pouco mais de tempo, mergulhei, tentando não me espetar com o bastão. Eu me arrepiei ao dar o primeiro passo dentro do rio. Apesar da água ainda não cobrir nem meus dedos, estava muito *fria.*

Dei mais três passos e alcancei a pedra.

Subi nela com cuidado, tentando me equilibrar, segurando o pedaço de pau com uma das mãos. Quando achei que meus pés estavam firmes, quebrei um pedaço do bastão para torná-lo um pouco menor. Depois, apontei na direção da fita, que se soltou do galho da árvore e se enroscou no pedaço de pau. Peguei a fita enrugada, molhada e fria na mão e li as palavras inscritas nela "Linha policial: não ultrapasse", várias vezes, enquanto me perguntava o que será que ela estava fazendo ali. E então, meu pé escorregou.

A súbita perda de equilíbrio me surpreendeu, e lutei para ficar de pé. Eu não podia cair. Não importava o que acontecesse, eu não podia cair no rio. Aquilo não podia acontecer comigo também. Larguei o pedaço de pau e a fita e me inclinei um pouco para a esquerda.

Algumas oscilações e um breve movimento de moinho com os braços depois, e consegui recuperar o equilíbrio. Observei a fita amarela flutuar levada pela correnteza, até sumir de vista. Depois que ela se foi, tudo por ali parecia normal de novo.

Descendo da pedra com todo o cuidado do mundo, comecei a voltar lentamente até a margem. Naquele momento, a água não parecia tão fria e girava ao redor dos meus tornozelos, como se estivesse me puxando. Era uma sensação estranha, como se eu pudesse ser arrastada a qualquer momento.

Ao chegar perto da beira do rio, prestei muita atenção à linha da água. Um sem-número de surpresas desagradáveis poderiam estar escondidas ali. Coisas que eu não gostaria que grudassem entre os dedos dos meus pés.

Então, algo escondido no meio da lama refletiu o sol.

Temendo que fosse um pedaço de vidro, inclinei-me para olhar melhor. Tudo o que pude ver foram meus pés nus. A superfície limpa da água fazia com que eu pudesse ver minhas unhas, que eu havia pintado de vermelho. Aquilo me fez lembrar de outro tom de vermelho, a cor do caixão de Kristen.

Mantendo distância do que quer que fosse aquela coisa brilhante, saí da água e pisei na terra seca. Enquanto eu caminhava na direção de meus sapatos e meias, minha cabeça estava cheia de lembranças daquele dia no cemitério.

– Por um instante pensei que você fosse cair no rio.

Apanhei minhas botas e olhei em volta. Havia um garoto à minha esquerda, embaixo da ponte. Ele tinha uma mecha preta dramática que chamava muito a atenção em seu cabelo louro muito claro. Dei alguns passos em sua direção, tomando cuidado com onde pisava, já que estava descalça, e olhei direto em seus olhos.

– Jamais – zombei. – Eu estava totalmente equilibrada, o tempo todo.

Ele retribuiu o meu olhar e a voz dele era gentil.

– Deu para notar.

Minha língua travou e desejei ter alguma coisa inteligente para dizer.

Ele só ficou ali me olhando, com um sorriso no rosto, e eu não conseguia parar de encarar seus olhos. Eram tão vivos. Eu nunca havia visto um tom de verde como aquele. Um dos cantos de sua boca estava erguido. Ele estava rindo de mim?

Ouvi um barulho surdo e me dei conta de que tinha deixado uma de minhas botas cair. Fiquei olhando para ela feito uma tonta, até meu cérebro pegar no tranco.

Corando e me sentindo a maior idiota do planeta, joguei a outra bota no chão e me sentei. Meus pés já estavam secos o suficiente para que eu pudesse calçar os sapatos, mas espanei uma terra imaginária das solas, antes de calçar as meias. Prestei muita atenção em cada pé para matar o tempo. Mas ele não tinha ido embora. E não disse nada.

Depois de levar um tempo *absurdo* para amarrar cada bota e ajeitar com cuidado a barra de meus jeans, bati as mãos para limpá-las e me levantei. Ele ainda estava lá, com as mãos nos bolsos.

– Qual é seu nome? – perguntei.

– Caspian. – Ele não me ofereceu mais nada.

Estava começando a escurecer, e eu sabia que tinha de ir logo para casa, mas havia algo que eu queria perguntar a ele. Uma coisa que eu precisava saber.

– Aquele dia, na casa de Kristen... O que você quis dizer quando falou que estava lá por minha causa? – Prendi a respiração esperando a resposta.

Ouvi cada palavra distintamente quando ele falou.

– Eu sei o quanto Kristen significava para você, Abbey.

– Você nem me conhece. Eu não conheço você. Por que...

Os ombros dele se moveram quando ele passou a mão pelo cabelo e, de repente, ele parecia tímido.

– Eu não sei. Pensei que talvez, se eu estivesse lá, poderia ajudar você... de alguma forma. Eu só queria estar lá, por você.

Aquelas palavras me deixaram sem ar.

– Obrigada – falei baixinho. – Aquilo me ajudou. – Eu odiava quebrar aquele clima, mas estava ficando sem tempo. – Tenho que ir embora, preciso ir para casa... jantar. Eu não consegui olhá-lo diretamente. As palavras que ele havia acabado de dizer pairavam entre nós. Eram palavras enormes e poderosas.

– É, eu também.

A luz de um poste acima da ponte foi acesa automaticamente, conforme a luz do dia continuava a diminuir a nossa volta. O brilho leve dessa luz iluminou metade do rosto de Caspian, deixando a outra metade escondida pela escuridão.

– Então, foi, hum, muito legal encontrar você, Caspian, e... acho que o verei novamente por aí – eu disse, nervosa. Era esse o jeito certo de dizer até logo?

– Como você vai para casa? – perguntou-me ele.

– Acho que vou cortar caminho pelo cemitério – respondi. – Há espaço suficiente para passar apertado entre os dois portões da entrada. Às vezes, também, dou a volta na ponte. O caminho é mais longo, mas leva direto para a estrada principal, e eu moro bem ao lado dela.

– Você vai fazer isso, Abbey? Vai dar a volta na ponte e pegar a estrada principal? – Ele parecia muito sério.

– Bem, sim, acho que sim. – Eu estava confusa com a lógica por trás da pergunta dele.

– Pode haver algum maluco lá no cemitério, só esperando que alguém passe por lá. Não quero que você se machuque – disse ele, encabulado.

Ah. *Aquela* era a lógica? Eu havia passado pelo cemitério *dúzias* de vezes antes. Mesmo sendo meio apavorante, Kristen costumava estar comigo, e nunca acontecera nada.

Mas guardei aquela observação para mim.

– Tudo bem. – Sorri para ele. – Obrigada por se preocupar comigo. A gente se vê por aí. – Eu me virei para ir embora, tentando esconder meu enorme sorriso antes que ele pudesse vê-lo. Ele não queria que eu me machucasse? *Uau*. Apenas uau. Eu estava à beira de um desmaio.

– E sábado, Abbey? Você está livre no sábado pela manhã? Você pode me encontrar aqui? – A voz dele interrompeu meus pensamentos bobocas.

Eu me virei de volta para ele. Não havia lição de casa atrasada ou limpeza de quarto que me impedisse de responder àquele convite.

– Estou livre. – Tentei soar indiferente e vaga. – Posso encontrá-lo aqui.

– Ótimo, marcado então, sábado. – A luz iluminou metade do rosto dele e ele estava sorrindo. – Boa-noite, Abbey. Tenha bons sonhos.

Meu coração pulou.

– Boa-noite... Caspian – sussurrei. Não sei se me lembrei de sorrir de volta ou não, eu estava ocupada dizendo a mim mesma para não tropeçar em meus próprios pés enquanto seguia na direção da estrada principal.

Ah, sim, meus sonhos definitivamente seriam ótimos naquela noite.

Capítulo Seis

GRANDES ESPERANÇAS

Confesso desconhecer de que modo o coração das mulheres se deixa persuadir e ser conquistado. Para mim, elas sempre foram motivo de incompreensão e admiração.

– A lenda do cavaleiro sem cabeça

Os dias seguintes correram bem, mas tive dificuldade de dormir de novo na sexta-feira à noite. Só que dessa vez não eram pesadelos ou lembranças tristes que me mantinham acordada. Era entusiasmo. Vaguei pelo quarto, nervosa, sem conseguir fazer minha cabeça parar.

O que eu deveria vestir?

O que eu deveria dizer?

E se ele me achasse uma completa idiota?

E se ele me deixasse na mão?

Quando meu relógio mostrou que já eram três da manhã, me obriguei a deitar na cama e contar carneirinhos, mas nem isso adiantou, e acabei ali, deitada, encarando o teto. Dando outra olhada para o relógio, percebi que eu só tinha mais... droga. Eu não sabia quantas horas ainda tinha para dormir. Caspian não tinha marcado um horário para o nosso encontro. Foi então que minha cabeça não parou mais de rodar, preocupada, apreensiva e ansiosa devido ao tal encontro.

Será que nove da manhã era cedo demais? Eu teria de me levantar antes das oito para ficar pronta a tempo. Talvez fosse melhor dez ou dez e quinze. E chegando nesse horário eu não pareceria tão desesperada. Poderia passear distraidamente pelo cemitério e agir como se não estivesse dando a mínima para o nosso compromisso. É isso! *Sim, essa, sem dúvida nenhuma, era a melhor coisa a fazer.* Parecer desesperada não era de forma nenhuma uma boa ideia.

Feliz com minha decisão, fechei meus olhos e pensei em nós dois juntos na ponte, pela centésima vez. Revivi cada palavra que ele havia dito, cada gesto que ele havia feito, analisei aquela lembrança de todos os ângulos possíveis. Eu não deixara escapar nenhum detalhe, ainda que pequeno, e nenhuma sutileza sobre o que acontecera lá.

"Não quero que você se machuque, Abbey..."

Eu não conseguia impedir que um enorme sorriso se estampasse em meu rosto cada vez que ouvia essas palavras em minha cabeça, de novo e de novo. Quando, por fim, *consegui* cair no sono, sonhei com olhos verdes penetrantes e figuras assustadoras escondidas nas sombras.

Foram mesmo sonhos muito bons.

A manhã de sábado chegou superdepressa e, ainda grogue de sono, encarei o despertador que não parava de tocar, enquanto me perguntava por que ele estava tocando de uma forma tão cruel às nove da manhã, quando, de repente, eu me lembrei de minha programação para aquele dia... de com quem eu iria me encontrar.

Pulando da cama, corri para o chuveiro. Um pouco agitada, passei xampu de baunilha no cabelo e depois tomei banho com sabonete líquido de pomelo. Ambos cheiravam maravilhosamente bem e me deixaram ainda mais animada.

Porém, toda minha excitação foi diminuindo, conforme comecei a secar o cabelo em uma toalha. Tentei, feito uma louca, domar meus cachos para que eles formassem anéis perfeitos, mas meu cabelo discordava veementemente de mim. Não era o que ele queria, e eu tive que me dar por vencida.

Contrariada, me conformei em torcer algumas mechas e juntá-las em um coque frouxo no alto da minha cabeça. Com sorte, se eu o soltasse dali a meia hora, estaria ondulado.

Cabelo ondulado está voltando à moda, tentei convencer minha imagem no espelho. *Dizem que é "chique e romântico". Você lançará uma tendência.* Mas a verdade é que eu *não queria* lançar tendência nenhuma. Ao contrário, eu só queria um cabelo sexy. Dando um último suspiro de desgosto, fui me vestir.

Claro que meu *closet* também se revelou uma completa tragédia.

As calças cargo que, durante a noite, planejei usar não ficaram tão bem em mim quando as vesti. Se meu traseiro estava mesmo do tamanho que aquelas calças mostravam eu precisaria urgentemente fazer agachamentos, exercícios localizados ou alguma outra coisa do gênero.

Em pânico, revirei meu armário procurando algo para vestir, e de repente a cama estava soterrada por uma pilha de roupas descartadas às pressas. Finalmente, optei pelo meu jeans *essa-calça-sempre-deixou-meu-traseiro-bonitinho* e um suéter transpassado preto. Completei a produção com um chapéu de feltro vermelho e preto. Depois de me examinar no espelho exatas vinte e três vezes, me senti bem confiante de que estava o melhor possível.

Lápis de olho, um pouco de sombra, um toque de corretivo e eu estava quase pronta. Umas pinceladas de blush e depois de passar com todo cuidado um batom cuja cor se chamava "garota corajosa", dei mais uma avaliada crítica em mim mesma.

– O que você acha, Kristen? – eu disse suavemente para o espelho. – Estou bonita?

Mas o espelho não me respondeu, então me afastei dele para terminar de me arrumar.

Meu cabelo era a última etapa do processo, e eu prendi a respiração enquanto soltava o coque e deixava-o cair. Mais de uma vez na vida, desejei ter o cabelo perfeitamente liso e louro bem claro, em vez de ter essa massa de cachos escuros e densos. Mas não naquele dia. Naquela manhã, meu cabelo estava macio e sexy.

Colocando o chapéu no ângulo certo, realinhei cachos para que emoldurassem meu rosto. No final das contas, aquele estava sendo mesmo um dia bom, pelo menos para o meu cabelo.

Tirei uma nota de dez dólares da minha carteira e coloquei no bolso de trás da minha calça antes de olhar as horas pela última vez em meu celular. 9:54. Bem a tempo. Eu iria demorar mais ou menos vinte minutos para chegar ao rio. E isso me faria pontual, mas não desesperada.

Desci as escadas rumo à cozinha. Um bilhete de mamãe na geladeira explicava que ela e papai passariam o dia em reuniões e depois comprariam o jantar. Melhor ainda. Não ter meus pais por perto fazendo perguntas irritantes tornava meu dia bem melhor.

Havia uma nota de vinte dólares presa por um ímã ao lado do bilhete, e ao tirá-la de lá eu praticamente podia *sentir* a perfeição do dia à minha volta. Comi uma barrinha de cereais e tomei suco de laranja, depois verifiquei se estava mesmo com a chave de casa e então bati a porta da cozinha atrás de mim.

Era hora de ir para o rio.

Tentei não andar rápido demais, controlando meu tempo para chegar lá, pouco antes das dez e meia. Eu não sabia se Caspian tinha marcado nosso encontro na ponte ou não, mas, em todo caso, era para lá que eu estava indo.

Evitando o atalho pelo cemitério, eu me mantive na estrada principal. Meu coração estava acelerado, e eu sentia um frio na barriga. Já dava para ver a ponte. Dei uma boa olhada lá, mas não pude vê-lo. Meu coração encolheu. Ele não estava lá...

Ainda, tentei me consolar. Ele *ainda* não estava lá. Ele disse que me encontraria, então não havia nenhuma razão para pensar que ele não faria isso.

Talvez ele tenha decidido não vir mais, uma voz resmungou dentro de minha cabeça. Ou, talvez, ele já houvesse ido embora. Era provável que ele tivesse mais o que fazer, além de ficar ali na beira do rio me esperando a manhã toda. Fiquei cheia de dúvidas e comecei a andar mais devagar. Eu tinha chegado tarde demais? Será que deveria voltar para casa?

Olhei o relógio do meu celular mais uma vez. 10:27. Eu deveria esperar? Por quanto tempo?

A incerteza fez com que eu descesse até o aterro. Como não conseguia enxergar embaixo da ponte, eu me apeguei à tênue esperança de que ele poderia estar esperando por mim lá. Fui descendo, tomando cuidado ao andar entre os galhos de árvores e as pedras. Conforme eu descia e o lado mais escondido da ponte tornava-se cada vez mais visível, pude ver alguém sentado no chão, lendo um livro. Eu o reconheci pelo cabelo.

Meu coração pulou... Ele estava lá.

Ele olhou para cima quando ouviu que eu me aproximava e seu sorriso era lindo.

– Ei, Abbey. – Ele fechou o livro e se levantou.

O sorriso que dei foi tão largo que pareceu que meu rosto iria se dividir em dois.

– Oi, Caspian.

Ele estendeu a mão e me deu uma violeta um pouco amassada.

– Desculpe, ela está... meio amarrotada. Colhi mais cedo para você. Elas crescem por toda a parte por aqui.

Eu podia sentir a surpresa tomando meu rosto enquanto meu queixo caía len-ta-men-te. Eu estava... atordoada. *Ele havia trazido uma flor para mim?*

Tudo bem, tecnicamente não era exatamente uma dúzia de rosas ou qualquer coisa assim, mas, ainda assim, era algo do tipo "ai-meu-Deus-do-cééééu".

Peguei a flor da mão dele. Coloquei minha mão logo acima de onde a dele estava, no caule. Em algum universo paralelo, onde eu era muito descolada e *nem um pouco* tímida, eu havia deixado minha mão escorregar e cobrir a mão dele de uma forma muito confiante e sexy.

Mas aquele *não era* um universo paralelo e, suspirando, tratei de me assegurar que havia uns bons centímetros de distância entre nós.

– Obrigada – respondi. – Ela é... linda. Ela é muito linda, Caspian.

Ele sorriu para mim mais uma vez e meu coração virou uma manteiga derretida. *Ah, Caspian,* eu queria dizer a ele, *você acaba de tornar realidade cada sonho romântico que já tive na vida.* Mas como meu nome do meio é "Covardona", não disse nada disso em voz alta.

Fiquei mais sem jeito ainda quando notei seus olhos sobre mim. Rezando como uma louca para que meu cabelo estivesse tão lindo quanto mais cedo, no espelho do quarto, eu discretamente passei a língua pelos dentes para o caso de ter batom neles.

– Eu não estava certa do horário de nosso encontro. Você não me disse. – Dei uma boa olhada nele também e reparei que ele vestia jeans pretos e uma camisa de mangas compridas. Ele ficava bem assim, parecia misterioso, um pouco sombrio. E sexy. Muito, muito, muito sexy.

Será que eu estava babando? Ah, meu Deus, tomara que não.

Ele deu de ombros.

– Estou feliz por você ter vindo. Para mim, qualquer hora que você chegasse seria uma boa hora. Você teve sonhos bons naquele dia?

Dei de ombros também, fazendo outra oração, dessa vez para que meu rosto não ficasse vermelho de vergonha e não me denunciasse.

– Ah, sim, acho que sim. Nem sempre eu me lembro de meus sonhos. – Que grandessíssima mentirosa eu estava virando.

– Você não foi embora pelo cemitério, foi? – Ele parecia mesmo preocupado.

– Não. Segui a estrada principal.

– Ótimo – disse ele suavemente.

Olhei para baixo e vi o livro que ele carregava.

– Há quanto tempo você está aqui?

– Desde as sete. Eu não queria que você ficasse esperando por mim, ou pensando que eu tinha deixado você na mão.

– Desde as sete da manhã? – Senti que minha duas sobrancelhas se ergueram até quase encontrar meu cabelo.

– É. – Ele baixou a cabeça envergonhado e mudou de assunto. – E aí, vem muita gente aqui?

– Ah, não. É bem sossegado aqui embaixo da ponte.

Ele se virou e fez um gesto gentil com a mão que segurava o livro indicando que eu devia passar na frente dele.

– Primeiro as damas.

Fui na frente, pelo caminho que levava para debaixo da ponte, e então, um vento que agitou a água soprou uma leve brisa sobre nós. Feliz por ter escolhido uma roupa quente, senti quando a brisa trouxe um toque do aroma do meu xampu de baunilha. Pelo menos eu estava cheirando bem.

Nós nos sentamos no chão meio envergonhados, com um bom espaço entre nós. Eu queria chegar mais perto dele, não tinha certeza de como fazer aquilo de forma casual. Eu me ajeitei para "arrumar" minhas pernas e, assim, consegui diminuir o espaço entre nós em alguns centímetros.

Ele não pareceu notar nada.

Olhei na direção do rio enquanto falava.

– Que livro você estava lendo antes de eu chegar?

– *Grandes esperanças*. Eu já tinha lido, mas quis ler outra vez para relembrar algumas partes. A história é cheia de detalhes.

Eu conhecia aquele livro.

– Pobres Pip e Estella – suspirei. – Ser tão infeliz por tantos anos... Parece crueldade juntá-los, quando jovens, uma vez que jamais poderiam ficar juntos no final.

– Crueldade foi a razão pela qual eles se conheceram, se você pensar bem – disse ele. – A sra. Havisham planejou que fosse desse jeito para ensinar Estella a partir corações.

– Eu sei – concordei. – Mas você não acha que o verdadeiro amor deveria ser capaz de superar tudo? Não sei, talvez seja apenas meu lado romântico falando... – Calei-me alarmada, percebendo que a conversa tomava o caminho do verdadeiro amor e dos finais felizes. E eu não queria assustá-lo tão cedo.

– Então, você acha que aquele final é possível? – eu disse, conduzindo a conversa de volta a um território seguro. – Eu pensei muito a respeito e mudei de ideia em vários momentos. Às vezes, eu pensava que era uma saída genial, mas, às vezes, achava que não dava para acreditar. E pensava que era como se Dickens simplesmente tivesse escolhido a reviravolta mais improvável e feito a história girar ao redor dela.

– Nunca pensei nisso dessa forma, Abbey. Eu sempre imaginei que esse foi o jeito de Dickens mostrar como um simples momento pode afetar nossas vidas profundamente.

O olhar intenso em seu rosto me fez dar uma risada. Eu mal podia acreditar no quanto estava me divertindo em conversar sobre um livro que tinha sido, afinal de contas, apenas uma das leituras obrigatórias da escola.

– Eu não queria ler esse livro no começo. Mas fomos obrigados a ler no oitavo ano – admiti. – E tínhamos que ler um capítulo em voz alta para a classe. Era tããããoo chato! E depois, um nerd da turma contou para todo mundo quem era o benfeitor misterioso. Não acreditei nele, então levei o livro para casa naquela noite e li até o final. Fiquei chocada ao descobrir que o garoto tinha razão.

– Ah, cara! – Caspian balançou a cabeça sem acreditar no que ouvia. – Que garoto idiota. Ei, você deve ler bem rápido para ter conseguido terminar o livro naquela mesma noite.

– Bom... Acho que leio. Geralmente consigo ler um livro em um ou dois dias. Para falar a verdade, fiquei acordada a noite toda lendo e acabei o último capítulo antes de ir para a escola, na manhã seguinte.

– Estou impressionado.

A admiração dele me envaideceu. Eu era boa em mais alguma coisa que pudesse contar a ele? Eu fazia rabanadas sensacionais... e meus crepes também eram ótimos... e eu sabia o nome de todos os vice-presidentes... Não, não, era informação demais. Não queria que ele pensasse que eu tinha um ego do tamanho de Manhattan.

– E você? – perguntei. – Você também deve gostar de ler. Não conheço muitos caras que releem um livro como *Grandes esperanças* ou *qualquer* livro que seja, para ser franca, e que depois ainda queiram conversar sobre ele. Você não está gravando esta conversa para um trabalho de final de semestre da faculdade, está?

Ele riu.

– Não, só decidi reler os clássicos. Decidi me aprimorar pela literatura. Expandir minha mente. Não sei como... – Ele desviou o olhar. – Não consigo ler rápido, então, eu tomo a leitura como uma espécie de passatempo..

– Você tem muito tempo livre? Não está na faculdade ou fazendo algo assim? – Eu me encolhi de vergonha por ter feito essa pergunta em voz alta. – Desculpe, você não tem de responder isso.

– Não, tudo bem. Eu não me importo – disse ele. Eu não estou em nenhuma faculdade no momento. Tirei algum tempo para... para pensar em minhas escolhas.

Eu não sabia mais o que dizer, e nós ficamos em silêncio. Tentei pensar em outro assunto que não me fizesse parecer: a) chata ou b) xereta. Mas nada vinha à minha mente. Então, pensei no cemitério a nosso redor como se fosse uma inspiração.

— Faz tempo que você vive em Sleepy Hollow? — perguntei.

Ah, bem, eu nunca disse que tinha a melhor conversa do universo.

— Na verdade, vivemos em White Plains. Mudei para cá há três ou quatro anos com meu pai.

— Onde vocês moravam antes?

— Na Virginia. Meu pai conseguiu um emprego como gerente de uma oficina de funilaria e pintura. E quando o dono se aposentar, ele vai assumir o negócio. Ele iria ganhar melhor aqui em Nova York do que na Virginia, então nos mudamos. — Ele passou o livro para outra mão. — Eu me transferi para um colégio em White Plains para terminar o ensino médio e me formei ano retrasado. Você estuda no Hollow High?

— Isso — respondi, com um suspiro. — Estou no primeiro ano do ensino médio e mal posso esperar para me formar.

Ele ficou em silêncio por um momento e depois disse:

— E você, Abbey, vive aqui há muito tempo?

— Nascida e criada. Mamãe e papai cresceram aqui, estudaram juntos durante o ensino médio e se casaram aqui. Passaram por tudo juntos. Nunca vivi em outro lugar.

— Uau! — Riu ele. — Aposto que você mal consegue esperar para ir para a faculdade e sair dessa cidade.

Sorri para ele.

– É isso aí. Mas sabe que se pudesse me mudar da casa dos meus pais, eu não me incomodaria de continuar vivendo aqui. Parques lindos, a vista é maravilhosa, adoro passear no cemitério... E temos uma pizza incrível.

Ele riu de novo, mais alto dessa vez. Era uma risada deliciosa de se ouvir.

– Concordo com você. O estado de Nova York sabe mesmo como fazer uma boa pizza.

Sorrimos sem jeito um para o outro.

– Quero começar um negócio próprio – confessei. – Eu já sei até onde será e tudo o mais. Vai dar algum trabalho reformar, mas tem uma janela panorâmica linda.

– É mesmo? – Ele pareceu surpreso. – Que tipo de negócio?

De repente, fiquei sem graça. Já havia falado demais. Não conseguia acreditar que tinha contado sobre aquilo para alguém que não era Kristen. Eu só falava sobre aquele assunto com ela.

– Bem, eu não tenho certeza – murmurei, desviando o olhar.

– Não? Nenhuma ideia? – perguntou ele, com gentileza. – Acho difícil acreditar que alguém que já escolheu onde vai montar sua loja não tenha *nenhuma* ideia sobre o tipo de negócio que quer montar.

– Tudo bem, tudo bem – resmunguei. – É, tenho algumas ideias.

Ele tombou a cabeça para um lado, esperando com paciência que eu terminasse.

Suspirei. Já que eu havia chegado até ali...

– Eu faço perfumes. E pensei em ter um lugar aonde as pessoas pudessem ir e comprar essências feitas especialmente para elas. Eu também poderia fazer sabonetes e xampus, apesar da minha última tentativa ter sido desastrosa e de demorar um pouco para eu aperfeiçoar a fórmula. – As palavras jorravam da minha boca. – Resumindo, quero um lugar pequeno, com perfumes e artigos artesanais para banho, que vou chamar de *O Vale de Abbey*, em homenagem a Washington Irving. – Olhei para ele, desejando, em silêncio, que ele não me dissesse como tudo aquilo era estúpido.

Ponto para ele, que não pareceu sequer entediado.

– Gostei da sua ideia.

– Mesmo? – perguntei, um pouco surpresa. – Mas e o nome? Você não acha cafona?

– Não. Não acho nada cafona.

Dei um olhar "ah, sem essa, seja franco" para ele.

– Sério – disse ele, sem rir. Ele se inclinou, chegando mais perto, seus olhos nos meus. – Eu gostei da ideia, Abbey, de verdade. Acho sensacional. E o nome é a melhor parte.

Eu nem pensei duas vezes antes de contar mais.

– Eu já tenho um plano de negócios – confessei. – Mas minha mãe e meu pai querem que eu vá para alguma universidade famosa. E tudo o que eu quero é fazer um curso de negócios aqui mesmo, na cidade, e quem sabe, estagiar em alguma loja de produtos naturais. Ou ir para Paris e ver o que posso aprender por lá. – Dei de ombros desanimada. – Não perder um tempo enorme na escola com algo que não me interessa, entende?

Outro pensamento me ocorreu e eu franzi a testa.

– Claro que meus planos podem dar em nada. Kristen ia... – Minha voz falhou. Brinquei com a violeta murcha em minha mão tentando não chorar. – Kristen ia me ajudar na loja. Ela tinha ideias sensacionais para os rótulos e...

Uma lágrima brilhou no canto do meu olho e eu a enxuguei, tentando não borrar minha maquiagem.

– Tudo bem, Abbey. – disse Caspian, com doçura. – Não chore. Acho que sua ideia da loja é ótima. Kristen vai ficar muito feliz por você levar o sonho de vocês adiante.

– Você acha? – perguntei, tentando, sem sucesso, não fazer voz de choro.

Ele concordou com a cabeça e depois mudou o assunto da conversa com habilidade, voltando a falar de meus pais.

– E se você fizesse um trato com eles? – sugeriu. – Talvez devesse contar seus planos a sua mãe e a seu pai para evitar que eles percam tempo planejando um futuro que você não quer.

O que ele disse fazia muito sentido, muito mesmo. A simplicidade do plano dele me fez sentir uma tonta por não ter pensado nisso antes.

– Obrigada pelo conselho, Caspian. Eu jamais teria pensado em algo tão descomplicado. Estava bem na minha frente, o tempo todo.

– De nada – disse. – Algumas vezes é preciso olhar para o problema de um ângulo diferente. Você sempre pode pedir minha ajuda, Abbey. Sempre tentarei ajudá-la de todas as formas possíveis.

Será que havia alguma coisa por trás daquelas palavras? Não dava para saber.

Limpei minha garganta. Estava na hora de falarmos sobre coisas mais felizes antes que eu estragasse o dia com choro e fungadas.

– Há algum lugar que você queira conhecer? Tem uma pequena queda-d'água do outro lado da ponte. Temos que caminhar um pouco para chegar lá, ela fica meio escondida.

– Se ele notou minha súbita mudança de assunto, não mencionou nada.

– Tudo bem. – Ele colocou o livro no chão. – Acho que vou deixar isso aqui e voltar depois para buscar.

– Ninguém vai roubar. – Eu o tranquilizei sorrindo, e depois levantei. Guardei a flor com todo cuidado em meu bolso, e tentei limpar a terra das costas de meu suéter. Eu não queria descobrir depois que tinha andado por aí com pedaços da natureza grudados no traseiro.

Caspian também ficou em pé e mais uma vez me pediu para mostrar o caminho. Eu o levei por baixo da ponte até o outro lado. Caminhamos em silêncio ao logo da margem do rio.

– Você já... leu alguma coisa de Edgar Allan Poe? – perguntei. Eu queria que ele falasse. Ele poderia pensar que eu era uma esquisitona se nós ficássemos sem falar nada. – Eu adorei o conto *O coração delator*. É apavorante.

– Tenho que ler então – disse ele. – Eu conheço *O corvo*, mas não esse.

– *O poço e o pêndulo* é muito bom. Leia esse também. – Eu estava mesmo ficando melhor em conversa fiada? Inacreditável. Talvez fosse porque era fácil falar com ele. E ele adorava livros... será que havia no mundo alguém mais perfeito que ele?

– Acho que viver em Sleepy Hollow significa que você leu a história de Washington Irving, certo? – Ele parou para encher a mão de cascalho, que depois ficou chacoalhando gentilmente, quando falou.

– Você está brincando? Eles nos fazem ler isso no primeiro ano do ensino fundamental. Essa cidade *idolatra* o sr. Irving. Suas outras histórias são boas, mas nada é melhor que *A lenda do cavaleiro sem cabeça*.

– Acho muito legal que a casa dele seja aqui perto. Isso é que é amar verdadeiramente o lugar em que se vive.

Balancei a cabeça concordando.

– Ele foi enterrado aqui também. Em um declive no lote da família Irving. – Parei para me virar e apontei na direção do cemitério. – Eu vou muito lá. Um dia desses mostro a você.

– Temos um trato, então – disse ele, olhando em meus olhos.

– Sim, temos um trato – repeti.

As borboletas em meu estômago se agitaram novamente e senti meu rosto queimar. Eu me abaixei para desviar de um galho, segurando meu chapéu com uma de minhas mãos enquanto tentava fazer com que meu coração batesse mais devagar. Inspire e expire... Calma, pense em coisas que acalmem você. Ele não tinha dito nada de especial. Nem ao menos era um encontro do tipo "Vou-apanhar-você-e-nós-vamos-jantar-fora". Eu ia só mostrar a ele uma lápide antiga. Nada de mais.

Então, por que eu respirava fundo de tanta ansiedade?

Ele interrompeu meu pequeno surto psicótico.

– Na verdade, tenho uma confissão a fazer. Quer ouvir?

Eu estava bem. Eu estava calma. Eu já podia responder. Dei de ombros como se não me importasse. Ha-ha-ha, até parece.

– Claro. O que é? – Eu estava ficando muito boa nesse negócio de fingir que não estava dando a mínima.

– Eu ainda não li essa história – disse ele.

Meu cérebro não devia estar funcionando direito, essa é a única explicação que tenho para dar.

– Que história? – perguntei, feito uma pateta.

Ele riu.

– Você sabe, a história sobre a qual estávamos falando. *A lenda do cavaleiro sem cabeça?*

Parei bruscamente e me virei para ele.

– Espera. O quê? *Sério?* – Você nunca leu *A lenda do cavaleiro sem cabeça?* Meu Deus, não deixe os nativos ouvirem isso! Eles vão fazer picadinho de você por "não cumprimento do dever de leitura histórica" ou qualquer coisa assim.

Ele piscou para mim e eu quase pude ouvir sua risada quando ele se inclinou para a frente e sussurrou, de modo conspirador:

– Então eu vou ter que contar com você, Abbey, para preencher as lacunas na minha educação antes que eles descubram. Você acha que dá conta?

A essa altura, meu rosto estava pegando fogo, mas consegui responder com voz normal.

– Acho que dou conta... mas vamos esperar até termos mais intimidade.

Quando me ouvi falando daquele jeito, percebi na hora que aquilo podia ser mal interpretado e tudo o que quis foi enfiar-me no primeiro buraco que aparecesse e sumir dali. Eu era uma louca. Uma pessoa totalmente louca e descontrolada.

Chegamos a uma bifurcação no caminho e pegamos a trilha da esquerda. Nós nos apertamos entre duas pedras enormes e eu fiz um gesto na direção de Caspian para que ele me seguisse, como se tentasse apagar minhas palavras de momentos atrás.

– Como eu disse, é uma queda-d'água pequena, mas muito bonita, a água é cristalina.

Continuamos até o final da trilha e uma vista panorâmica se abriu à nossa frente.

Dúzias de pedras tinham sido espalhadas como degraus gigantes de rocha, a água corria, fazia piscinas e pulava de uma pedra para a seguinte, acabando em uma queda livre dentro de uma piscina que tinha menos de sessenta centímetros de profundidade.

Eu me aproximei e sentei em uma pedra plana que estava seca. Havia espaço suficiente para duas pessoas, mas para minha tristeza, Caspian se empoleirou em um galho de árvore oco a meu lado. Ele atirou as pedras que tinha na mão no rio e elas fizeram "ploft" antes de afundar.

Depois, ele se ajeitou para ficar de frente para mim.

– Bem, então, sobre *A lenda*...

Dei um enorme sorriso e esqueci toda a vergonha que senti antes. Aquela era a *minha* história. Eu a conhecia de cor e salteado e mal podia esperar para contá-la a ele.

– Bem, a história começa com um professor alto e magricelo chamado Ichabod Crane, que também é o regente do coral, fofoqueiro local e vaga por todo o lugar. Após dar suas aulas durante o dia, à noite ele costumava ir de casa em casa, "colocar a fofoca em dia" e contar histórias de fantasmas. Uma das histórias favoritas daquele tempo falava sobre um herói de guerra que havia perdido sua cabeça e que, comentava-se, assombrava a ponte do cemitério perto da igreja. O nome dele era "Cavaleiro sem cabeça".

Olhei para Caspian para ver se ele estava aborrecido ou impaciente com aquela história, mas seus olhos estavam fixos em mim. Ele tinha olhos lindos, e eu tinha que me controlar para não me perder neles. Demorei um instante para lembrar em que ponto eu tinha parado.

– Então, Ichabod Crane levava uma vida feliz ensinando em sua modesta escola e sendo o leva e traz das novidades do lugar, até que um dia ele vê Katrina Van Tassel, a filha de Baltus Van Tassel, e se apaixona loucamente por ela. Bom, *eu* acho que ele se apaixonou mais pelas terras e animais e por toda a riqueza de Baltus mas, de qualquer forma, ele estava determinado a tê-la de qualquer jeito.

Baixei a voz e usei um tom mais sombrio.

– O que Ichabod percebeu rapidamente foi que Katrina era uma namoradeira e já tinha uma porção de pretendentes. O mais popular deles era Brom Bones. Brom, em resumo, era tudo o que Ichabod não era. Forte, musculoso, impetuoso e muito seguro de si. Um homem muito viril.

Caspian bufou e dei um sorrisinho para ele.

– Quando Ichabod começou a cortejar Katrina, Brom começou a aprontar contra ele. Aterrorizava os alunos de Ichabod, vandalizava a escola, ria de sua voz quando ele cantava... esse tipo de coisa. E o negócio ficou feio na festa de celebração da colheita na casa da família Van Tassel. Ichabod é convidado e pede a mão de Katrina em casamento. Mas alguma coisa dá errado e ela recusa o pedido dele. De coração partido, Ichabod deixa a festa no cavalo velho e manco que ele pedira emprestado e enfrenta a escuridão para ir para casa.– Interrompi minha narrativa para fazer uma pergunta a Caspian: – Você tem que saber o que acontece depois. Você sabe, certo?

Ele riu.

– Continue. Está ficando bom.

Mudei de posição e ajeitei minha perna.

– Tudo bem.... Então, lá estava Ichabod indo para casa, e cada barulho que ele ouvia na escuridão deixava-o quase morto de medo, porque ele só pensava nas histórias de fantasma que ele mesmo havia contado. De repente, escuta um cavalo e percebe que está sendo seguido. O cavalo chega cada vez mais perto, e o eco do barulho dos cascos do outro cavalo vai ficando mais e mais alto. E então... ele vê quem o segue. Cavaleiro sem cabeça, montado em um cavalo negro enorme, carregando a própria cabeça em sua sela, vem a toda velocidade em sua direção! Ichabod tenta apressar seu cavalo, mas o Cavaleiro está perto demais e Ichabod vê quando ele faz o cavalo empinar e joga a cabeça nele!

Fiz uma pausa para respirar e continuei:

— Na manhã seguinte, Ichabod Crane é dado como desaparecido, uma abóbora toda despedaçada é encontrada ao lado de seu cavalo, e pouco depois Brom Bones casa-se com Katrina Van Tassel, rindo durante toda a cerimônia de casamento.

Caspian olhou para mim, sem acreditar.

— E é só isso?

— Bom, basicamente, é — eu disse. — Claro que é mais divertido quando você lê a história em vez de escutar a versão resumida. Mas é isso aí.

— Então, era Brom Bones o tempo todo. Nunca houve nenhum Cavaleiro sem cabeça ou cavaleiro ameaçador. Era só um cara que fez uma brincadeira maldosa com uma pessoa ingênua. Coitado do Ichabod Crane.

— Bem, eu não diria que não existe um cavaleiro fantasma por aí... Tem sempre alguma história sobre ele e Washington Irving não tirou essa história do nada, mas eu não acredito que tenha sido o Cavaleiro sem cabeça que fez essa maldade com ele. Acho que foi Brom. Ele era um cara desprezível, estava com ciúme e quis garantir que tudo corresse como ele queria. E conseguiu.

Caspian deu um sorriso que parecia dizer "você-me-diverte" e balançou a cabeça. Ergui a sobrancelha.

— O que foi? — perguntei.

— Pensei em uma coisa engraçada, só isso — disse ele.

Esperei que ele falasse mais alguma coisa, mas ele não quis fazer nenhum outro comentário.

— Você sabe que é muito grosseiro fazer uma garota esperar — provoquei.

Ele sorriu de novo.

– Minhas sinceras desculpas. Eu não queria que você visse meu lado grosseiro. Isso pode esperar até a próxima vez.

Concordei tentando fazer com que ele continuasse.

– Fiquei imaginando você sendo perseguida pelo Cavaleiro sem cabeça e parando no meio da coisa toda para dizer umas poucas e boas para ele. Isso seria muito engraçado.

– Não acho que eu faria isso. – Sacudi a cabeça. – O Cavaleiro é a última pessoa que eu queria encontrar.

– Porque ele é um fantasma?

Encolhi os ombros.

– É, acho que sim. Você não ficaria apavorado?

– Jamais – zombou ele. – Eu sou um homem viril, oras.

Eu não consegui segurar a gargalhada.

– Ah é, claro.

– Mas isso não tem importância nenhuma. Não acho que vá vê-lo por aí. Eu não acredito em fantasmas. – Caspian se levantou, esticou as pernas e outra vez, para minha frustração, não se sentou perto de mim.

– A única coisa que eu não entendo sobre essa história toda é o porquê da cidade idolatrar Washington Irving dessa maneira.

Eu fiquei horrorizada.

– Idolatramos Washington Irving porque ele foi um escritor incrível. A literatura que ele produziu era cheia de vida, de imaginação. Partindo de gente real. Misturando pessoas e lugares reais ao folclore norte-americano, ele criou uma lenda que durou mais que ele mesmo. Quando você vive em Sleepy Hollow, é impossível que isso não o encante. Bem, pelo menos, foi assim que sempre me senti.

Olhei para os meus pés e me dei conta de que tinha feito um discurso. Que ótimo. Ele iria me achar uma louca fanática. Excelente maneira de impressionar um menino, Abbey: fazer com que ele pense que você é uma demente.

Mas em vez de me achar doida, ele fez a coisa mais estranha que já vi: aplaudiu.

– Parabéns, Abbey. Você já pensou em ser política?

Fiz uma careta.

– Ai, desculpe. Exagerei? Meus pais fazem parte do conselho da cidade e eu frequento as reuniões, então acho que acabei assumindo todo esse negócio de "orgulho municipal". Eu não sou nenhuma fanática, nada disso, é só que algumas das coisas que eles dizem fazem todo o sentido. Você sabe, como futura empresária da cidade, eu...

Ele sorriu de novo para mim.

– Você nunca deve se desculpar por nenhuma de suas crenças, Abbey. Eu realmente acho isso. Você seria uma ótima política.

– Hum-hum. – Balancei a cabeça. – Não existe a *menor* possibilidade de eu virar política, isso *nunca* acontecerá. Não. Tenho pavor de multidões. Fico a-pa-vo-ra-da. E os discursos? Se eu fiquei tão nervosa que vomitei e não consegui dizer nem três linhas numa peça do quarto ano... Algo me diz que o público não ficaria muito feliz de limpar o vômito de suas roupas toda vez que eu fosse fazer um discurso. – Ri tanto imaginando aquela cena que tive que enxugar minhas lágrimas.

Depois, pensei que eu provavelmente parecia uma hiena rindo daquele jeito e tentei me aprumar. Eu não precisava passar mais vergonha na frente de Caspian, mas para minha sorte, ele também estava rindo.

– Mas nem todas as reuniões do conselho da cidade são interessantes – eu disse, feliz por mudar de assunto. – Na verdade, a maioria delas é muito monótona. Sempre que a conversa é sobre leis de zoneamento, limite de perímetro para os gramados ou limite de velocidade, eu morro de tédio, levanto e vou passear por outras salas. Todas as reuniões são feitas no museu, então, aproveito os momentos mais chatos para fazer um passeio particular por lá.

– Que tipo de peças há no museu? – perguntou ele, chegando mais perto. – Artefatos antigos, jornais, o quê?

Fiz um esforço para me lembrar dos detalhes.

– Eles têm um pouco de tudo, desde peças encontradas por aí, como: cerâmica, potes antigos de todos os tipos, balas de mosquete e rocas, até trajes completos usados em épocas diferentes. Há uma coleção inteira dedicada à genealogia de Sleepy Hollow. Quem nasceu aqui, que famílias se uniram às outras por casamento, e como os filhos dos filhos dos filhos estão ligados. Há também uma porção de bíblias familiares e de antigas reportagens expostas. – Eu não estava certa sobre o que ele tivera a intenção de dizer quando mencionou artefatos e jornais. – Se você quis saber se há jornais de verdade, bem, eles ficam na biblioteca municipal.

Ficamos ali conversando sobre tudo e sobre nada por mais uma hora, com pequenos intervalos silenciosos nos quais podíamos escutar os passarinhos chamando uns aos outros nas árvores.

O toque de meu celular interrompeu um desses momentos de silêncio, seu barulho ecoando ao nosso redor. Quando vi que era o número de mamãe, deixei cair na caixa postal. Se ela precisasse mesmo de mim, deixaria recado.

Quando o número desapareceu da tela, conferi se já era hora do almoço. Bem nesse momento meu estômago roncou.

– Você quer ir... comer um pedaço de pizza... ou alguma outra coisa? – Eu não conseguia olhar para ele. Minha timidez não tinha sumido completamente.

Ele hesitou e ficou de pé.

– Abbey, eu sinto muito, mas tenho de ir embora. Tenho algumas coisas para fazer agora à tarde.

Eu estava bem, eu estava calma.

– Ah, claro, sem problemas. Quem sabe da próxima vez? Eu também tenho de ir, tenho um trabalho gigantesco de ciências para terminar, essas coisas. – Desci de minha pedra.

O sorriso dele era de tirar o fôlego e de parar o coração, tudo ao mesmo tempo.

– Obrigado, Abbey, o tempo que passamos juntos foi muito legal.

– Ah, imagine. – Fomos em direção às pedras. – Foi legal quando eu não estava discursando.

Seus olhos brilharam, divertidos, e uma mecha preta caiu sobre um deles. Ele tirou a mecha do olho com um gesto casual.

– Você não fez discurso nenhum. – Ele me garantiu. – Nossa conversa foi muito boa. Foi uma troca de ideias.

Andamos lado a lado pela trilha até a ponte.

Ele desviou os olhos por um instante e voltou a olhar para mim.

– Você tem essa forma de ver as coisas, Abbey, que vira meu mundo de cabeça para baixo.

Eu não soube o que dizer quando ouvi essa declaração tão... espantosa. Eu deveria elogiá-lo também para retribuir? Bem, não tive que pensar muito nisso, porque meu telefone tocou mais uma vez. E de novo, o nome de mamãe apareceu na tela.

– Desculpe, tenho que atender. É a minha mãe. De novo.

Ele concordou e abri o telefone.

– Oi, mamãe. Sim, acabo de ver que tem um recado seu. Eu ainda não escutei. Por quê? O que aconteceu? Espera... o quê? Sua voz está falhando. Espera um pouco. Eu disse para esperar.

Estávamos quase chegando à ponte e eu andei mais rápido para chegar ao outro lado. O sinal lá era melhor.

– Tudo bem, repete essa última parte. Você precisa do quê? Que pasta? A que está na terceira porta do armário, sim, eu sei qual é. Não são aquelas pastas verdes, empilhadas? Espera um segundo... – Cobri o bocal do telefone com a mão e me virei para Caspian. Ele havia parado para pegar seu livro. – Tenho de ir. Minha mãe precisa de uma papelada para a reunião em que está, e eu tenho de pegar para ela. Obrigada por tudo, Caspian. Eu também me diverti hoje.

Eu mal consegui ouvir seu sussurrado "Tchau, Abbey" enquanto me afastava da ponte outra vez.

– Sim, mamãe, eu ainda estou aqui. Em meia hora estarei aí, ok? – Olhei para trás e sussurrei um "desculpe", antes de começar a subir a encosta do rio. Caspian acenou.

Enfiando a mão no bolso, toquei na violeta murchinha que estava lá e não pude deixar de sorrir durante todo o caminho para casa.

Capítulo Sete

MEMBRO HONORÁRIO

Quantas travessas de bolos dos tipos mais variados e quase indescritíveis, que só as experientes donas de casa holandesas sabem fazer!

— A lenda do cavaleiro sem cabeça

Dizer que passei o resto do fim de semana distraída teria sido o eufemismo do ano. Tive de ficar me tirando do mundo dos sonhos e me empurrando de volta à realidade. E foi somente pelo fato de que eu *tinha mesmo* um trabalho de ciências para terminar que não voltei ao rio no domingo, para caso ele estivesse por lá.

Depois que entreguei o trabalho na segunda-feira de manhã, passei o resto da aula debatendo comigo mesma se eu deveria ou não ir para casa pelo caminho que passava pelo rio. *Será que Caspian estaria lá? E se ele estivesse esperando por mim? Ou se ele não estivesse lá naquele momento, mas fosse mais tarde?*

Havia tantas variáveis a se considerar que eu poderia enlouquecer pensando em tudo.

Eu me obriguei a relaxar, estava envolvida demais com essa história. Ele sabia que escola eu frequentava, ou seja, se quisesse me ver de novo, poderia me achar. Aí entrei em pânico. *Ai Deus, e se ele aparecesse na escola?*

Por sorte, o sr. Knickerbocker não estava dando nada que fosse necessário em um futuro teste, já que não escutei nenhuma palavra do que ele falou durante toda aquela aula de ciências. Estava ocupada tentando descobrir o que fazer.

Por fim, bolei o plano tentador de ficar pelas escadas externas da escola depois da aula por uns 15 minutos, caso ele aparecesse, para então ir para casa pelo caminho do rio, se ele não desse as caras. Mas depois do segundo tempo da aula seguinte estava completamente convencida de que pareceria muito desesperada se ficasse pela escola e parasse no rio mais uma vez. Eu não queria dar a impressão de que o estava perseguindo por aí.

Pensei nisso várias vezes durante o dia, mas acabei sendo soterrada com tanta lição de casa que fiquei ocupada demais para me preocupar se Caspian iria ou não aparecer. Tinha um monte de livros para enfiar na minha mochila e ela não queria cooperar. Esqueci completamente a ideia de esperar lá fora no final do dia e fui direto para casa.

Mas o que eu não esqueci foi a indecisão sobre qual caminho deveria seguir. Tentei me convencer de que havia muitas razões válidas para ir pelo rio.

Eu deveria ir por lá no caso de alguma outra fita restritiva colocada pela polícia ter ficado presa numa árvore. E eu provavelmente deveria me assegurar de que ninguém pisara naquela coisa brilhante que eu vi na água.

Ou se alguém *tivesse* pisado na coisa brilhante, que era, na verdade, vidro, e não houvesse ninguém em volta para ajudar a fazer um curativo em seu pé?

Havia meia dúzia de desculpas que poderia usar, mas eu sabia qual era a *verdadeira* razão pela qual eu ia pelo rio. Queria ver Caspian de novo, esse era o motivo. Nenhuma desculpa esfarrapada era necessária. Prendi a respiração com expectativa ao seguir em direção ao rio e tentei imaginar uma conversa inteligente na minha cabeça.

"Oi, o que você está fazendo aqui?"

"Uau! Que surpresa! Não esperava vê-lo de novo tão cedo."

"Vem sempre aqui?"

Muito bem, Abbey, eu me censurei. *Cumprimente-o com uma frase bem comum de conversa de bar.*

É, eu era *muito* ruim nisso.

Quando cheguei à margem do rio e observei a beirada, ninguém estava lá. Olhei diversas vezes embaixo da ponte, mas também não o vi sentado lá. Obviamente, eu tinha muito mais tempo livre que ele. E, obviamente, eu era a única desesperada para que nos víssemos mais uma vez. O desapontamento desabou sobre mim e arrastei meus pés pelo resto do caminho para casa.

Eu não estava num humor muito bom quando finalmente consegui chegar sã e salva a meu quarto.

A lição de casa era um saco e demorou uma eternidade para ser feita. Se isso era uma indicação do que estava por vir naquele ano escolar, então esse *decididamente não seria* um ano fácil. Eu nem queria pensar naquela pilha de catálogos brilhantes e panfletos coloridos que mamãe e papai tinham começado a empurrar para cima de mim. Meu cérebro não conseguia lidar com nenhum "ser ou não ser" de escolha de faculdade naquele momento.

Já passava da meia-noite e meia quando terminei toda a lição, mas eu ainda estava muito ligada à frustração da ponte para dormir. Então, comecei a procurar minhas anotações para o perfume de Kristen e sentei para trabalhar em algumas delas. As duas horas seguintes voaram.

Por causa disso, acabei dormindo apenas três horas antes de ter que acordar para ir à escola na manhã seguinte, o que resultou em um cochilo agitado durante o período de estudo daquele dia e na escolha do caminho mais curto para casa a fim de terminar o cochilo. O resto da semana transcorreu da mesma maneira, sem ver Caspian nem mesmo uma vez no cemitério ou na ponte, e eu passei cada noite me distraindo com o projeto do perfume.

Mas, na sexta, caí em uma armadilha.

Eu tinha acabado de bater a porta do meu armário quando vi uma das animadoras de torcida, Shana, tentando me pedir para esperar no final do corredor. Na esperança de evitá-la, dei meia-volta rapidinho e comecei a andar na direção oposta. Péssima ideia. Erika vinha dessa direção e ela também começou a acenar para mim.

Fiquei estática, olhando para a frente e para trás, presa entre as duas, como um veado paralisado pelos faróis. Elas devem ter pressentido minha ânsia de correr, pois começaram a acenar feito doidas. Elas pareciam duas pessoas presas numa ilha deserta, desesperadas para sinalizar para o único avião que sobrevoava; os braços se movendo loucamente acima de suas cabeças.

Aparentemente, eu era a única que notava o quanto elas pareciam insanas, pois ninguém mais no corredor meio vazio prestou alguma atenção a elas.

Shana me alcançou primeiro e eu sabia que estava encrencada.

– Aí está você – disse ela dando um sorriso perfeito, mas muito falso. – Nós estávamos tentando chamar sua atenção.

Eu só olhei de volta para ela. *Devo dizer alguma coisa?* Falei a primeira que me veio à cabeça.

– Ah, sim, eu, hum, acabei de lembrar que tenho de dar um pulo na sala de inglês. Deixei um dos meus livros lá. – Dei um sorriso murcho. *Isso funcionaria? Elas iriam me deixar em paz?*

– Bem, isso só vai levar um minuto. Tenho certeza de que vai te sobrar bastante tempo. Você conhece a Erika, certo?

– Oi – disse Erika, que tinha demorado muito mais para chegar ao meu armário. Provavelmente tinha algo a ver com o fato de ela ter sido parada por não menos que sete meninos de um lado a outro do corredor.

Dei um sorriso forçado. Será que caso *eu não falasse muito elas iriam embora*? Eu estava me apegando à leve esperança de que sim.

– Não importa – continuou Shana com um olhar entediado. – O que você acha de fazer parte da comissão de formatura este ano? Claro que você seria só um membro honorário, mas nós gostaríamos de dar essa oportunidade a você, porque, você sabe.

Eu não tinha ideia do que ela estava falando.

– Desculpem, não entendi.

– Entender? – desdenhou Shana. – Não tem nada para entender. Estamos fazendo uma pergunta, você diz sim ou não.

Tudo bem, mas por que elas estavam me pedindo uma coisa dessas?

Erika respondeu meus pensamentos não expressos.

– Olha, eu não estou nem aí para você e nem para o fato de você se juntar à comissão ou não. Todo mundo sabe que você está se aproveitando de toda essa história de "pobre de mim, minha amiga morreu", mas por alguma razão, todos os professores estão caindo nessa. E o diretor Meeker mais ainda. Ele está nos forçando a convidar você como forma de homenagear a memória daquela menina, a Kristen.

Para me dar algum crédito aqui, eu realmente consegui segurar minha fungada de incredulidade. *Em que universo paralelo me convidar para ser membro honorário da comissão de formatura é igual a homenagear a memória de Kristen?* Antes que eu pudesse tentar seguir *essa* linha de raciocínio, Shana falou de novo:

– Já que a formatura é em outubro, a maior parte do planejamento já foi feita na primavera passada, é claro. Agora os membros da comissão *oficial* de formatura têm que decidir que combinações de cores usar na decoração, que tipos de homenagens prestar, se nós serviremos ponche de *sorbet* ou não. Coisas assim. Como membro honorário, você vai, tipo, ouvir enquanto tomamos as decisões.

— Pessoalmente, irei votar para que não haja *sorbet* este ano — intrometeu-se Erika. — Aquele negócio é nojento. Não estou nem aí se ele não é tão engordativo quanto sorvete comum; ele ainda vai direto para seus quadris.

— Não se preocupe, Erika, com certeza nós não vamos ter *sorbet* no ponche este ano. Eu vou ser firme quanto a essa questão. — Shana deu seu voto no problema do *sorbet*.

Tentei muito não pensar sobre todos os litros de sorvete de biscoitos com gotas de chocolate que Kristen e eu tomamos nas diversas vezes em que fomos dormir uma na casa da outra. Era praticamente um pré-requisito. Também não pensei no fato de que gosto muito de ponche de *sorbet* e que sempre me esforço para pescar um pedaço de fruta quando me sirvo.

De qualquer forma, não tinha importância, porque nem no *inferno* eu aceitaria uma posição "honorária" na comissão de formatura. Ou qualquer outra posição. *"Planejar formatura é contra a minha religião"* deveria funcionar. Foi a única desculpa na qual eu pude pensar.

— Então — falava Shana de novo. — Como a Erika falou, nós não nos importamos com o que você faz. Mas o diretor Meeker se importa e ele nos prometeu sermos as primeiras da fila para conseguir ingressos para a viagem do pessoal do último ano se você participar. Então, adivinha? Você vai participar. A primeira reunião será amanhã, no auditório, às nove da manhã.

– Não se atrase, tolinha – falou Erika, dando um soco maldoso em meu ombro esquerdo que me mandou tropeçando de volta ao meu armário.

As duas riram e se viraram para sair enquanto eu massageava meu braço dolorido com a mão.

Meu cérebro ainda estava tentando formar uma frase coerente, saudável, que fizesse com que eu as desapontasse, mas tudo o que saiu foi "Ui". Olhei para baixo onde estava minha mochila e depois na direção em que elas desapareceram.

– Mas...

Só a porta do meu armário me ouviu e ela se importava tanto quanto as meninas.

– Que idiotas – disse uma voz atrás de mim, eu me virei para ver Ben vindo em minha direção.

Resmunguei para dentro. *Esse garoto estaria, tipo, me perseguindo ou algo assim?* Primeiro ele estava no enterro da Kristen, depois na casa dela e agora *ali*?

Ele parou perto do armário ao meu lado. O que estava vazio.

– Era esse o armário de Kristen? – perguntou Ben, olhando para ele como se pudesse ver através do metal.

– Sim – respondi, e isso me distraiu momentaneamente da dor no braço.

– Deve ser duro não vê-la aqui todos os dias, eu ainda não me acostumei a isso.

– Nem eu – falei.

Então, ele apenas me olhou. Seus grandes olhos castanhos estavam... tristes. Como se ele realmente sentisse saudades dela.

O sinal tocou uma vez, nos colocando em ação. Ele deu um passo para trás e se virou para descer o corredor.

– Não deixe essas chatas aborrecerem você, Abbey – falou alto, indo para sua próxima aula.

– Es...tá bem – falei desajeitada, enquanto apertava minha mochila com a mão, então, balancei a cabeça.

Será que eu estava usando algum perfume que atraía coisas estranhas? Porque esse, *com certeza*, tinha sido um momento estranho.

Fui para casa o mais rápido que pude depois da escola, todos os pensamentos das coisas estranhas estavam esquecidos. Algumas combinações de aromas para o perfume Kristen tinham surgido na minha cabeça como que por milagre e eu estava ansiosa para trabalhar neles.

Quando entrei na cozinha, mamãe estava na mesa usando seu *laptop*.

Peguei uma laranja e fui para o quarto, "pegar firme" no trabalhar. Após duas horas, depois de várias rodadas de misturas, medidas, cheiradas e anotações, tinha chegado a alguns novos aromas com os quais estava bem satisfeita. Mas ainda precisava de uma segunda opinião. Pegando vários frascos de teste, desci para a cozinha.

– Mãe! – gritei no meio da escada. – Você está na cozinha?

– Estou – respondeu ela, distraída.

Pulei os últimos degraus e voei para dentro da cozinha.

– Você poderia cheirar uns testes para mim? Preciso de uma segunda opinião.

– Sim, claro. – Ela empurrou o *laptop* para o lado. – Seria bom ter uma folga de todo esse planejamento do Baile de Hollow.

– Cheire cada um e me diga o que acha. – Eu a instruí enquanto alinhava os frascos na frente dela. – Já cheirei todos tantas vezes que os aromas estão grudados em mim.

Ela pegou o primeiro.

– Está bem, vou fazer o melhor possível. Alguém, hum, da comissão de formatura foi falar com você?

Quase derrubei o último frasco que estava na minha mão.

– Como você sabe?

Ela não me respondeu, mas pegou o frasco seguinte e o cheirou.

– Oh, eu gosto deste aqui. – Ela pegou o terceiro frasco enquanto fiquei ali e a encarei como se ela tivesse três braços.

– Mãe?! – Esperei... depois levantei uma sobrancelha para ela.

– O quê? – Ela tentou parecer surpresa, mas não acreditei.

– Como você soube disso? – exigi mais uma vez.

– O diretor Meeker ligou – admitiu ela. – Ele disse que as animadoras de torcida iriam falar com você sobre isso. Então, acho que falaram.

Empurrei a última amostra para ela e apontei, indicando que eu queria que ela cheirasse e não falasse.

– O que você acha? – perguntei. – Teve algo que você preferiu ou que realmente não tenha gostado em algum deles? – Esperei pela resposta dela.

– Todos eles têm um aroma especial. O número dois é o meu favorito, e não gostei do número quatro.

– Isso é porque o número dois tem toques de baunilha e você adora baunilha, enquanto a amostra número quatro tem lavanda e você detesta. A de número dois também é minha preferida, então, é essa que vou usar. Obrigada por me ajudar. – Comecei a juntar os frascos para voltar para cima.

– Você não me respondeu, Abbey. – O tom dela me paralisou no caminho.

– Mãe, eu só... – Eu estava exasperada. – A resposta é não. Não, eu não vou fazer parte da comissão de formatura. Ponto final.

– Mas por que, Abbey? – implorou ela. – Por acaso isso iria doer? Você e Kristen falavam sobre a formatura desde que eram pequenininhas. Agora você realmente pode ajudar a planejá-la. Kristen iria *querer* que você participasse. E, além disso, não seria legal falar com as outras meninas sobre os vestidos delas? Sei que não gostou daquele que eu comprei para você, mas ainda não é tarde demais para comprar outro.

Eu nem recomecei a discussão "não-posso-acreditar-que-você-comprou-de-novo-um-vestido-de-formatura-que-eu-não-escolhi". Isso já tinha sido discutido muitas vezes.

– Não, mãe, Kristen *não* iria querer que eu estivesse em uma comissão idiota, liderada por meninas falsas e burras, que não conversaram com nenhuma de nós desde o quinto ano. Eu acho que sei o que a minha melhor amiga iria querer que eu fizesse.

— Se você não quer fazer isso pela Kristen, então, tudo bem, faça pela escola. Pense que isso seria um diferencial no seu currículo para as faculdades. Além disso, daria um bom exemplo, Abbey. Seu pai e eu sempre vivemos nossa vida tentando ser um bom exemplo para aqueles que estavam a nossa volta. Talvez você tenha de aceitar o convite simplesmente porque passaram algum tempo pensando em você.

— Elas não pensaram em mim, mãe! — explodi. — Você sabe como é que elas me convidaram? *Sabe?* Elas me encurralaram no corredor e praticamente me forçaram a dizer sim. Tudo por causa do diretor Meeker. Ele queria que elas "honrassem" a memória de Kristen me convidando para ser membro honorário. É a coisa mais estúpida que já ouvi.

— Bem, é claro que você não pode ser um membro regular da comissão; você tem de ser eleita. Ser um *membro honorário* é um privilégio especial. E acho que é um modo muito legal de honrar a Kristen. Foi muito delicado da parte delas. — A voz dela foi ficando mais alta.

— Muito delicado?! — Eu estava praticamente gritando. — Elas não fizeram por *delicadeza*. Elas fizeram para poder ter algum privilégio idiota na escola. E "naturalmente eu não posso ser um membro regular"? Você percebe o que está dizendo? Eu nunca pedi para ser parte da comissão ridícula delas, em primeiro lugar. Eu não ligo se é uma posição honorária, posição eleita ou presidente da porcaria toda!

— Eu só não acho que é certo você recusar uma oportunidade como essa só porque não está a fim. — A voz dela alcançou um tom quase mortal. — Você não pode deixar de viver sua vida, Abbey, só porque Kristen teve de deixar de viver a dela. Com o tempo isso melhora.

– Eu estou vivendo a vida – respondi cansada e, de repente, pareceu que cada músculo do meu corpo tinha sido esticado até o limite. – Eu ainda levanto toda manhã e vou à escola, não vou? Continuo fazendo a lição de casa e comendo verduras, não continuo? Ainda tomo banho, me visto, ponho os sapatos... ainda faço todas essas coisas, então, ainda estou vivendo a vida. Mas eu *nunca* vou ficar melhor. Não importa de quantas comissões de formatura eu participe ou quantos livretos de faculdade eu folheie. – Olhei para os frascos em minhas mãos. – Nem mesmo quantos perfumes eu faça. Este nó gelado sempre estará dentro de mim. Sempre.

A voz de mamãe estava baixa, mas firme.

– Sinto muito, Abbey. Eu sinto muito que você esteja desse jeito e acho que precisa conversar com um profissional. Nós podemos arrumar isso para você. Mas você *vai* aceitar a oferta delas. Sem mais discussões.

– Está bem, qualquer coisa, mãe. – Saí de repente da cozinha. – Mas eu não preciso falar com um *profissional* sobre nada. – Um dos frascos caiu da minha mão de repente e se espatifou em pequenas lascas de vidro no chão de azulejos ocre. O cheiro de lavanda encheu o ar imediatamente. *Amostra número quatro.* Eu senti uma perversa satisfação tomar conta de mim, mas tentei reprimi-la.

– Pode ir – disse mamãe. – Eu limpo isso. Vamos continuar essa discussão depois, Abigail.

Nossa, que bom, era exatamente o que eu queria ouvir: "Vamos continuar essa discussão depois." O que mais tinha para continuar? Por mim, eu já tinha decidido. Subi as escadas batendo os pés, imaginando quantas garrafas de óleo de lavanda eu poderia "acidentalmente" derramar no meu quarto.

Dormi demais sábado de manhã e esse foi um ótimo jeito de começar uma porcaria de dia que nem de longe me animava. Não tive tempo de tomar café da manhã, então estava num humor horroroso, com o estômago roncando quando passei pelo cemitério para chegar à escola. *Num sábado.*

– Oi, Abbey. – A voz dele me assustou.

Eu me virei.

– Caspian, oi. – Em uma "fração de segundos" meu dia passou de muito ruim a muito bom.

– Tudo bem? – Ele estava parado perto da ponte.

– Estou bem. E você? – Dei um meio sorriso tímido, sem conseguir olhar direto nos olhos dele.

– Bem. Estou muito bem. Você vai fazer alguma coisa hoje? Quer dar uma volta? – perguntou ele com um sorriso fofo.

Seria terrível se eu o chamasse de adorável? Provavelmente. Meninos em geral não gostam desse tipo de termos femininos associados a eles.

– Sim, eu... – Então lembrei para onde eu deveria estar indo. – Quer dizer, eu realmente gostaria de ficar, mas não posso. Tem essa coisa idiota da escola à qual tenho que ir.

– Sem problemas. Outra hora, então.

Será que foi apenas minha muito esperançosa imaginação ou ele realmente ficou decepcionado?

– Que tal na semana que vem? Posso levar você para conhecer a famosa tumba de Washington Irving. Nos encontramos lá no próximo sábado por volta das onze e meia? – Isso me daria tempo suficiente para voltar se houvesse outra reunião idiota da formatura. Meu estômago começou a se revirar. Será que ele recusaria encontrar-se comigo mais uma vez?

– Está marcado – concordou ele. – Tchau, Abbey. Vejo você na semana que vem. – Ele se virou para ir embora.

– Tchau, Caspian! – falei alto. Ele parou, olhou para trás e abriu um sorriso enorme. Eu sorri de volta como o gato da Alice. O que é que ele tinha que me fazia ficar extremamente feliz?

Na hora em que cheguei ao auditório da escola, estava de tão bom humor que era inacreditável. Eu nem fiquei incomodada com os olhares mortais que recebi de Shana e Erika.

– Trouxe bolinhos de mirtilo natural, com pouca gordura e água com gás para todo mundo – disse Shana, de má-vontade, apontando para uma mesa próxima. – Tente, tipo, não comer tudo, está bem? – Erika riu do que ela falou, mas apenas as ignorei.

Pessoalmente, eu teria escolhido uma dúzia de rosquinhas açucaradas, mas, já que eu estava com fome, não podia ser fresca.

Fui até a mesa, peguei um bolinho e coloquei outro no bolso para mais tarde. Então, peguei uma garrafa d'água. Encontrei uma cadeira que estava perto dos outros, mas não o suficiente para conseguir conversar, e sentei.

Observando a sala discretamente, contei doze pessoas, sério, doze – era mesmo necessário?! – pessoas lá para a reunião da comissão de formatura. No outro canto, algumas cadeiras e mesas de xadrez estavam montadas. Dois caras estavam debruçados nos tabuleiros e um terceiro estava de pé ao lado, assistindo a cada uma de suas jogadas. Notei o mesmo cabelo encaracolado castanho na hora exata em que ele me notou, e Ben olhou para mim, dando um enorme sorriso bobo e acenando feito um idiota.

Tentei acenar de volta discretamente e depois voltei minha atenção para o bolinho na minha mão. Eu devia ter adivinhado que ele estaria lá.

Um minuto e meio depois, eu estava *seriamente* arrependida de ter pegado aquele bolinho.

"Natural" deve querer dizer feito com serragem ou algo assim, porque era esse o gosto que aquela coisa tinha. Tentei engolir com um grande gole d'água, mas isso só fez os pedacinhos secos na minha boca virarem uma meleca molhada e grudenta.

Lutei contra o reflexo de vomitar e desejei desesperadamente que tivesse pegado um guardanapo. Pelo menos aí eu poderia cuspir aquela imitação vergonhosa de bolinho. Claro que foi quando Shana decidiu anunciar meu nome como "membro honorário" especial e todos se viraram para olhar para mim. Rezei para que nenhum pedacinho rebelde do bolinho escapasse enquanto eu sorria de lábios fechados.

A maioria deles virou quando Erika começou a falar, e mastiguei feito louca o que sobrou daquele bolinho nojento. Tive uma leve ânsia quando engoli, mas acho que só um cara ouviu. Ele olhou como se entendesse a situação pela qual eu estava passando quando coloquei o bolinho no chão, praticamente inteiro.

Observei mais de perto as outras pessoas na sala, pensando quantos deles haviam cometido o erro de pegar o bolinho. Nenhum dos outros tinha migalhas delatoras ou guardanapos abandonados por aí. Talvez todos fossem mais espertos que eu...

Duas horas longas e agonizantes se arrastaram *bem devagar* e comecei a cogitar se poderia me engasgar até a morte com o bolinho que tinha deixado no bolso. A reunião, até agora, tinha sido uma conversa sem fim sobre que cores usar na decoração e por quê.

Quando pareceu que eles tinham tomado a decisão final, rapidamente recolhi os restos do bolinho e a garrafa d'água vazia para jogar fora. *Não havia a menor dúvida* de que eu jogaria uma garrafa de óleo de lavanda no chão da cozinha hoje. Mamãe tinha que sofrer tanto quanto eu, já que ela era a razão de eu estar ali.

Ao passar pela lata de lixo na saída, esperava conseguir ir embora sem ser parada por ninguém. Mais dois passos e eu estaria do outro lado da porta. Estava perto.

– Cuidado com os bolinhos da próxima vez. São de matar.

Olhei para trás por cima do ombro enquanto saía pela porta. Erika era a única que estava ali. Senti minhas bochechas ficarem vermelhas e ela riu alto. Mas não me importei muito, porque a última coisa que ela viu foi meu dedo do meio levantado na direção dela enquanto eu saía.

Na segunda-feira, Shana me informou que a comissão de formatura não precisaria de meus serviços honorários. Eu mal pude segurar minha alegria.

A semana na escola parecia que não ia acabar. Era como se todos estivéssemos presos em uma alça contínua do tempo da série *Além da imaginação*, em que a mesma aula se repete de novo e de novo. Cada segundo do relógio passava com uma lentidão agonizante, quando tudo o que eu queria era que sábado viesse logo para que eu pudesse ver Caspian.

Finalmente... *finalmente* sábado de manhã chegou e eu estava de pé e pronta às nove e meia. Mamãe e eu ainda estávamos naquele estágio de "só falo com você quando é realmente necessário", então, passei por ela na ponta dos pés enquanto preparava uma xícara de chá. Uma xícara de chá quente de baunilha era tudo que eu precisava. Fiquei ainda mais feliz quando achei um pacote de biscoitos de canela fechado no armário.

Então, passei uma hora assando biscoitos.

Eu tinha uma necessidade estranha de dar algo a Caspian e achei que ele preferiria biscoitos a um perfume. Depois que a terceira forma tinha esfriado, coloquei uma dúzia deles em uma caixa vazia de biscoitos da sorte e peguei um para beliscar enquanto ia para a porta.

– Não se esqueça que os Baxley vêm jantar aqui em casa hoje à noite, Abigail – falou mamãe secamente quando saí. Já que eu teria a maior parte do dia com Caspian, apenas concordei e fechei a porta, de leve, atrás de mim. Não valia a pena discutir.

Andei rapidamente para o rio e ele estava me esperando embaixo da ponte de novo. Quando me aproximei, gritei para ele e acenei com a caixa de biscoitos da sorte. Ele sorriu para mim e o sol refletiu em seus cabelos.

Meu coração deu um pulo. Eu não sabia quais ventos de boa sorte tinham causado isso, mas me senti muito, muito sortuda.

– Oi, linda – disse ele baixinho.

Eu não respondi. Estava muito ocupada olhando para os olhos dele. Será que ele estava usando lentes de contato para fazê-los mais brilhantes? Se estava, então lentes de contato daquela cor deveriam ser proibidas. Elas podiam fazer as pessoas pensarem coisas perigosas...

Percebi que ele estava esperando que eu dissesse algo.

– Aqui – eu disse, passando a caixa de biscoito para ele de modo repentino. – São para você.

Um olhar engraçado veio a seu rosto.

– Você me trouxe biscoitos da sorte? Eu preciso de sorte?

Eu ri.

– Não, não são biscoitos da sorte. Foi a caixa que encontrei. Abra. Assei hoje de manhã.

Seus olhos brilharam como os de um menino com um brinquedo novo.

– Você fez biscoitos de canela para mim? – Ele abriu a caixa e cheirou. O olhar em seu rosto era de pura alegria. – Ah, como você sabia que esses eram meus favoritos? Obrigada, Abbey. Você não sabe o que isso significa para mim.

Decidi naquele momento fazer um perfume de biscoito para usar, para que um dia ele me cheirasse daquele jeito.

– De nada. – Eu me encolhi, tentando disfarçar a tontura que senti pelo fato dele ter gostado tanto dos meus biscoitos. – Fico feliz por você ter gostado. Pronto para ir?

Uma garoa fina tinha começado a cair e depois de garantir a ele que eu não me importava se ele não se importasse, começamos o nosso passeio. Primeiro, eu o levei até o local onde estava Washington Irving e depois mostrei-lhe alguns outros lugares de que eu mais gostava. Mas não o levei para onde Kristen estava enterrada ou para onde a cadeira vazia estava. Aquele dia era sobre lembranças diferentes.

Andamos devagar pelo cemitério, conversando um pouco mais sobre a história da cidade e a lenda. Quando minha escola virou o assunto, nós rimos muito da minha tentativa de imitar alguns de meus professores.

A última parada que fizemos foi em um túmulo duplo com o nome da família Crane escrito. Era um túmulo bem recente, tinha apenas alguns poucos anos, mas as datas das mortes escritas para "John" e "Maria" eram a mesma.

– É muito triste que eles tenham morrido no mesmo dia – falei para ele quando paramos na frente. – Deve ter sido algum tipo de acidente ou algo assim; eles nem tinham sessenta anos ainda. Mas sabe o que adoro? Todo ano, no aniversário da morte deles, alguém deixa uma única rosa aqui.

Caspian ficou em silêncio, e eu não sabia se tinha acabado com o bom humor do dia. Eu me virei, observando a montanha à minha esquerda para ver se havia alguma coisa lá da qual pudesse falar para mudar o clima. Mas eu não estava com muita sorte. Um cemitério não é exatamente o lugar onde você encontra muitas vibrações "alegres".

Uma figura na montanha ao longe chamou a minha atenção e mal pude ver os cabelos grisalhos. Nikolas! Levantando uma de minhas mãos para acenar, virei minha cabeça para trás, em direção a Caspian.

– Olhe! Aquele é...

Ele me interrompeu.

– Vamos continuar andando, Abbey. Não acho que deveríamos... tomar essa chuva.

Mas ele estava olhando para a figura na montanha quando disse isso.

Tuuuuuudo bem.

– Podíamos voltar para a ponte – sugeri. Ele concordou, e nós fomos naquela direção; e então passamos mais uma hora conversando sobre filmes, música e mais livros.

Às duas e meia, ele disse que tinha de ir embora, e fiquei surpresa em ver como o tempo tinha voado mais uma vez. Ele andou comigo até o lado de baixo da ponte e a chuva beijou gentilmente nossos rostos.

– Obrigado de novo pelos biscoitos, Abbey. Foi muito gentil da sua parte. – Ele segurou a caixa com uma das mãos e enfiou a outra no bolso de seu jeans. – Eu gostaria de ter algo para dar a você em retribuição, mas tudo que tenho é minha infinita gratidão.

Ai. Meu. Deus. Será que ele estava tirando as falas do manual *Como ser um cavalheiro perfeito* ou algo assim?

– Fico muito feliz pelos biscoitos e você não tem de me dar nada em retribuição – falei, dizendo a mim mesma para não desmaiar. – Experimente-os com chá, ficam ótimos.

– Vou fazer isso – prometeu. – Tchau, Abbey. – Ele saiu na chuva e foi na direção oposta à que eu tomaria.

Virei as costas e também saí na chuva. Então, parei de repente e me virei na direção dele.

– Caspian! – gritei. Ele estava muito mais longe do que pensei que estaria. Eu mal podia ver o contorno do corpo dele. – Eu não vou poder encontrar você no fim de semana que vem; nós vamos para nosso chalé, no norte.

– Não se preocupe com isso, Abbey. – A voz dele flutuou de volta para mim. – Verei você de novo.

Capítulo Oito

EM CIMA DA HORA
❦

Algo, entretanto, eu temo, deve ter dado errado...

— *A lenda do cavaleiro sem cabeça*

As aulas não começaram bem naquela semana. Fui muito mal em uma prova *e* em um questionário, e, no final, ainda gritaram comigo porque dormi no "tempo de estudos".

Tentei controlar as coisas, passando mais tempo com a lição de casa e me concentrando de verdade no projeto para Kristen, mas os pesadelos voltaram. Não houve nenhuma alucinação dessa vez, mas eu realmente não estava conseguindo dormir muito.

Então, comecei a me sentir culpada por Caspian.

Eu não deveria estar feliz. Por que eu mereceria alguma felicidade? Minha melhor amiga estava morta. E em vez de falar com ele sobre *ela*, tudo que pude fazer foi falar de mim mesma. Eu, eu, eu, o tempo todo. Eu era uma amiga horrível e me senti terrível por isso.

Era demais, e lá pela quarta-feira, tudo desabou sobre mim. Acabei no chão me embalando para a frente e para trás mais uma vez como antes. Tentei desesperadamente evitar, mas uma sensação de frio me inundou, congelando o vazio dentro de mim e endurecendo-o como uma bola de gelo.

Meu coração estava coberto por pingentes de gelo que me acertavam cada vez que eu respirava, cortando e rasgando, até que eu estivesse em carne viva e sangrando por dentro. Nada mais que uma tentativa trêmula, dolorida e lastimável de ser humano. Aquela foi uma noite muito, muito ruim.

Evitei radicalmente o rio e o cemitério naquela semana. Pegando, todos os dias depois da escola, o caminho mais longo para casa, para evitar encontros acidentais, tentei bastante não pensar em Caspian em nenhum momento. O que significava que *tudo* o que eu fazia despertava alguma lembrança dele.

Primeiro, um de meus perfumes criados cheirava exatamente a biscoitos de canela. Rapidamente, escondi a amostra em uma gaveta para ser esquecida. Então, o filme *Grandes esperanças* foi reprisado por três dias consecutivos na TV e não assisti a mais nada nesses dias. *Nada mesmo.* Eu estava começando a pensar que o universo estava dando gargalhadas cósmicas a minhas custas.

Não era necessário dizer que eu fiquei extremamente feliz quando a aula da sexta-feira terminou e papai começou a pôr as malas no carro. Longe de todas essas distrações e lembranças, talvez eu *conseguisse* realmente relaxar. Eu também tinha uma sensação boa sobre o perfume de Kristen, achava mesmo que tudo iria se encaixar na cabana.

Tamborilei meus dedos impacientemente no braço da cadeira ao meu lado, remexendo no assento, esperando que papai terminasse de guardar as últimas malas. Quando ele terminou, nós dois sentamos prontos e impacientes, esperando por mamãe, que ainda estava dentro de casa. Três buzinadas e quinze minutos depois, ela saiu pela porta da frente segurando uma maleta com uns papéis saindo por cima. Ela começou a trancar a casa e aí, de repente, desapareceu lá dentro outra vez. Quando ela saiu, estava com o telefone sem fio.

— Abbey! — gritou ela, sinalizando para que eu fosse a seu encontro. — Telefone para você.

Olhei para papai, mas ele apenas deu de ombros.

— Vou tentar ser rápida — eu disse —, e vou fazê-la sair antes para que ela não encontre um milhão de coisas que têm de ser feitas antes de irmos.

Ele sorriu para mim.

— Boa ideia. Vou distraí-la aqui fora.

Pulando para fora do carro, perguntei à mamãe quem era. Ela balançou a cabeça.

— Não sei. Um menino.

Minha pulsação acelerou e meu coração se elevou enquanto eu pegava o telefone. *Seria Caspian? Como ele conseguiu meu telefone? O que devo falar?* Mamãe ficou de guarda na pia; pelo jeito, ela havia encontrado uma mancha inexistente que precisava ser removida ou limpa naquele mesmo instante.

– Mamãe – falei brava, cobrindo o bocal do telefone com a mão –, vá para a van. Papai precisa de sua ajuda lá fora. Ele disse que era importante.

Vi que havia um protesto na ponta de sua língua.

– Vá! – espantei-a, virando as costas para ela, mas esperei até ouvir a porta da frente se abrir e fechar antes de falar ao telefone.

– Alô? – Minha língua inchou, minha garganta fechou. Rezei para que conseguisse falar pelo menos uma frase meio coerente.

– É a Abbey? – A voz do outro lado não era a certa. Não era ele.

– Quem é? – quis saber, deixando de lado minha euforia repentina.

– É o Justin Gaines. Nós estudamos na mesma escola. Hum, de qualquer forma, eu sei que está em cima da hora e tal, mas eu soube que você não tem um par ainda. Então, você gostaria de ir à formatura comigo?

Aquilo não era *nem um pouco* o que eu gostaria de ouvir.

– Espere... O quê? O que você acabou de dizer? Você ao menos me conhece?

– Bem, hum, nós temos aulas de matemática juntos...

– E...? – provoquei.

– E... é isso – gaguejou.

E ainda assim, minha perplexidade não diminuiu.

– Então, deixe eu ver se entendi direito. Nós só fazemos uma matéria juntos e você nunca falou comigo antes... certo?

– Hum, sim. – A voz dele soava ligeiramente inquieta.

– Está bem, então, uma matéria, nenhuma conversa... E qual seria a razão para me convidar para ir à formatura com você?

Outra coisa que ele tinha dito de repente fez sentido.

– E quem *exatamente* falou para você que não tenho um par?

Houve um completo silêncio do outro lado.

– Alô? Justin? – Eu não estava mais confusa, estava no reino do *muito brava*.

– Shana Williams. – Foi a resposta sussurrada dele. – Ela me disse que eu deveria convidá-la, como um favor a ela, já que... você sabe.

– Não, eu não *sei*, não senhor! – gritei no bocal do telefone.

– Já que, você sabe, Kristen Maxwell morreu e ela era sua melhor amiga. As meninas me contaram sobre o lance da comissão de formatura. Aí, Shana sugeriu que eu convidasse você, uma vez que provavelmente ninguém mais o faria.

Agora o silêncio era do meu lado. *As animadoras de torcida estavam armando encontros de caridade para mim?* Não dava para ficar pior que *isso*.

– A-Abbey? Você ainda está aí? – Parecia que uma ânsia de vômito estava a caminho.

– Justin – eu disse, gentil –, superobrigada por ligar, mas da próxima vez que vir Shana Williams, pode dizer a ela que vá para o inferno.

– Ok. Então, isso quer dizer não?

– Sim, esse é um sonoro não. – Apertei o botão de desligar e olhei para o telefone na minha mão. É claro que teria de ser queimado. A esquisitice tinha se espalhado por ele.

O barulhinho dele tocando de novo me fez saltar um quilômetro. Ele não entendeu a palavra não? Apertei o botão "atender".

– Ouça, eu disse *não*.

– Hum, é a Abigail Browning? – perguntou outra voz de homem. – É Trevor McCreeless. Estou ligando por causa da formatura.

Esfreguei minhas têmporas com força. Estava ficando com uma dor de cabeça de matar.

– Permita-me adivinhar – suspirei. – Uma das meninas do grupo das animadoras de torcida sugeriu que você ligasse?

– Bem, sim, Erika sugeriu. Como você...?

– Eu sou vidente – rosnei, interrompendo-o. – A resposta é não. – Joguei o telefone de volta no carregador e desliguei a secretária eletrônica. Eu, *definitivamente*, não queria que mamãe ouvisse sabe Deus quantas outras mensagens de meninos desconhecidos me convidando para a formatura. Ela *nunca* deixaria eu me livrar dessa. Além disso, havia apenas um par a quem eu diria sim.

Peguei a chave da casa de dentro do bolso e corri para a porta. O telefone começou a tocar de novo; quantas pessoas essas meninas conheciam? Mas ignorei e tranquei a porta. Só esperava que mamãe e papai não conseguissem ouvi-lo do carro.

– Quem era, querida? – perguntou mamãe no instante em que sentei e fechei a porta. A curiosidade estava estampada em todo o seu rosto.

– Uma pessoa da escola que precisava saber um negócio da comissão de formatura. – Tecnicamente, não era mentira, já que Shana e Erika *eram* da comissão de formatura e *tinham* sugerido que eles me convidassem.

– Está vendo? – Ela se dirigiu a mim. – Você não está feliz por ter feito a escolha certa? Eu disse que era uma boa ideia fazer parte da comissão de formatura. – Ela não esperou pela minha resposta e começou a falar com papai sobre algo espetacular que tinha feito quando havia sido da comissão de formatura no ensino médio.

Coloquei meus fones de ouvido e apenas me desliguei da conversa deles. O ritmo calmo de uma música lenta me deixou relaxada, enquanto eu via as árvores passando. Fechei os olhos e me concentrei na música, sentindo meu corpo mergulhar no sono de forma gradual.

Quando chegamos e pus os pés dentro da cabana, lembranças da última vez em que estive lá me emocionaram. Os detalhes do terrível telefonema voltaram rápido e eu precisava de um momento para me estabilizar. Eu me esforcei para não me deixar abalar naquele instante...

– *Eu atendo – falou mamãe, acabando o café. – Você poderia me servir mais café? E depois me contar mais sobre aquele sonho sobre o qual ele estava falando. – Ela correu até a sala para pegar o telefone a tempo.*

– Deixe o sonho para lá, mamãe. Não era nada, mesmo, esquece. – Falei mais alto para que ela pudesse escutar quando levantei para pegar mais café.

Eu ouvi o "alô" baixinho e depois uma conversa sussurrada. Não conseguia entender as palavras e não estava ouvindo de fato, já que estava me movimentando para preparar o café logo.

Tomei um gole... Precisava de mais leite.

Minha mente voltou para o estranho sonho da noite anterior. Algo sobre ele realmente me incomodava. Algo lá dentro de minha cabeça que não conseguia encontrar.

Uma onda repentina de sentimentos desabou sobre mim. A dor veio rápido, agarrando minhas entranhas. Era firme e penetrante; intensa e sufocante. Eu ia passar mal.

Apoiei meu café e voltei à mesa para sentar por um minuto. Descansando minha cabeça no tampo, respirei fundo várias vezes, mas a dor não foi embora.

– Mãe – gemi, depois respirei fundo mais uma vez e tentei de novo. – Mãe! Acho que não estou bem. – Virei minha cabeça e a apoiei de lado. O tampo da mesa no qual eu encostava minha bochecha estava muito frio. Respirando devagar, tentei me concentrar. Outra onda de dor absurda veio. Dessa vez me deixou sem fôlego e eu me curvei.

Eu nunca mais voltaria a tomar café.

Enquanto eu estava curvada sobre a mesa, as dores fortes cederam, mas deixaram uma terrível dor de estômago. Tudo que eu queria era um pouco de Pepto Bismol e minha cama, rápido.

Optando pela cama primeiro, Pepto em segundo, levantei-me devagar, tentando não me mover muito rápido. A última coisa de que precisava era vomitar em toda a cozinha. Eu me arrastei até a sala para mamãe saber que eu iria para cima. Suas costas estavam viradas para mim e ela ainda estava ao telefone.

Amparada no encosto da porta, tentei chamar a atenção dela.

– Mãe, acho que estou doente. Vou me dei...

– Sim. Está bem... entendi. Vou chamar o... espere, eu já ligo de volta para você.

Deve ter sido quando ela me ouviu.

Ela desligou o telefone e virou. A primeira coisa que notei era que sua maquiagem, normalmente tão perfeita, estava um pouco borrada. Ela era sempre muito cuidadosa com coisas desse tipo.

– Abbey – disse ela calmamente, em voz baixa. – Abbey, você tem que escutar... Foi a Kristen. Eles não sabem como aconteceu... É a mãe dela... Sinto muito, querida.

Eu não entendi.

– O quê? O que aconteceu com ela? Aconteceu alguma coisa com a mãe de Kristen?

Ela balançou a cabeça para a frente e para trás e pegou um lenço de papel da caixa que estava na mesa.

– Não é a mãe de Kristen – disse ela, ainda, em tom calmo, mas agora passava cuidadosamente a ponta do dedo embaixo dos olhos para arrumar a maquiagem. – É a Kristen, Abbey. É a Kristen.

É... a Kristen... É... a Kristen...

Para mim, aquelas palavras tinham ritmo, como as batidas surdas de um coração. É... a Kristen... É... a Kristen...

Afastei a lembrança e lutei para me recompor. Papai nem mesmo tirou as malas do carro, sugeriu imediatamente que fôssemos pegar uma pizza. Dirigimos por lá, procurando algum lugar que ainda estivesse aberto e achamos um fliperama antigo, dos anos cinquenta, que prometia diversão de graça! Quando voltamos para a cabana naquela noite, fui cambaleando para o quarto e despenquei na cama, caindo num sono agitado.

Na manhã seguinte, mamãe perguntou se eu queria fazer biscoitos com gotas de chocolate. Apesar de querer mesmo ficar na minha cama quentinha, eu sabia que ela estava tentando me ajudar a substituir as lembranças ruins por outras que eram boas. Então, concordei.

Arrastando-me para fora da cama, ajudei-a a deixar a cozinha pronta e fucei em vários armários até achar duas vasilhas.

— Onde estão os copos de medidas? — perguntei, com uma das minhas mãos presa na gaveta de tranqueiras.

— Acho que pusemos no armário em cima da pia — respondeu. Então, pegou alguns ovos e a manteiga na geladeira. — Você se lembra da última vez que nós cozinhamos juntas aqui? Acho que você tinha o quê, oito ou nove?

— Hum, isso mesmo — eu disse, sorrindo. — Você me disse que na verdade eu iria *gostar* de pão de banana.

Ela riu.

— Bem, você adorava banana quando era bebê, então, achei que iria gostar de pão de banana.

— Gostar de banana amassada quando você tem dois anos e gostar de banana misturada na massa do pão quando você tem oito são duas coisas completamente diferentes – repliquei e depois estremeci. – *Até hoje* não consigo comer banana, elas me fazem lembrar aquele pão de banana. E eu detesto a cor amarela, *porque ela me lembra banana*!

Ela pareceu chocada.

– Mesmo? Eu não tinha ideia de que era por isso que você não comia banana.

– Sim, você me traumatizou bastante quando era criança. Eu nunca mais vou comer banana. – Com uma pose dramática, pus a mão na testa e tentei parecer abandonada. Mas não consegui fazer cara de séria.

Mamãe jogou um pano de prato na minha cabeça e eu o peguei com uma das mãos.

– Vá trabalhar, "odiadora" de bananas – ordenou ela com um sorriso provocador.

Passei o resto do dia trabalhando no perfume de Kristen e fiz as últimas anotações necessárias para o projeto. Era um momento que me trazia sentimentos contraditórios, mas eu estava muito aliviada. Ao irmos embora, consegui dar um adeus silencioso aos fantasmas de velhas lembranças.

Estávamos na metade do caminho quando percebi os olhares preocupados que mamãe e papai ficavam dando um para o outro. Quando peguei papai olhando ansioso para mim pela terceira vez pelo espelho retrovisor, eu sabia que algo estava acontecendo.

– Ei, pessoal? – perguntei. – O que está havendo com vocês dois? – Nenhum dos dois me olhou pelo espelho.

– O que você quer dizer, Abbey? Não há nada errado entre seu pai e eu.

– Está bem, então, o que está errado no geral? Vocês dois estão parecendo muito preocupados. A última vez em que estiveram desse jeito, você me disse que alguém tinha morrido. Acho que preferiria ouvir que vocês estão se divorciando a ouvir aquilo de novo – brinquei.

Papai olhou para mamãe:

– Conte a ela – disse baixinho.

– Espere, *não* é divórcio... é?!

– Abbey – disse mamãe –, nós temos uma coisa muito importante para contar a você, mas não sabemos como você vai encarar a notícia.

– Mas não é divórcio, certo? Diga que não é divórcio! – Minha cabeça estava fervendo com o fato de que eu teria que lidar com casas separadas e férias divididas entre um e outro. No momento eu já tinha coisa demais acontecendo em meu próprio mundo para ter de aprender a lidar com mais isso tudo.

– Não, não é divórcio – falou papai e acenou para mamãe continuar.

Um alívio instantâneo me arrebatou como uma onda de água fria e me deixou quase tonta de alegria. Eu não estava sendo atingida por uma bomba.

– Abbey... enquanto estávamos na cabana... bem... – disse mamãe, hesitante e com muito cuidado. – Bem, nós recebemos um telefonema da polícia.

Senti meu corpo parar instantaneamente.

– E?

– Eles a encontraram, Abbey. Encontraram o corpo de Kristen, quatro quilômetros abaixo do rio Crane. Ela escorregou e ficou presa embaixo de uma pilha de galhos. Vão enterrá-la amanhã, às nove da manhã. Nós podemos escrever um bilhete para a escola justificando sua ausência, se você quiser ir... Eu sinto muitíssimo.

Mamãe esperou pela minha resposta, mas balancei a cabeça dizendo não e depois virei o rosto para a janela.

– Não volto nunca mais para aquela cabana – disse baixinho.

Depois daquilo, mamãe e papai não falaram mais nada.

Não fui ao enterro de Kristen na segunda-feira. Não conseguiria fazer tudo aquilo de novo. E eu não estava pensando nem um pouco em Caspian. Ele era a coisa mais distante de meus pensamentos.

A formatura seria no sábado à noite e este era o único assunto sobre o qual todos falavam na escola. Mas eu estava louca para a formatura acabar. Ficar focada nas coisas mundanas da vida tomava toda minha concentração.

Levantar.

Tomar banho.

Colocar uma roupa.

Achar meias que combinassem.

Tomar café da manhã.

Isso era tudo o que eu podia compreender no momento.

Na maior parte do tempo, eu estava cansada. Era assim que me sentia o tempo todo. Tive de usar dois despertadores, pois não conseguia acordar com um só. Tirava um cochilo depois da aula todos os dias, só concordava com a cabeça durante o jantar e dormia como os mortos à noite. Não tinha tempo para pensar em mais nada, dormia praticamente o tempo todo.

Não foi nada bom quando comecei a parecer tão exausta quanto eu me sentia. Olheiras enormes se formaram debaixo dos meus olhos e minhas pálpebras pareciam que iriam ficar para sempre meio fechadas. Meu cabelo estava feio e sem vida, e eu não ligava mais para o que vestia.

Quando me olhei na escola na quarta-feira, fiquei tentada a arrancar o espelho da porta do meu armário. Eu estava horrível. Então, alguém gritou meu nome, eu me virei e vi Ben acenando para mim. Rosnei para dentro e momentaneamente considerei a ideia de bater minha cabeça várias vezes na porta do armário de pura frustração. Isso adicionaria um hematoma roxo legal para combinar com as olheiras abaixo dos meus olhos.

Mas não tive tempo suficiente para colocar meu plano em ação, o garoto estava quase me alcançando.

O sorriso em seu rosto mudou para um olhar de preocupação quando ele finalmente chegou até mim.

– Oi, Abbey. Tudo bem com você? Está se sentindo bem?

Não retribuí o sorriso.

– Perfeitamente.

– Parece que você está com um resfriado ou algo assim – sugeriu.

– É, algo parecido – eu disse, de modo seco.

– Está bem – disse ele, e deu de ombros. Seu olhar era engraçado, como se não tivesse certeza se deveria continuar ou não.

– Olha, Abbey – disse ele, sério –, sei que as coisas devem estar muito difíceis para você neste momento, com a formatura chegando e sabendo das últimas notícias sobre a Kristen. Eu também sinto falta dela, mas sei que deve ser um milhão de vezes pior para você. Por isso, se disser não, eu entendo, mas você gostaria de ir à formatura comigo? Eu sei que é em cima da hora e não temos de ir como se fosse um encontro. Pode ser apenas um lance de amigos. O que você acha? No meio de toda essa coisa ruim, quer tentar ter uma noite divertida? Se você estiver disposta, quero dizer.

Ben parecia tão verdadeiro e sincero que eu não disse um "não" automático. Seus grandes olhos castanhos me olhavam com expectativa, como um cachorrinho adorável esperando por sua recompensa. Era muito meigo que ele estivesse tentando me alegrar, mas eu tinha essa sensação de incômodo...

– Alguém pediu que você fizesse isso?

Ele pareceu pouco confortável.

– Bem, pedir não é exatamente a palavra... – Ele viu minhas defesas se levantando e percebeu que a encrenca sobraria para ele. Ele tentou consertar. – Quer dizer... Veja, Shana disse que algumas das meninas do grupo de animadoras de torcida iam mencionar o fato de que você precisava de um par para alguns caras que elas conheciam. Mas ela não disse isso especificamente para mim. Eu juro. Eu apenas escutei a conversa. Eu planejava convidar você muito antes de ter ouvido as meninas falarem sobre isso.

Senti meu rosto esquentar. Minha humilhação-mor agora estava completa. Além da vergonha, meus olhos começaram a queimar com as pontadas das lágrimas não derramadas.

– Então por que você não me convidou antes de ouvi-las falando sobre isso? – perguntei baixinho, mantendo meu olhar na direção da porta do armário.

– Eu... eu... – gaguejou.

– Desculpe, Ben, mas não acredito em você. A resposta é não.

– Mas, Abbey, eu... não tive coragem – disse ele, de modo esquisito.

Eu não conseguia mais olhá-lo nos olhos, então fechei a porta do armário e fui embora. Ele me chamou uma vez, mas não me virei. Estava tentando segurar as lágrimas... Pelo menos até que eu chegasse à segurança e ao anonimato do banheiro feminino.

Capítulo Nove

NOITE DO BAILE

Ela usava os adornos de ouro puro que sua tataravó havia trazido de Saardam; o atraente corselete de tempos idos e, além disso, uma provocante anágua curta, que deixava à mostra os mais belos pés e tornozelos do país inteiro.

– *A lenda do cavaleiro sem cabeça*

Evitei Ben pelo resto da semana e soube que uma das veteranas acabou por convidá-lo para o baile na última hora. Eu *realmente* esperava que ele se divertisse com ela. As coisas provavelmente ficariam estranhas entre nós agora, e isso fazia eu me sentir mal.

Quando a manhã de sábado finalmente chegou, um belo sol apareceu, em vez do dia estar frio e chuvoso como eu achava que deveria ser. Puxei as cobertas sobre minha cabeça e tentei ficar na cama o máximo que pude, mas no final das contas minha mãe me arrastou para fora da cama para ajudá-la a pegar algumas fantasias no sótão.

Todo ano, o conselho da cidade oferecia uma festa de dia das bruxas chamada *Baile de Hollow* na mesma noite do baile da escola. Sempre suspeitei que o *verdadeiro* motivo por trás disso fosse distrair os pais dos formandos para que eles não precisassem se preocupar com o que os filhos estavam fazendo. Na maioria das vezes, parecia funcionar.

Mamãe e papai sempre iam vestidos de Katrina Van Tassel e Ichabod Crane. Eles tinham autênticas fantasias de época, que eram absolutamente maravilhosas. Um pouco pomposas e pesadas, mas maravilhosas. Houve um ano em que tentei convencer papai a misturar um pouco as coisas e ir como sr. Irving, já que, a meu ver, o autor merecia uma homenagem, mas mamãe achou que não seria certo para Katrina Van Tassel aparecer acompanhada de Washington Irving.

Estávamos desempacotando os acessórios quando uma grande nuvem de poeira voou da peruca que escolhi e me fez espirrar de um jeito barulhento.

– Não era para isso estar protegido, pelo jeito que foi embalado? Como é que a poeira entrou aqui? – perguntei à mamãe.

Ela olhou para o paletó que estava sacudindo.

– Não sei, provavelmente é resto do pó facial usado no ano passado. Mas não limpe tudo. Combina com o clima.

– Ok. Se você quer aranhas no seu cabelo, por mim tudo bem – disse eu, deixando-a de lado.

Ela riu e me atirou um chinelo de cetim.

– Aqui, veja se tem aranhas. – E então, ficou séria. – Você tem *certeza* de que não quer vir conosco à festa, hoje à noite? Também pode ir sozinha ao baile. Tenho certeza de que muitos dos seus amigos estarão lá. Você nunca sabe quem pode conhecer, e nós poderíamos deixá-la no caminho.

Suspirei. Mamãe sempre tinha sido assim? Ela parecia tão insistente nos últimos tempos.

– Não vou à festa esta noite, mãe, e *definitivamente* não vou ao baile. Sei exatamente quem vou encontrar lá... Alguém que já tem companhia. Além disso, não tenho convites e nem mesmo um vestido que *eu* tenha escolhido. E você sabe o quanto Kristen e eu queríamos ir juntas. Não me sinto bem em ir sem ela.

Mamãe pareceu agitada.

– E se arrumássemos um vestido diferente? Não quis insistir antes, mas este *é* seu primeiro baile. Era para estarmos sorridentes e gastando uma fortuna no vestido perfeito. – Ela inclinou a cabeça para o lado. – Vi um vestido incrível de cetim preto numa loja de noivas no último fim de semana. Aposto que ainda está lá. Tenho *certeza* de que você gostará dele.

Era como se ela não tivesse escutado 90% do que eu tinha acabado de dizer.

– Não, mamãe – disse, enfaticamente. – Mesmo assim, obrigada, ficarei bem por aqui. Provavelmente vão passar alguns filmes de monstro e pretendo assisti-los. Além do mais, alguém precisa ficar aqui para receber as brincadeiras de "gostosuras ou travessuras". – Sabia que ela queria argumentar, mas felizmente desistiu. Terminamos de desempacotar a última peça de fantasia em silêncio.

Depois que terminamos, mamãe foi experimentar sua fantasia enquanto eu abria alguns pacotes de bala para as crianças. Tinha acabado de arrumar tudo em tigelas quando ela voltou.

– Como estou? – perguntou ela.

– Como no ano passado – respondi. Ela fez bico e atirei um pacote de balas de chocolate para ela. – Ah, o que é que há, mãe, você sabe que está ótima.

– Sei. – Ela abriu a pequena embalagem. – Mas você poderia ter dito primeiro. – Jogou as balas na boca e enquanto ia tirar a fantasia saiu mastigando fazendo o maior barulho.

Vaguei até o sofá e liguei a televisão. Passeando cegamente pelos canais, eu não estava prestando atenção em nada. Meus olhos ficavam indo e vindo da janela. Logo estaria escuro. Quase todas as garotas, calouras e veteranas, deviam estar num salão ou na penteadeira se arrumando para o baile naquele momento. Kristen e eu *deveríamos* estar fazendo o mesmo.

Tentei não pensar nos cabelos louros de um acompanhante de olhos verdes ou nos belos vestidos de baile, de cetim preto, ou na alegria de compartilhar o baile com a melhor amiga. Mas eu estava falhando miseravelmente.

Kristen deveria estar *aqui* e nós duas deveríamos ir para *lá*. Não era para ser assim. Eu não devia passar meu primeiro baile sozinha num sofá, sem a minha melhor amiga

A depressão me cobriu como um cobertor pesado. Parei num canal onde passava um filme de vampiros e deixei ali.

Ajeitando um travesseiro sob minha cabeça, ergui as pernas e fechei os olhos.

– Abbey, vou precisar consertar esta bainha. Ficou enroscada em alguma coisa quando tirei o vestido. Precisamos de mais doces? Refrigerantes? Alguma coisa? – A voz de mamãe interrompeu a música brega do filme de terror na televisão.

Não respondi, virando meu rosto para o travesseiro. Com sorte, ela pensaria que eu estava dormindo. Ouvi os passos dela perto do sofá e no momento seguinte ela havia ido embora. Acho que estava com sorte.

Escutei um farfalhar e imaginei que ela estivesse colocando a fantasia num saco plástico, então, no minuto seguinte ouvi o clique da porta se fechando. Continuei de olhos fechados, ainda pensando no baile, e não demorou muito para que eu realmente adormecesse.

O vestido de baile era lindo. Um modelo vitoriano antigo, feito de cetim vermelho-sangue com um delicado padrão de vinha em relevo de veludo preto que se trançava e intrincava por toda a parte de cima do corpete até as laterais. As fitas nas costas haviam sido projetadas para imitar as tiras de um espartilho, enquanto uma anágua de renda preta se insinuava um pouco para fora da barra do vestido, completando a imagem.

Era algo tirado diretamente de um conto de fadas gótico.

– Escolha este aqui, Kristen. É perfeito para você. – Agarrei o cabide e o estendi para ela, que não quis aceitar.

– Não posso, Abbey. Já tenho um vestido. – Ela se referia ao trapo escuro e cinzento que estava usando. A barra desfeita e

rasgada dava a impressão de que alguém havia tentado rasgar a peça ao meio. Horrorizada, observei que da barra do vestido pingava água.

– Não, não – insisti. – Por favor, Kristen, vista este. Há algo errado...

Mas ela apenas sacudiu a cabeça e sorriu tristemente para mim.

– Não posso, Abbey. Não posso.

Quando finalmente acordei, mamãe estava sacudindo meu ombro e chamando meu nome. Meu cérebro ainda estava confuso demais para processar a fantasia dela, e eu não tinha ideia de quem era a doida na minha frente. Fiquei ali sentada, piscando os olhos, enquanto seu rosto lentamente entrava em foco e as palavras de Kristen desapareciam de minha mente.

– Está acordada agora, Abbey? – perguntou ela. – Precisamos sair.

Mamãe estava completamente fantasiada e papai estava lustrando um de seus sapatos. Olhei atordoada à minha volta. Já estava escuro e o relógio no aparelho de DVD piscava 5:30. Eu tinha ficado adormecida por um bom tempo.

– Sim, estou acordada, mãe. Vejo vocês mais tarde, pessoal – eu disse.

Ela se curvou para me abraçar, ou o mais próximo disso que o vestido permitia e sorri tristemente para ela.

– Pode ir – sussurrei. – Vou ficar bem. Vá se divertir.

– Precisamos ir andando – chamou papai da porta.

Mamãe ficou de pé.

– Já vou, já vou. – Então, ela olhou para mim. – Os doces estão sobre a mesa. Deixaremos a luz da varanda acesa. Tenha cuidado e não fique acordada até muito tarde. – Deu uma última ajeitada na peruca e foi em direção a papai. – Oh, e Abbey. – Ela parou no meio do caminho. – Dê uma olhada atrás da porta do seu armário. – E com isso ambos acenaram para mim uma última vez e saíram.

Não tinha muita certeza se eu realmente queria saber o *que* ela havia deixado para mim. Ingressos para o baile pregados no espelho? Uma fantasia de abóbora para o *Baile da Caverna* perto da porta? Só podia imaginar...

Infelizmente, durante a hora seguinte ou um pouco mais, tudo o que *pude* fazer foi imaginar. A campainha não parava de tocar, tocar e tocar. Foi uma revoada sem fim de fantasmas, duendes, bruxas e um pobre garoto que tinha vindo pedir doces vestido de hidrante. Deixei que ele pegasse duas mãos cheias de balas.

Quando os fregueses deram uma trégua, apaguei a luz da varanda para poder subir e dar uma espiada no que mamãe havia deixado. Meu queixo caiu quando abri a porta e vi o que estava ali. Pendurado atrás da porta do armário estava o vestido preto de baile mais bonito que eu já havia visto.

Primeiro toquei a saia. Tinha uma fina camada de renda de tule preto sobre um *chiffon* de tafetá também preto que brilhava ligeiramente quando a luz batia nele. O *top* no estilo corpete de cetim parecia macio e frio sob meus dedos quando percorri a trilha de fita em forma de "X" até a frente. Ela havia deixado até mesmo um par de saltos com tiras que combinava perfeitamente.

Era incrível.

Olhei para o vestido por muito tempo, então balancei a cabeça e gentilmente fechei a porta. Ela podia ser insistente e irritante até não poder mais, mas, às vezes, era uma mãe muito, muito boa.

Assim que desci as escadas e acendi novamente a luz da varanda, os monstrinhos fizeram fila. Eles queriam *mesmo* seus doces. Comecei a me perguntar se as pessoas não estariam mandando suas crianças de outras cidades, porque a fila não parava de crescer. O doce acabou antes deles.

Tentei apagar a luz da varanda novamente, mas não funcionou. Eles simplesmente não paravam de tocar a campainha. E depois da décima primeira carinha triste que ia embora quando eu dizia que o doce tinha acabado, não consegui mais suportar.

Liguei para a farmácia mais próxima e descobri que eles ficavam abertos até as nove, e que ainda tinham muitos doces. Como ficavam a apenas cinco quarteirões, eu não demoraria a chegar lá.

Pensei em deixar um recado "Fui buscar mais doce. Volto logo." na porta, mas resolvi não deixar. Podia fazer com que a casa ficasse suja de ovos atirados por duendes bravos que queriam seus doces imediatamente.

Uma deliciosa brisa fresca brincava em meu rosto enquanto eu caminhava até a loja, e havia nuvens esparsas e finas no céu. Poderia ter aproveitado melhor o caminho se não estivesse tão preocupada com a multidão de crianças furiosas batendo em minha casa à procura de doces. Aquele pensamento assustador foi suficiente para me fez caminhar um pouco mais rápido.

Quando cheguei à loja, havia uma limusine preta estacionada de um lado e não consegui entender o que estaria fazendo ali. Então, vi uma janela descendo e um breve lampejo de terno dentro. É claro, o baile.

Provavelmente havia sido alugada por um grupo de rapazes, a caminho de buscar suas acompanhantes. Tentei não pensar muito na razão que os levara a parar numa farmácia bem na noite do baile. Será que também estavam sem doces?

Sorrindo para mim mesma enquanto abria a porta, passei por dois corredores e cheguei ao prêmio. E estava tudo pela metade do preço, também. Prêmio duplo.

Estava tentando decidir se apostava na variedade ou levava só um tipo de doce quando uma voz vinda do corredor ao lado chamou minha atenção.

– ... ele convidou aquela garota esquisita, a Abbey, mas ela deu o fora nele – disse uma garota.

– Sim, e ainda foi uma verdadeira babaca. Tive que insistir, tipo, duas vezes antes de ele concordar em ir comigo.

– Pensei que você tivesse dito que ele aceitou de cara e...

– Sim, que seja. Olha, vamos só pegar as câmeras e ir embora. Os meninos estão esperando.

Espiei na esquina do corredor. Ali estavam as duas meninas com vestidos de baile, e obviamente uma delas era a veterana que tinha convidado Ben.

Cada uma pegou uma câmera descartável e depois foram até o caixa. Três pessoas já estavam na fila e deu pra ver que elas não ficaram nem um pouco felizes em saber que teriam de esperar. Voltei até a seção de doces, peguei dez pacotes aleatoriamente e caminhei lentamente até a frente. Por sorte, outros já haviam entrado na fila atrás delas, então, não precisei me preocupar com o desconforto de ficar muito próxima.

Mas ainda estava perto o suficiente para ouvir cada palavra do que disseram. E elas disseram muito:

— Ele vai se divertir muito mais com você. — A garota no vestido rosa garantiu à que estava de amarelo. Pelo menos podia codificá-las por cores, assim eu saberia quem era quem.

— Claro que vai — disse a do vestido amarelo, girando a cabeça. Quando fez isso, notei que a etiqueta com o preço ainda estava presa ao vestido, grudada à lateral do zíper para o mundo todo ver. Fiquei pensando se a menina do vestido rosa diria a ela.

Mas a de amarelo continuava falando:

— Quero dizer, como ela é grosseira! Ela deveria ser grata por ter sido convidada por alguém, afinal.

— Ouvi dizer que toda a turma da torcida organizada teve praticamente que implorar para alguém convidá-la, como um favor pessoal.

— O quão patética você tem de ser para que outras pessoas procurem acompanhantes para você, e, ainda assim, termine sem ninguém?

Aquela doeu. Senti uma pontada por dentro, e as lágrimas rolaram instantaneamente. *Não estou chateada,* eu disse a mim mesma. *Estou irritada.* Mas não importava se eu estava uma coisa ou outra, minha visão ainda estava embaçada.

Olhei para o doce em minhas mãos, sem realmente enxergá-lo. Será que eles não podiam colocar outro caixa para a fila andar mais rápido? Tentei me desligar de tudo e não escutar a conversa, mas era como um desastre de automóvel. Eu não conseguia desviar.

Elas eram as próximas, mas continuavam conversando.

– Você a viu na escola essa semana? – perguntou a do vestido rosa.

– Eca, sim. Ela estava horrorosa. Alguém realmente precisa parar de assistir a filmes de bruxas nas noites de escola.

– Né?

– Alguém também precisa dizer a ela para não vestir preto o tempo todo. Isso a deixa totalmente sem graça. O que ela é, uma gótica? E existe uma coisa chamada corte de cabelo. Ela precisa de um.

Agora a do vestido rosa dava risada.

– Talvez ela use preto porque emagrece. Pode estar escondendo algumas "gorduras localizadas". Você sabe, desde que a amiga morreu ela está ficando cada vez mais esquisita. Ela é uma perdedora e eu não me surpreenderia se pulasse da ponte para conseguir chamar alguma atenção.

– É óbvio que ela está tentando chamar a atenção – disse a de vestido amarelo. – Você sabe que é isso. Primeiro, ela consegue entrar na comissão do baile e agora aposto que todos os professores vão deixar que ela atrase a lição de casa. E provavelmente ela vai começar a perder aulas e depois vai acabar chorando no ombro de algum orientador, dizendo o quanto sente a falta da amiga morta.

– Sabe que, às vezes, penso que elas planejaram isso juntas ou coisa assim para que pelo menos *uma* delas conseguisse alguma atenção? A garota que morreu não vai ser lembrada por nada. Ela era ainda mais perdedora que a Abbey.

Meu rosto ficou paralisado e minha mente vazia. Nada do que elas dissessem podia me machucar. Eu estava congelada por dentro. Uma muralha de gelo. Olhei inexpressivamente para o chão até que finalmente o caixa chamou a minha atenção. Elas foram embora e eu era a próxima da fila. Fiquei ausente outra vez enquanto ele passava minhas compras e era como se ele estivesse falando em outro idioma quando me perguntou se eu queria tudo em duas sacolas. Sacudi a cabeça sinalizando um não e depois assenti que sim.

Ele colocou os doces em duas sacolas e me entregou como se eu tivesse uma doença contagiosa. Caí fora da loja e fui direto para casa. Para falar a verdade, nem me lembro de ter caminhado até lá, mas, quando me dei conta, estava na porta. Entrei, despejei os doces em várias tigelas e coloquei todas na varanda da frente.

Só queria ficar sozinha agora.

Depois de apagar todas as luzes, me enrosquei no sofá. Outro filme de terror ia começar e liguei a TV, mas não conseguia prestar atenção. A nada. Continuava ouvindo as vozes delas.

Pensei sobre o que disseram na loja. Sobre estar só e miserável no sofá. Pensei sobre o baile que estava perdendo e sobre o fato de que Kristen não estava aqui para nada disso e nunca mais estaria. Pensei no quanto eu sentia a falta da minha melhor amiga e em como minha vida era horrível.

Acho que todos esses pensamentos me levaram ao limite. De repente, me senti impulsiva e cheia de uma energia selvagem, como se estivesse caminhando à beira de um abismo e olhando diretamente para baixo. Pulei do sofá e subi as escadas até meu quarto. Eu sabia o que fazer.

Abrindo a porta do armário, peguei o vestido preto do cabide. Mamãe tinha grudado um bilhete atrás dele e isso me deteve momentaneamente: "Mesmo que você não vá ao baile, ainda merece o vestido. Amor, Mamãe."

Isso apenas colocou mais lenha na fogueira da minha liberalidade. Eu merecia *mesmo* um vestido. *E* um baile. O baile que eu daria a mim mesma.

Vestindo rapidamente o traje, ignorei os saltos e calcei minhas botas pretas. Depois parei em frente ao espelho por um momento para me observar. Meus olhos estavam atormentados e brilhantes, mas minhas faces estavam mortalmente pálidas.

Corri até o banheiro e baguncei meus cachos desgrenhados molhando-os para que ficassem rebeldes e com uma aparência "bruxesca" *mesmo*. Como acessório final, amarrei uma fita preta em torno de minha garganta. *Agora* eu estava pronta. Peguei o frasco com o perfume de Kristen no caminho para fora do quarto e fui até a porta. Estava indo ao cemitério.

Agora o céu estava cheio de nuvens pesadas e escuras, e parecia que ia chover. Um lento estrondo de trovão ao longe confirmou minhas suspeitas. Não me importava.

Chegando ao cemitério, vaguei por entre as tumbas. Meu traje fazia um barulho suave a cada passo que eu dava. Parando no meio do caminho, girei em um grande círculo. Agora fazia um zunido altíssimo. Gostei mais ainda.

Girei loucamente até ficar zonza demais para ficar em pé e caí para um dos lados. Acabei em uma espécie de meia reverência em frente a uma lápide. Olhando para o nome esculpido ali, inclinei-me ainda mais.

– Concede-me esta dança, sr. Finklestein?

Por alguma razão, ouvir essas palavras em voz alta me atingiu de forma absurdamente engraçada, e me peguei gargalhando incontrolavelmente. Não conseguia parar. Não queria parar. Então, valsei por todo o caminho até a colina mantendo meus braços abertos na posição correta de dançar uma valsa, todo o tempo apertando o frasco de perfume em uma das mãos.

Entre uma gargalhada histérica e outra, eu murmurava pedaços de uma antiga canção de ninar. Rodando e rodando eu seguia, valsando por vários caminhos para chegar ao meu destino final. Estava quase lá.

Então, meu pé ficou preso na beira de uma lápide quebrada e me fez tropeçar. Tentei me reequilibrar, mas caí com força. Felizmente, meus braços esticados amorteceram a queda. Porém, para o meu azar, essa queda foi contra a tal lápide. As duas mãos ficaram em carne viva.

Sentei ali no chão frio e duro e olhei para minhas palmas. A carne havia sido cortada em linhas irregulares e o sangue fresco brotava na superfície. Não sabia o que fazer.

O que *sabia* era que tinha perdido o perfume de Kristen. Procurei por sinais de vidro quebrado pelo chão, freneticamente, mas não havia nada. Finalmente, avistei o frasco perto do tronco de uma árvore e me inclinei para pegá-lo, quando a chuva começou. Como ela caía pesada e ligeira, meu vestido ficou ensopado rapidamente. *Mamãe vai ficar furiosa.*

Segurei minhas palmas contra a chuva, assim pelo menos elas não ficariam mais ensanguentadas, e depois peguei o frasco. De alguma forma, havia sobrevivido à queda.

Quando avistei a lápide de Kristen, desisti de qualquer plano de salvar o vestido e me acomodei ao lado dela. Era a primeira vez que eu via a pedra e a toquei, meio que esperando sentir aquele mesmo choque frio que sentira quando toquei seu caixão. Mas parecia apenas pedra.

Passei os dedos pelos contornos profundos das suaves letras esculpidas ali. Ela estava ali mesmo.

Abrindo o frasco de perfume, derramei algumas gotas na tumba. Misturou-se com a chuva e correu em pequenos rios até o chão, encharcando a sujeira abaixo.

— Ei, Kris — comecei suavemente —, finalmente fiz um perfume para você.

Agarrei-me às palavras. Estava tão entorpecida que não sabia o que dizer a ela.

— Espero que você goste. Usei toranja e gengibre, com apenas um toque de baunilha. Acho que combina com você.

Levei muito tempo para acertar, mas queria que fosse perfeito.

Uma enorme tristeza se abateu sobre mim e meus olhos começaram a marejar. A sensação me oprimia.

– Esta noite é a noite... do baile... Kristen. – Tentei falar entre soluços. – Devíamos estar juntas, mas não desta maneira. Não era para ter sido assim.

Um soluço escapou ofegante, e me perdi nas palavras de novo. Baixei a cabeça e minha tristeza transformou-se em raiva. Puro ódio de Kristen, do mundo, de mim mesma, de ninguém...

Um trovão ressoou novamente atrás de mim, e me levantei com os punhos cerrados de raiva.

– Por que você não está aqui, Kristen? Você tinha que estar! – gritei para a lápide. – Como você poderia simplesmente cair? Nunca caíamos na água! – A chuva escorria pelo meu rosto, e saí correndo.

Corri o mais rápido que pude até a margem do rio. Pensei ter visto uma figura em forma de névoa branca e corri para ela até que minhas pernas doessem e meus pulmões não tivessem mais ar. *Seria ela? Ela estaria aqui?* Eu persegui o vulto até que sumisse. Então, choquei-me contra um monte à beira da água.

Meu corpo se esforçava para lutar a cada respiração, arrastando-se de um suspiro curto e doloroso para o outro. Coloquei um braço sobre a cabeça, derramando o resto do perfume na correnteza ondulante, aproximando-me até estar exatamente à beira da água. Fechando os olhos, descansei minha cabeça no redemoinho abaixo de mim. Ele sussurrou sedutoramente, convidando-me a perder minha dor e tristeza, minha raiva e meu medo e a me sentir tranquila e calma.

Para ver Kristen novamente...

O cabelo flutuava ao meu redor, formando um halo escuro. A água estava gélida e, mesmo devendo ter me deixado fria, não o fez. Em vez disso, parecia um bálsamo para minhas feridas sentimentais. Respirei profundamente, imaginando Kristen ali, enquanto o cheiro de toranja, gengibre e baunilha me envolvia.

Mas ainda estava entorpecida por dentro. Ergui a mão e me deixei levar pela correnteza, observando enquanto o frasco vazio de perfume flutuava para longe. Continuei respirando lentamente, tentando sossegar minha mente. E então começou a funcionar. Eu estava me acalmando.

O som de alguém gritando meu nome me fez abrir os olhos.

Caspian estava do lado oposto do rio.

– Oh Deus, Abbey, eu pensei que você estivesse morta! – gritou. Ele saltou para uma grande rocha lisa no meio da água e depois para uma outra e então, se aproximou. Eu não me mexi.

– Abbey – disse ele, muito calmamente –, o que você está fazendo? Você tem de sair da água.

Ri estrondosamente.

– Eu preciso sair da água? Mas Kristen não saiu da água, Caspian. De que outra forma eu poderia alcançá-la?

– Vamos lá, Abbey. – Ele tentou me persuadir, agachando-se perto de mim, mas ainda a alguns metros de distância. – Não sei o que aconteceu, mas você precisa sentar-se e sair da água. Agora. – Sua voz ganhou firmeza.

Sentei-me de repente e espirrei água por toda parte. A chuva ainda estava caindo e vi que ele estava encharcado também. Seu cabelo estava grudado na cabeça, mas aquela mecha preta destacava-se nitidamente do resto do cabelo claro.

– Você não soube o que aconteceu? – eu disse, histérica. – Caspian, o que *aconteceu* é que minha melhor amiga está morta. Foi isso *o que aconteceu*. Ela se afogou neste mesmo rio, lembra-se? Você esteve no funeral dela. Só que não era realmente funeral dela, porque não havia um corpo para enterrar. Mas agora há. Ou... houve. O corpo foi encontrado na semana passada, e ela foi enterrada. E isso significa que é tudo real. Ela se foi, e eu não estava lá. – O peso dessas palavras me atingiu profundamente.

– Eu sei, Abbey. Sei da dor que você deve estar sentindo. Mas por que você está aqui, agora, e usando um vestido? – Seus belos olhos verdes suplicavam que eu lhe desse as respostas que queria.

Peguei uma camada do vestido, encharcado e em trapos.

– Isto? – Mostrei a ele, e então a deixei cair. – Este é o meu vestido. Hoje é o baile. Porque esta cidade estúpida não pode fazer nada normal, a formatura do último ano tinha de ser no *dia das bruxas*. Kristen e eu deveríamos ir juntas, com nossos pares. Mas acho que ela havia assumido um compromisso anterior. – Ri impetuosamente.

– Abbey, venha, por favor, afaste-se da água – implorou ele. – Venha aqui, por mim. Você pode conversar comigo sobre isso.

– Falar com você sobre isso? Eu não posso *falar* com você sobre isso. Eu nem deveria estar aqui com você, Caspian. Eu nunca deveria tê-lo conhecido aqui. Este era o nosso lugar. Meu e de Kristen. E o que eu faço? Esqueço tudo sobre ela. Não contei a você sobre a boa pessoa que ela era ou como ela era engraçada e o quanto ela amava a família. Ela os amava muito, Caspian – falei, agora furiosamente.

– Kristen teria desejado que você fosse feliz, Abbey. Mesmo que isso significasse me conhecer aqui e me mostrar os arredores.

– Você não sabe o que ela iria querer! – gritei, levantando-me para enfrentá-lo. Ele também se levantou. O vento que se movia rápida e violentamente a nossa volta, levou minhas palavras para longe, e em seguida, atirou-as em minha cara. Minha respiração estava fora de controle, e senti que a pura raiva pulsava através de mim, novamente.

– Eu sabia o que ela queria quando ninguém mais sabia. Ninguém na escola, ninguém nesta cidade, e nem mesmo você!

Minha voz tornara-se tranquila agora. A raiva ainda estava lá, mas estava centrada. Uma raiva silenciosa, bruta.

– Você sabia que eu sonhei com ela na noite em que ela morreu? Isso mostra o quanto éramos próximas. Eu sabia quando ela estava morrendo. Podia sentir. Caspian, eu *senti*. Tudo. Mas não estava aqui. Não pude evitar. Na manhã seguinte, eu nem sabia o que tinha acontecido. Ela precisou da minha ajuda, e não fui boa amiga o suficiente para ajudá-la. Então, acho que isso significa que eu não era realmente a melhor amiga dela afinal.

Eu me virei. A fúria havia se esgotado. Senti-me fraca e estraçalhada, novamente fria por dentro, enquanto minha raiva se transformava em tristeza.

– Não fui ao baile hoje à noite porque ela não estava aqui para ir comigo – eu disse, com amargura. – Oh, sim, e também porque sou uma perdedora e tão patética que eles têm que me arranjar encontros. Você sabia que pediram para as pessoas me convidarem? Eu sou sem graça, e disseram que preciso de um corte de cabelo – acrescentei, descontroladamente.

– Abbey, você precisa se acalmar – pediu ele. – Não entendo você. Quem pediu que as pessoas a convidassem? E quem disse que você precisa de um corte de cabelo?

– A turma da torcida organizada – respondi. – E algumas garotas na farmácia.

– Tudo bem que essas coisas incomodem você, Abbey. Venha aqui, vamos nos sentar juntos. Se você não tiver se sentindo bem para falar, não precisa. – Sua voz estava calma, mas um pouco instável.

Olhei para ele. Tinha um olhar selvagem que combinava com o meu, e eu sentia um desejo desesperado de fazê-lo me compreender.

– Sentir? – zombei. – É aí que você está errado, Caspian. Eu não *sinto* nada.

E, então, vi algo mudar em seus olhos. Um olhar de entendimento que me desmontou completamente. Dei um passo para mais perto dele e tropecei.

– Oh, Deus, Caspian – disse, horrorizada. – Eu não sinto nada.

Foi quando a muralha se partiu. Toda aquela dor e insensibilidade se estilhaçaram, transformando-se em um milhão de pedacinhos. Cada um desmoronou, revelando um enorme vazio deixado para trás. Um buraco negro, aberto em meu coração.

Comecei a chorar. Lágrimas incontroláveis me consumiam de dentro para fora, e cada uma pesava e rolava, e doía. Caindo de joelhos, chorei e chorei e chorei.

Chorei todas as lágrimas que não tinha sido capaz de derramar no funeral de Kristen.

Chorei todas as lágrimas que estiveram comigo nas noites solitárias.

Chorei pela amiga que havia perdido e pelas lembranças que nós não poderíamos compartilhar.

E, então, chorei por mim.

Abraçando meus joelhos contra o peito, chorava todas as lágrimas aprisionadas dentro de mim. Toda a dor no coração veio se derramando em uma fúria intrincada de raiva e pura emoção antes de escorrer lentamente para o rio, até que não sobrasse nada. Quando minhas lágrimas pararam de cair, uma a uma, o clima teve pena de mim e ofereceu suas condolências: o vento cessou e a chuva diminuiu.

Caspian esperou, em silêncio. Ele simplesmente ficou ali parado, pacientemente, até que eu estivesse pronta. Quando ele finalmente voltou a falar, olhei para ele com os olhos arregalados.

– A resposta que estamos procurando é o que Kristen estava fazendo aqui na noite em que morreu – sussurrou ele. – Então, vamos descobrir, Abbey. Vamos descobrir.

Capítulo Dez

ESCOLHENDO ESSÊNCIAS

Era a hora mais encantada da noite...

— *A lenda do cavaleiro sem cabeça*

Caspian me acompanhou até em casa desde o rio, colocando-se como uma barreira silenciosa entre a estrada e eu. E muito embora nós não tenhamos passado por nenhum carro, esse gesto simples me deixou com um nó na garganta.

Enquanto caminhávamos, olhei para meu vestido molhado e destruído. Rastros de lodo e marcas de grama manchavam toda a parte da frente. Eu esperava que meu rosto e meu cabelo não estivessem com uma aparência tão ruim quanto a do vestido. Mas eu estava tão cansada que realmente não me importava com isso.

Bem, talvez me importasse um *pouquinho*.

A casa estava completamente escura quando finalmente chegamos. Eu sentia tanto frio por estar toda molhada que não conseguia parar de tremer. Estava *congelando* do lado de fora. Apanhei a chave reserva que ficava escondida em um tijolo perto da porta dos fundos e a destranquei rapidamente, acendendo várias luzes enquanto andava pela casa. Desamarrando minhas botas enlameadas, chutei-as para longe e tentei evitar que a lama espirrasse para todos os lados. Caspian permaneceu silencioso, nas sombras da casa. Eu mal podia vê-lo. A escuridão escondia até mesmo seus cabelos claros.

– Você pode entrar, se quiser – chamei. – Só deixe os sapatos do lado de fora. – Olhando para o relógio na parede, vi que já eram quase onze e meia. Mamãe e papai não estariam em casa por mais uma hora pelo menos.

– Hum, seus pais não vão se importar? – perguntou, ecoando meus pensamentos.

– Não, eles estão no *Baile de Hollow*. Eles sempre ficam até o final, como bons membros do conselho que são. E depois, irão se oferecer para levar os outros para casa ou ajudar a limpar tudo quando a festa acabar... e daí para a frente. Eles provavelmente só vão chegar aqui por volta da meia-noite e meia, talvez uma hora.

Ele deu um passo para a frente, saindo da escuridão.

– Você gostaria que eu entrasse, Abbey? – Os olhos verdes dele brilhavam, e ele olhava para mim fixamente.

– Sim – sussurrei. Então, limpei minha garganta e tentei de novo. – Sim.

Olhei novamente para o meu vestido.

– Preciso tirar isso e colocar roupas secas. Estou virando uma pedra de gelo. Por que você não vem comigo até meu quarto? Você deve estar congelando também.

Ele deu outro passo para a frente, e, de repente, estava bem ao meu lado.

– Eu não estou com frio nenhum – disse ele. – Está quentinho aqui.

Eu olhei para ele por um momento, antes de perceber que *definitivamente* precisava me distrair com alguma coisa.

Dando um passo para o lado, estendi a mão e apanhei os pratos de doces, agora vazios, que estavam na entrada. Eu estava sentindo um frio na barriga e tentei não pensar no fato de que estávamos juntos e sozinhos... em casa...

Eu sentia que arrepios corriam por todo o meu corpo. E isso porque eu estava tentando não pensar.

– Eu só vou arrumar isso – resmunguei.

Caspian tirou os sapatos e me seguiu até a cozinha, enquanto eu levava muito mais tempo que o necessário para lavar cada prato. Depois que os enxuguei e guardei, não havia mais nada a fazer. Limpei minha garganta, nervosa.

– Bem... meu quarto é lá em cima... então, acho que podemos... ir... para lá... agora.

Argh. Eu era patética.

Ele não disse nada, mas me seguiu enquanto eu caminhava até as escadas. O relógio começou a tocar onze e meia quando subimos o primeiro degrau, e Caspian parou, ouvindo as badaladas.

– Quase meia-noite – sussurrou ele atrás de mim.

Os degraus rangeram assustadoramente quando dei o passo seguinte.

Ele estava apenas um pouco atrás de mim, e eu tive de lembrar a mim mesma de olhar para onde estava indo. Escorregar e cair da escada não passaria uma boa impressão.

Quando chegamos ao topo da escada e estávamos apenas a alguns metros do meu quarto, tive um impulso estranho de parar; de prolongar o momento antes que ele entrasse no meu quarto e visse meu espaço particular. *E se ele não gostasse? Será que eu deveria ter arrumado minha penteadeira? Será que os óleos com que eu andava trabalhando tinham um cheiro muito forte? E se ele detestasse o tom de vermelho com o qual eu havia pintado as paredes?*

– Você... você gostaria... de algumas roupas secas? – balbuciei. – Quero dizer, obviamente, não as minhas, mas eu posso procurar nas coisas do meu pai. Talvez eu ache um par de jeans velhos para você vestir.

Ele olhou para mim com um sorriso divertido no rosto.

– Estou bem. Já estou quase seco. – Olhei rapidamente para as roupas dele. Pareciam *mesmo* estar quase secas. Silenciosamente, amaldiçoei meu vestido e as camadas pesadas de tecido. O tom dele ficou provocador. – Prometo que não vou me sentar na sua cama e molhar tudo.

Ele queria apenas fazer um comentário engraçado, mas não achei graça nenhuma naquilo. Pensamentos sobre ele... na minha cama... eram perigosos e, ao invés de sentir frio, agora eu estava sentindo calor.

Pensando melhor, talvez aquela não tivesse sido uma ideia muito boa.

Minhas bochechas queimavam como se estivessem pegando fogo. Os olhos dele não tinham mais aquela expressão provocante, e eu não sabia dizer se ele estava pensando a mesma coisa que eu a respeito da minha cama.

Ele deu um passo para o lado, pedindo em silêncio que eu mostrasse o caminho. Eu tentava pensar racionalmente o tempo todo, enquanto caminhava em direção ao quarto. Não era como se estivéssemos namorando. Não havíamos nem dado as mãos, ainda. Ele nunca havia me tocado, nem sequer acidentalmente. Não ia acontecer nada...

Inspecionei o quarto rapidamente, andando na frente dele, verificando discretamente se havia roupas sujas espalhadas e tentando não entrar em pânico. Então, lembrei que o dia de lavá-las tinha sido ontem. Não houvera tempo suficiente para a *montanha de roupa suja* se empilhar de novo.

Andando casualmente em direção à cama, arrumei os lençóis e estiquei o edredom. Então, apanhei uma meia perdida que estava jogada perto do meu criado-mudo e joguei os bichinhos de pelúcia que estavam no banquinho próximo à janela para dentro do armário. Olhei para trás para ver se Caspian havia notado.

Ele estava ocupado examinando o quarto.

– Eu só vou trocar de roupa – disse, indo ao banheiro. Era um pouco estranho saber que eu estaria literalmente me despindo a apenas alguns metros de distância dele. Esse pensamento me fez ficar nervosa e excitada ao mesmo tempo.

Kristen havia sido a única outra pessoa a entrar em meu quarto até então, com exceção dos meus pais. Ter Caspian ali era como expor uma parte interior de mim mesma. Era apavorante. Eu só podia torcer para que ele gostasse do que via. A possibilidade de ele não gostar daquela extensão de mim mesma, era algo que me fazia tremer.

Parei para apanhar algumas roupas secas no *closet*, mas virei e dei de cara com ele parado em frente à penteadeira onde ficavam meus materiais de perfume. Comecei a me perguntar novamente se deveria tê-lo convidado para entrar no quarto, quando a voz dele interrompeu meus pensamentos.

– É aqui que você trabalha, Abbey? – Ele parecia tão intrigado que esqueci o pânico... e de trocar de roupa... e me aproximei dele novamente.

– É, é aqui. – Apanhei a maleta grande que estava em cima da mesa, abrindo-a. Várias fileiras de tubos de vidro, potes e frascos foram expostas. – Quase todos os meus suprimentos cabem aqui dentro. Amostras prontas, tubos para testes, óleos essenciais... há até mesmo um local onde guardo minhas anotações.

Ele examinou a maleta bem de perto.

– Então, você pega o óleo de um frasco, mistura com o óleo de outro frasco, e é isso? O perfume está pronto?

– É um pouco mais complicado. Veja, quando você faz perfume, precisa de uma nota alta, uma nota média e uma nota base. Então, as três se misturam e juntas criam o aroma. Quando você termina de fazer isso, mistura tudo com o óleo base, porque óleos essenciais podem ser perigosos se forem aplicados diretamente sobre a pele.

Minha mão passeava pelas fileiras de pequenos frascos de vidro.

– Na maior parte do tempo, tenho bastante sorte ao escolher aromas que se misturam bem. Mas, de vez em quando, erro feio. Então, sempre faço anotações durante todo o processo.

– Quantos você já fez até agora? – perguntou ele, observando meus frascos de amostras.

– Muitos. – Ri. – As possibilidades são infinitas, na verdade. Você pode dar um nó na cabeça, se tentar numerá-las.

– Um nó na cabeça, hein? – Riu ele, também. O sorriso dele era quente e convidativo, e não perdi a oportunidade de sorrir de volta.

– Então, o que você faz depois que cria um perfume de que gosta? – Ele tocou uma das pequenas amostras. – Você simplesmente enche vários frasquinhos como estes?

Colocando a maleta na minha cadeira, abri uma gavetinha no alto da penteadeira.

– É aí que estes aqui são úteis – eu disse, apanhando um frasco maior, de cor azul-cobalto, entregando-o nas mãos dele. O vidro de um azul profundo captou a luz do quarto, revelando seu verdadeiro tom. – Cabe mais perfume neles do que nos meus frasquinhos de amostras, e eu tenho um estoque inteiro guardado no armário.

– Existe algum tipo de código de cores? – Ele olhou para a minha maleta de amostras e depois para mim. – Percebi que você tem vários tubos de cores diferentes.

– Muito bem. – Eu estava impressionada. – Os óleos essenciais são estocados nesses tubinhos de cor âmbar, porque ela ajuda a afastar a luz. As amostras de perfumes em que eu estou trabalhando são colocadas nestes frascos menores, transparentes. E as já terminadas são colocadas nos frascos azuis.

– E são estes os perfumes que você vai vender no *Vale da Abbey*?

Concordei enfaticamente e, então, corei.

– Desculpe se tagarelei demais. Não tive a intenção de lhe dar uma aula formal sobre produção de perfumes ou algo do gênero.

Ele riu novamente.

– Tenho certeza de que essa foi a versão condensada. Parece que você dedica muito tempo e esforço ao seu trabalho, Abbey. Obviamente, você é muito dedicada. Um dia desses, vou ter de ser seu primeiro cliente e pedir que você prepare um perfume especialmente para mim. Você acha que poderia fazer isso?

Olhei para os olhos verdes dele e imediatamente pensei em biscoitos de canela e noites chuvosas em um cemitério.

– Quais são suas coisas favoritas? – Eu me ouvi perguntando. Imaginei o quão difícil seria criar um perfume para ele.

– Hummm, deixe-me pensar um pouco. – Ele se afastou de mim, parando por alguns momentos em lugares diferentes do meu quarto. – Bem, eu adoro biscoitos de canela, mas você já sabia disso. Eu também adoro torta de abóbora.

Ele passeou um pouco mais pelo quarto e, então, voltou para perto de mim. Fiquei absolutamente imóvel.

– E baunilha, Abbey. – A voz dele era baixa, pouco mais que um sussurro. – Eu gosto do cheiro de baunilha. Você cheira a baunilha... e pão de mel. E algo mais que eu não consigo definir.

Ele estava muito, muito perto agora. E os lábios dele. Aqueles lábios lindamente esculpidos. Eu os observei enquanto ele falava, enquanto enunciava cada palavra e dizia meu nome.

– Pomelos – sussurrei, levantando meus olhos. Comecei a olhar para ele pela mecha de cabelos escuros e fui abaixando os olhos até encontrar os dele. Eles estavam mudando... escurecendo. – É o perfume de Kristen. Eu fiz para ela. Foi por isso que fui ao cemitério esta noite, para entregá-lo a ela.

Eu podia ver que ele *queria* me tocar, mas algo o impedia. Talvez fosse a mesma coisa que me fazia hesitar cada vez que eu pensava em esticar a mão para tocá-lo. Medo de rejeição? Ou medo de que, no momento em que a pele dele tocasse a minha, elas se fundissem e nós não fôssemos capazes de separá-las nunca mais?

Ele deu um passo repentino para trás. O momento foi interrompido, e eu me senti confusa, sem conseguir entender exatamente o que estava acontecendo. Ele começou a andar pelo quarto outra vez e parou na frente da estante sobre a lareira, olhando para alguma coisa. Eu o segui, para ver o que ele estava observando.

Era uma fotografia minha e de Kristen, tirada naquela noite em que fizemos reflexos vermelhos no cabelo. Um sorriso foi iluminando o rosto de Caspian lentamente, enquanto ele estendia a mão para tocar no porta-retratos. Eu o observava, fascinada. Havia algo nele que capturava minha atenção, como uma mariposa atraída irresistivelmente por uma linda chama.

Caspian acompanhou com delicadeza, com a ponta dos dedos, o desenho arredondado que decorava um dos cantos da moldura prateada da foto e então olhou para a parede perto da lareira.

— Bem, suponho que sua cor preferida seja vermelho.
Sorri.

— O que fez você chegar a essa conclusão? Os reflexos vermelhos nos nossos cabelos na foto, as listras vermelhas pintadas na parede ou... — olhei para trás — o edredom vermelho na cama?

— Foi um chute completamente aleatório, um tiro no escuro. — Ele se virou um pouco e me dirigiu um meio sorriso. — Eu gosto do seu quarto, Abbey. Combina com você. As cores aqui são simplesmente... fantásticas. Eu nunca vi algo parecido.

Ele não poderia ter dito nada mais perfeito naquele momento. Meu coração martelava desordenadamente, e rezei com todas as minhas forças para que as palavras dele não me fizessem desabar.

Então, a expressão dele mudou.

— Você gosta de astronomia?

Eu ainda estava envolvida na sensação deliciosa que o elogio dele havia provocado em mim e fiquei um pouco perdida. Como a conversa tinha mudado de paredes vermelhas listradas para astronomia? Dando um passo para a frente, vi meu telescópio apoiado na parede perto dele.

— Eu não o uso desde que era bem nova — admiti. — Meu pai comprou para mim, e nós costumávamos observar as constelações juntos. Na verdade, foi assim que meus pais se conheceram na escola. Aula de astronomia. Papai adorava, e mamãe precisava dos créditos extras.

Ele se inclinou e olhou pelo visor, mexendo nos botões e correndo as mãos pelo telescópio como um menininho admirando um brinquedo novo.

— E você não o usa mais? Por que não? — A expressão incrédula no rosto de Caspian era tão adorável, e tentei muito não começar a rir.

— Eu acho que simplesmente me esqueci dele. Fiquei ocupada, tinha outras coisas para fazer. Além disso, ele costumava ser algo especial entre papai e eu. Ele me contava tudo sobre os grupos de estrelas e as constelações, e todo sábado à noite nós íamos ao topo do morro, atrás de nossa casa, olhar para o céu. Quando papai entrou para o conselho municipal, ele nunca mais teve tempo livre. Eu acho que foi quando parei de usar o telescópio...

A ficha caiu, e eu me virei, sentindo aquele incômodo familiar. Que ótimo, agora eu começaria a chorar.

Caspian percebeu imediatamente. Em seguida, levantou-se e afastou-se do telescópio.

— Encontre-me na biblioteca amanhã — pediu ele, de repente.

— O quê? Por quê? — Eu ainda estava tentando controlar as lágrimas que não queria derramar e seguir a linha de pensamento dele ao mesmo tempo.

— Você sabe o que o nome Astrid significa? — Ele mudou de rumo novamente, e eu tentava inutilmente segui-lo.

— Não.

— Significa "estrela". É assim que eu penso em você, Abbey. Olhei para cima um dia, e lá estava você. Um ponto de luz fulgurante, rodeado de escuridão. Você me faz sentir como se tudo fosse possível. E ver aquele telescópio ali confirma isso.

— Isso é lindo, Caspian — murmurei. — Mas o que tem a ver com a biblioteca?

Ele deu uma risada rouca, e o som reverberou através de mim.

— Eu quero que você me encontre na biblioteca amanhã porque eu preciso ir agora. Mas amanhã eu posso... Diga uma hora, e eu irei encontrá-la.

Droga. Eu já tinha prometido para mamãe que a ajudaria a reorganizar o sótão amanhã de manhã. Mas eu *não* havia prometido a tarde para ela...

— Amanhã. Na biblioteca. Duas e meia da tarde — sussurrei. Eu não queria falar muito alto. Ele concordou.

Alguma coisa estava fluindo entre nós e causando faíscas. Em algum lugar da minha mente, eu me perguntei se seria eletricidade. Se ele me beijasse, haveria fagulhas?

Consciente, dei um passo para a frente. Eu não tinha certeza do que iria acontecer, mas eu definitivamente queria que *alguma coisa* acontecesse. Havia esse impulso dentro de mim, e cheguei perto, muito perto. Devastadoramente, dolorosamente perto.

Tentei controlar minha respiração, mas ela acelerou mais e mais.

Lá embaixo, o relógio começou a tocar, e eu prendi o fôlego enquanto as badaladas soavam a cada hora... dez, onze, doze badaladas. Era meia-noite.

Os olhos dele começaram a escurecer, e eu podia ver as emoções dentro deles. Estendendo um dedo, ele traçou gentilmente o contorno do meu rosto, da mesma forma que tinha feito com o porta-retratos: lentamente, como se não tivesse certeza sobre o que deveria fazer. E embora estivéssemos ambos completamente vestidos, apenas descalços, tudo se tornou mais íntimo. Eu me senti pequena e frágil perto dele.

– Eu realmente preciso ir, Abbey – sussurrou ele para mim. – Os seus pais vão chegar logo, e eu...

– Não vá. Fique – suspirei. Eu queria fechar os olhos e mergulhar na sensação do toque dele. Mas eu não podia desviar os olhos. Nem mesmo por um segundo.

Meus lábios ficaram muito secos de repente, e passei a língua por eles. Ele me observou intensamente.

Então, ele traçou o contorno do meu lábio inferior... Hesitando, outra vez. Meus olhos se fecharam.

Era isso. Ia acontecer naquele momento.

– Eu não sei se... – suspirou ele e se afastou de repente. Meus olhos se abriram de uma vez, e eu o vi correr os dedos pelos cabelos, quase em desespero. Aquela expressão selvagem estava de volta aos olhos dele, misturada com algo determinado e perigoso.

Ele andou de um lado para o outro do quarto, várias vezes e de maneira agitada. Então, pareceu tomar uma decisão e voltou para perto de mim. Tomando meu rosto entre as mãos com urgência, ele olhou bem nos meus olhos. Procurando por algo dentro deles.

– Caspian? O que há de errado? – Abri bem os olhos, para mostrar-lhe o que quer que ele quisesse ver. Eu nem tinha certeza do que era. Ele me olhou por mais um momento e então falou:

– Prometa para mim que você não vai novamente para o rio à noite sozinha. Não quero que a mesma coisa aconteça a você, Abbey. Oh, Deus, pensei que você estivesse morta naquelas águas.

Eu sabia sobre o que ele estava falando. O desespero na voz dele falava mais alto do que qualquer palavra que pudesse ser dita.

– Há tantas coisas que quero e não posso ter... Não é o momento certo... – Ele fechou os olhos e acariciou minha face mais uma vez. – Por favor, por favor, vá me encontrar amanhã, Abbey. Não se esqueça. Promete?

– Não vou esquecer – prometi. – E não cairei no rio.

Quando ele abriu os olhos novamente, parecia aliviado, mas ainda estava nervoso. Lançando um olhar para o relógio no meu criado-mudo, ele disse mais uma vez:

– Realmente preciso ir.

Eu estava totalmente perdida. Não sabia o que estava acontecendo agora. Sabia o que *quase* tinha acontecido e tinha certeza de que queria voltar para aquele momento.

– Você não precisa ir, Caspian. Não... ainda. – Meu olhar se desviou para a cama por um momento e então voltou para ele. Eu não sabia que papel desempenhar nessa história.

— Preciso, sim, Abbey — suspirou ele. — Acredite em mim, não é que eu queira... eu simplesmente preciso ir. — Ele deslizou a ponta de um dedo pelo meu lábio inferior por um brevíssimo momento. — O que eu quis dizer sobre a estrela e o nome Astrid... é para você. Você é minha estrela — disse ele, baixinho. — Por favor, não se esqueça de amanhã. — Então, ele olhou rapidamente para baixo. — E não esqueça de cuidar de suas mãos. Tenha bons sonhos, Astrid.

Eu o ouvi descer as escadas, e então o som de uma porta abrindo e fechando, mas não consegui me mexer. Eu estava atônita demais. Meus pés estavam presos ao chão, enquanto as palavras "minha estrela" e "Astrid" ecoavam em minha cabeça. Então, um grande sorriso tomou conta do meu rosto, e ri alto enquanto tentava girar em um círculo desajeitado. Meus movimentos sem jeito se refletiam no espelho pendurado na porta do meu armário, e parei de repente para olhar mais de perto.

Meus olhos estavam brilhando e minhas bochechas estavam coradas, mas o resto estava molhado e desgrenhado. Meus cabelos se esparramavam sobre meus ombros em uma massa encharcada, e meu vestido estava todo manchado de lodo e grama. Estendi as palmas das minhas mãos e vi que ambas tinham vários arranhões profundos, com as beiradas escurecidas pelo sangue seco.

O significado do que eu havia feito e de para onde eu havia ido ficou claro para mim de repente.

Eu estava louca, tinha de estar. Eu podia ter me afogado no rio. Batido a cabeça naquela lápide. Ter sido atacada por algum louco escondido no cemitério.

Astrid.
E então percebi quem havia estado lá comigo. Afastado-me da beirada e para longe da água, e me levado para casa, e garantido que eu estava segura, e me escutado enquanto eu tagarelava como uma pessoa insana, e esperado ao meu lado enquanto eu chorava.
Eu precisava compartilhar aquilo com alguém e tinha a pessoa perfeita em mente.

Apanhando um caderno e uma caneta na minha escrivaninha, eu me enrosquei no banco junto à janela. Meu vestido de baile já havia começado a secar e não estava mais me incomodando, então comecei a escrever uma carta para Kristen. Contei tudo a ela, desde o começo.
Escrevi sobre como tinha sido difícil para mim ir àquele funeral; acreditar que ela havia mesmo partido. Expliquei como tinha me sentido perdida sem ela, durante os dois últimos meses. O sentimento que me invadiu ao tocar seu caixão. Descrevi a sensação daquela fita adesiva amarela, de cena de crime, na minha mão. E então, contei a ela sobre as líderes de torcida e o que elas haviam feito; sobre a noite do baile e as meninas de vestidos cor-de-rosa e amarelo. Falei de como eu havia dançado loucamente pelo cemitério e que tinha feito um perfume para ela.
Mas escrevi mais ainda sobre alguém com olhos verdes e vivos e cabelos louros quase brancos, com uma mecha negra. Expliquei como havíamos nos conhecido e como ele me fizera companhia na casa dela. Como eu o havia levado para um passeio no cemitério e sobre as nossas conversas acerca

de literatura clássica. Contei a ela que ele havia me ajudado naquela noite, quando eu chegara ao fundo do poço, e como ele havia feito a sensação de perda desaparecer.

A única coisa que eu não contei foi o nome especial que ele havia me dado. Eu precisava que aquilo fosse minha lembrança particular por enquanto, e foi a primeira vez que, conscientemente, escondi algo dela.

Quando finalmente terminei de escrever, havia enchido um caderno inteiro, e a tinta da minha caneta estava acabando. Mamãe e papai ainda não tinham chegado em casa, e eu soube pelo relógio que já era uma hora da manhã.

Eu me levantei do banquinho e peguei o frasco azul com o nome de Kristen, que estava na penteadeira. Então, borrifei algumas gotas nas páginas do caderno. Na gaveta de baixo, havia uma caixa de fósforos meio cheia e uma nova vela vermelha, que também peguei.

Acendendo a vela, voltei para o banco e a coloquei sobre o parapeito da janela cuidadosamente, abrindo um pouco a velha persiana. O ar da noite estava fresco. Respirei fundo e me senti calma. Muito, muito calma.

Arranquei as páginas do caderno lentamente, uma a uma, e segurei a vela do lado de fora da janela enquanto queimava cada folha de papel. Observei cada espiral de fumaça subindo em direção ao céu, e as cinzas se espalhando ao vento. O aroma do perfume se misturava ao da vela e criava um véu nebuloso a meu redor.

Eu me concentrei em uma lembrança específica de Kristen enquanto fazia aquilo e hesitei quando finalmente cheguei à última.

– Eu não vou dizer adeus, porque espero que uma parte de você esteja sempre comigo. Então vou dizer... a um novo começo. Este é o fim do nosso modo antigo de guardar lembranças, mas vou encontrar uma maneira de criar novas, prometo. Eu nunca vou esquecê-la, Kristen. Nunca – jurei, enquanto a última página do caderno virava cinzas à minha frente.

Depois de apagar a vela, eu a coloquei no chão e me levantei para apagar as luzes.

Eu estava com sono, mas não queria ir para a cama ainda. Então, tirei meu vestido de baile arruinado e o larguei em uma pilha no chão. Depois, coloquei um short e uma camiseta velha e voltei para perto da janela. Eu decidira deixar o vestido como estava até de manhã e colocá-lo no armário antes que mamãe tivesse a chance de vê-lo.

Lavá-lo e consertá-lo custaria uma fortuna.

Quando dei por mim, o despertador estava me avisando que eram oito da manhã e meu rosto tinha uma marca feita pela moldura da janela. Abrindo um dos olhos, percebi que a janela estava fechada e que o vestido que estivera no chão havia desaparecido.

Capítulo Onze

A BIBLIOTECA

A partir do momento em que Ichabod pôs os olhos nesses locais maravilhosos, ele não teve mais paz de espírito.

— *A lenda do cavaleiro sem cabeça*

Minha cabeça começou a latejar no segundo em que me levantei, e estava com uma câimbra terrível no pescoço. Dormir no banco junto à janela, *provavelmente* não tinha sido a ideia mais brilhante que eu já havia tido na vida. Movendo-me bem devagar, verifiquei duas vezes o chão e meu armário para me certificar de que eu não tinha deixado o vestido cair por ali. Não tive sorte. O vestido tinha mesmo desaparecido.

Mas eu realmente não estava me preocupando tanto com aquilo já que, naquele momento, café da manhã e um remédio para dor de cabeça eram os primeiros da minha lista... mais tarde, bem mais tarde, eu iria me preocupar com o vestido.

Arrastar-me para o andar de baixo exigiu todas as minhas forças, e eu tive de me concentrar muito para não tropeçar em nenhum degrau. Mamãe estava fazendo café quando cheguei à cozinha e se virou quando entrei.

– Bom-dia, querida. Quer café? – Ela estava com uma caneca vazia na mão.

– Argh – resmunguei, cheia de esperança de que ela entendesse aquilo como um não. Peguei uma tigela para o cereal e me encolhi quando a porta do armário bateu. O som ecoou em minha cabeça. – Dor de cabeça – resmunguei de novo, enquanto me arrastava pela cozinha feito uma lesma para pegar o cereal e um pouco de leite.

Mal dando conta de chegar até a mesa, apoiei minha tigela e escondi o rosto nas mãos. Depois, gemi alto.

– Noite difícil? – perguntou mamãe, sentando-se ao meu lado.

– Nem pergunte – respondi abafadamente.

Mas ela nem teve a chance de ficar fazendo perguntas, porque naquele instante um gemido ainda mais alto que o meu veio lá da sala. Ela deu um tapinha nas minhas costas e fez um carinho em meu cabelo.

– Pobrezinha da minha menininha. Seu pai também está em profundo sofrimento. Pelo jeito, ele não pode mais misturar bebidas como antigamente. Eu tive de dirigir ontem.

Um novo resmungo horroroso, animalesco, de alguém que com certeza estava à beira da morte veio lá da sala de novo.

– Melhor eu ir ver como seu pai está – disse ela, apoiando sua caneca sobre a mesa e se levantando. – Não quero que ele destrua o sofá.

Ela hesitou por um instante e quase pude ouvir as engrenagens de seu cérebro começando a funcionar.

– Você não... Você não está com dor de cabeça pelo mesmo motivo que seu pai... está, Abbey?

– Não, mamãe. – Ergui minha cabeça uns poucos centímetros. – A minha dor de cabeça é por eu ter dormido no banco junto à janela, com o pescoço num ângulo esquisito. É *por isso* que eu estou com dor de cabeça.

Posso jurar que ela deu um suspiro de alívio.

– Ah, tudo bem. Deixe-me ver como seu pai está e depois eu vou trazer uma aspirina para você, tudo bem?

Ela era *mesmo* uma boa mãe.

Tentei agradecer, mas só consegui murmurar um som estranho. Discuti comigo mesma sobre se eu deveria ou não apenas ficar ali sentada onde estava pelo resto do dia, mas eu sabia que precisava comer meu cereal. Não ia demorar para ele ficar todo empapado.

Para alcançar a colher, ergui minha cabeça e vi os arranhões avermelhados e profundos em minha mão. Ainda havia sangue neles. Eu não tinha lavado os machucados na noite passada. Fixando meu olhar no tampo da mesa, enfiei o cereal em minha boca o mais rápido que pude. Eu definitivamente queria evitar todo o monte de perguntas que eu sabia que mamãe faria se visse aquilo em minha pele.

Engolindo a última colherada de cereal, coloquei minha tigela na pia. Depois, lavei minhas mãos e as sequei com cuidado em um pano de prato. Sem todo aquele sangue seco nos machucados, os arranhões não pareciam tão sérios.

Minha cabeça começou a latejar outra vez, e cambaleei para trás, indo para perto da pia. Coloquei uma de minhas mãos na minha têmpora que pulsava e esperei que a dor diminuísse. Eu devia ter me distraído, preocupada com os machucados nas mãos, para ter esquecido a minha dor de cabeça daquele jeito.

Consegui ir até a mesa e voltei a apoiar minha cabeça nas mãos. Um pouco depois, ouvi mamãe entrando de novo na cozinha.

– Afinal, por que você dormiu no parapeito na noite passada? A janela estava escancarada. Tive de fechá-la para você não cair.

Abri uma de minhas pálpebras um milímetro e olhei para ela.

– Dor de cabeça – declarei de um jeito patético. – Remédio?

Ela ergueu as mãos, impaciente.

– Entendi, entendi! Você não quer falar a respeito. Mas se você me contar, eu pego um copo enorme de suco de laranja para ajudá-la engolir aquela aspirina.

Abri meu outro olho. Ela estava com uma sobrancelha erguida.

– Mães não deviam tentar subornar filhos doentes – murmurei. – Mas se você precisa mesmo saber, eu caí no sono no parapeito porque eu estava aproveitando o ar da noite. A brisa estava boa. Foi só isso. Feliz agora? – Voltei a apertar minha têmpora e gemer.

Sim, eu podia estar contando uma mentirinha, mas minha dor de cabeça era mesmo de matar. Fechei os olhos de novo e um minuto depois ouvi dois comprimidos e um copo sendo postos sobre a mesa. Mantendo meus olhos bem fechados, enfiei os remédios na boca e os engoli com o suco.

– Obrigada, mamãe. – Parei de beber o suco e abri meus olhos de novo. – Estou me sentindo muito mal, tudo bem se eu subir e tirar um cochilo antes de a gente começar a arrumar o sótão?

Ela deve ter se sentido mal por causa da tentativa de suborno, porque me liberou da arrumação e nem falou sobre o vestido. Içando meu pobre corpo escada acima, ajustei meu despertador para meio-dia e meia e me joguei na cama. Eu já estava dormindo antes da minha cabeça alcançar os travesseiros.

– Vamos lá, Kristen. – Com um chute, espirrei água nela. – Tire os sapatos e venha para cá.

Ela estava sentada na beirada do rio, lendo um livro.

– Agora não, Abbey, estou ocupada.

Joguei mais água nela.

– O que você está lendo? O que pode ser mais importante que sua melhor amiga?

Ela sorriu, para depois rir alto, mas não disse nada.

Chegando mais perto da borda, tentei espiar o título do livro, mas Kristen o protegeu com a mão.

– Você vai molhar meu livro – disse ela.

– Não vou não – protestei. – Olha só, eu nem estou perto. – Tentei convencê-la de novo a vir para dentro d'água. – Deixe

esse livro para lá, Kristen, você vai ter muito tempo para ler isso depois.

– Não posso. Tenho de ler agora.

Suspirei, frustrada.

– Que livro é esse? Juro que não vou molhar.

Kristen sorriu de novo e ergueu a capa para que eu pudesse vê-la. As páginas estavam ensopadas. A tinta escorria dele, levando as palavras embora.

– Você já molhou o livro.

Mesmo depois do meu sonho esquisito com Kristen, quando o despertador tocou, acordei pronta para outra. Se o meu bom humor era devido ao cochilo, ao fato de minha dor de cabeça ter passado ou à animação por quem eu ia encontrar era discutível. Mas eu estava animada... e feliz. De alguma forma, eu sabia que, daquele momento em diante, eu teria uma porção de dias bons.

Passei as horas seguintes fazendo a maior bagunça no banheiro, tentando reviver minhas mechas vermelhas e por pouco evitei que um frasco inteiro de água oxigenada caísse no ralo. Fazia muito tempo que eu não tinha mechas e tive que começar do zero. Mas nada daquilo importou quando vi o resultado final. Ficou perfeito.

Quando eu estava pronta para me vestir, o que supostamente deveria ser um processo simples acabou se transformando em trinta agonizantes minutos de dúvida sobre qual roupa eu deveria colocar. Eu estava inclinada a abandonar o preto, mas acabei optando, no final, por um jeans com camiseta preta e uma jaqueta preta bem curta.

Fiquei aliviada ao ver que os machucados nas palmas das minhas mãos haviam quase sumido. Passei um pouco de iodo neles para me certificar de que não piorariam de novo e soprei para secar. Eu ainda tinha quinze minutos antes de ter que sair, então, voltei para a cozinha e esquentei uma sobra de comida chinesa. Eu estava tão absorta lendo uma revista que mamãe deixara sobre a mesa que, quando me dei conta, a comida chinesa tinha acabado e meu tempo também.

Subi as escadas de novo para pegar meu celular, enfiar vinte dólares no bolso de trás da calça e me perguntar se eu estava esquecendo alguma coisa. Quando bati os olhos em minha escrivaninha, lembrei-me do que era.

Remexi apressada em uma porção de frascos enfiados em uma gaveta, xingando a mim mesma por não etiquetá-los direito. Mas, por fim, eu o encontrei.

Encharcando-me de propósito atrás das orelhas e no pescoço, cheirei o perfume de biscoitos. Depois de mais uma olhada no espelho, saí.

Cheguei à biblioteca em tempo recorde e me surpreendi ao verificar que estava dez minutos adiantada. Quando passei pelas sólidas portas de madeira e entrei naquele lugar tão familiar, o cheiro acolhedor dos livros em volta de mim me recebeu. Caspian dissera que me encontraria, mas eu não sabia onde esperar por ele.

A sala de arquivos no porão parecia me chamar e, enquanto descia até lá, eu me perguntava como Caspian iria me encontrar se eu não ficava parada em um lugar só.

Lâmpadas tremeluzentes estalavam acima de nossas cabeças e a sala tinha um cheiro de coisa antiga. Andei entre as estantes enormes e intermináveis, que formavam, literalmente, um labirinto de livros. De vez em quando, eu podia ver o lugar vazio de um livro emprestado, como o buraco de um dente em uma boca. Eu andava devagar, quase reverente, por essa sala que guardava tanta história.

Não sei o que me fez erguer os olhos quando o fiz, mas Caspian estava ali, parado em um canto. Ele vestia jeans e uma camiseta verde-escura. Ele deve ter ouvido meus passos, porque se virou para mim no exato momento em que o vi e deu um sorriso enorme ao me ver, cheio de felicidade.

– Astrid – sussurrou ele. Eu não deveria ter conseguido ouvir, mas consegui.

Naquele momento – naquele momento pequeno, breve e perfeitamente claro – eu soube. Foi exatamente naquele momento em que me apaixonei por ele. Aquela revelação me fez parar e o tempo ficou congelado por apenas um segundo. Mas a sensação era tão boa e tão forte que eu sabia que não estava enganada.

Em seguida tudo voltou ao normal e fui na direção dele, enquanto ele ainda sorria para mim. Um milhão de pensamentos cruzavam minha mente enquanto eu andava.

Ele tinha como saber? Meu rosto me denunciava? Eu estava dando bandeira do amor que sentia de alguma forma? Eu devia contar a ele? Como eu devia fazê-lo? E se ele não me correspondesse? E se ele...?

Tentei ficar calma e sorrir o tempo todo, mas não pude evitar ir um pouquinho rápido demais quando dei o primeiro passo na direção dele.

– Oi – eu disse, tímida, quando me aproximei. Como se diz olá para alguém que você acaba de descobrir que ama de todo o coração? Sorri de novo e tentei colocar um pouco de meus sentimentos recém-descobertos na energia daquele sorriso.

– Estou feliz que você tenha conseguido vir. – Ele também continuava sorrindo. – E realmente feliz por você não ter esquecido. Hoje é... um bom dia.

Foi estranho, ele pareceu tão aliviado que aquilo me desconcertou.

– Como eu poderia esquecer depois de tudo que você fez por mim na noite passada? – Eu devia estar parecendo tão confusa quanto estava me sentindo, porque ele ficou vermelho e baixou a cabeça. Ele pegou uma das minhas mãos e a virou de palma para cima para depois passar os dedos lentamente pelas cicatrizes.

Eu tive de prender a respiração enquanto os dedos dele percorriam minha pele delicada. Ele hesitou um pouco, como se ainda tivesse medo de me tocar. Todo o meu braço tremia de prazer. Seria permitido por lei sentir aquilo em público?

Uma calafrio percorreu minha coluna e meus braços ficaram arrepiados quando ele soltou minha mão. Ri e tentei não implorar para ele me tocar de novo.

– Só quis protegê-la, Abbey, e me certificar de que você estava bem e de que chegaria em casa em segurança – disse ele. – Não quero que nada aconteça a você. – O olhar que ele me deu foi direto para meu coração.

Ele voltou a tocar a palma da minha mão. Os dedos dele eram longos e finos e muito, muito quentes. Tentei imaginar uma forma de conduzir a conversa para algum outro assunto; foi inútil. Meu cérebro estava virando mingau.

Ah, meu bom Deus, tudo o que ele estava fazendo era tocar em minha mão e já estava pronta para contar-lhe que ele era o dono do meu coração. E eu tinha quase certeza de que estava chegando ao ponto de nem me importar se ele também me amava ou não, contanto que ele prometesse que nunca mais pararia de tocar em mim.

Eu não sei se meu rosto denunciava meus pensamentos ou se ele, de alguma forma, leu minha mente, mas ao soltar minha mão, deu um sorriso nada ingênuo.

– Hoje eu quero falar sobre Kristen. Há algum lugar onde possamos ficar sem sermos perturbados? Que tenha cadeiras? Eu não sei andar por aqui.

Meu cérebro ainda estava um pouco confuso depois de ter sido sobrecarregado sensorialmente momentos antes, mas me aprumei rápido.

– Lá em cima há uma sala para aulas particulares, mas ninguém usa. Posso pedir permissão a uma bibliotecária que conheço se você quiser.

Ele concordou.

– Vou te esperar lá. Qual é o caminho?

Eu o levei escadas acima para fora da sala do arquivo.

– Siga por aqui até o quinto andar. Fica no final do corredor, à esquerda. Não tem como errar, é só ir direto.

Ele concordou de novo e começou a subir as escadas. Fui até minha bibliotecária favorita, a sra. Walker. Ela não criou caso em liberar o uso da sala e fui ao encontro de Caspian. Conforme eu subia, fui notando que o corrimão estava coberto por teias de aranha e, a cada passo meu, os degraus rangiam de tão velhos. Não havia quase ninguém na biblioteca e não encontrei uma viva alma enquanto ia até a sala.

Quando finalmente cheguei lá, Caspian estava se remexendo em sua cadeira, impaciente. Os dedos batiam no tampo da mesa gentilmente e os olhos dele não paravam de se mexer, percorrendo a sala toda, nunca parando em coisa alguma por mais de alguns segundos. Mesmo ali da porta, eu podia ver que ele estava indócil.

Ele pareceu se acalmar no mesmo instante em que me viu e puxou uma cadeira para perto dele. Eu tinha planejado sentar na sua frente e não ao seu lado, mas eu não discutiria.

– Bem, acho que não poderemos fazer nada de errado aqui – disse ele, sério, apontando para uma placa acima do interruptor de luz que dizia: MANTENHA ESTA PORTA SEMPRE ABERTA.

Deixei a porta entreaberta antes de voltar à cadeira.

– Bem, eles não falaram que a porta tem de ficar *completamente* aberta – respondi, também bem séria. Sorrimos ao mesmo tempo.

– Agora me conte sobre o sonho que você teve – disse Caspian. – Sobre aquela noite no rio...

Respirei fundo e olhei para a mesa, tentando me concentrar.

– Nós tínhamos ido passar o final de semana na cabana – comecei. – Chegamos lá na sexta-feira à noite e nada de extraordinário aconteceu. Desfizemos nossas malas, tiramos algumas coisas do depósito, jantamos e fomos para a cama. Li algumas anotações para um novo perfume que eu estava fazendo em casa, antes de cair no sono. Era uma essência que envolvia rosas, lavanda e cravo...

Ergui os olhos e vi que ele estava prestando atenção, muito concentrado em tudo o que eu dizia. Seus olhos estavam alertas e intensos, e tive de me forçar para voltar ao assunto.

– Lembro de ter acordado muitas vezes naquela noite. Eu estava tendo pesadelos seguidos. Mas não eram pesadelos diferentes uns dos outros, era sempre o mesmo. Toda vez que eu caía no sono, voltava a ter o mesmo pesadelo. – Um alerta sonoro começou a tocar no fundo do meu cérebro.

– Você se lembra de algum detalhe específico sobre esse sonho? – perguntou-me ele com cuidado.

Algo voltou a me incomodar, e eu soube que a resposta para aquela pergunta era "sim". Fechei meus olhos e imediatamente tudo voltou à minha memória. Imagens vívidas pululavam em minha mente, imagens "em cascata" aparecendo diante de meus olhos, e eu tinha de me esforçar para saber o que era verdade ou o que estava acontecendo.

Elas não faziam o menor sentido, era quase como se eu as visse fora de ordem. Diminuindo a velocidade com que elas iam surgindo, procurei com mais empenho, tentando me lembrar do começo do sonho.

– Não posso fazer isso. Minhas lembranças desse pesadelo estão muito confusas – suspirei, frustrada, e abri meus olhos de novo. Minha cabeça estava começando a doer por causa daquela sensação de que algo estava muito, muito errado mesmo. – Não estou conseguindo juntar os pedaços agora, mas naquela manhã eu me lembrava de cada detalhe. Como se eu estivesse dentro do sonho. – Eu o observei minuciosamente.

– Tente mais uma vez, Abbey. Preste atenção em tudo que a cerca no sonho e depois pense em como você se sentia, fisicamente. – A voz dele era macia e acalmou aquela sensação ruim que estava soando tão alto em minha cabeça. A sensação me dizia que eu sabia o que havia acontecido naquele sonho, ainda que eu não quisesse me lembrar.

Fechei meus olhos e me concentrei ainda mais. E, de repente, eu estava lá. De volta ao sonho... à noite em que ela morreu.

A sala da biblioteca onde estávamos sumiu, e eu sentia como se estivesse em outro lugar. As emoções que experimentava eram muito fortes e intensas e pareciam me sufocar. Devia ter sido aquilo que Kristen sentira.

– Pânico, pavor – falei sem pensar. – Estava frio e eu tinha de lutar contra aquilo. – Foi como se algo explodisse dentro da minha cabeça, causando-me uma dor terrível que embaralhava meu cérebro.

Olhei em volta, por meio daquela memória repleta de dor.

– Há sombras ao meu redor. Mas eu não posso ver mais nada. Está tudo escuro. – Senti novamente outra forte onda de sensações, uma última e desesperada tentativa de reagir. – Estou tentando lutar contra alguma coisa, mas me machuco

– eu disse. – Isto não vai me soltar. – Além da minha cabeça, agora meu peito também doía. Eu não conseguia respirar. Eu estava afundando.

Ele apertou minha mão, e me apeguei a ela como se fosse o fio que me ligava à vida. Eu queria parar. Não desejava mais aquilo. Houve outra onda de dor e de medo... e depois, nada. Ela havia ido embora. Simples assim. Abri meus olhos e vi Caspian me olhando. Seus olhos estavam cheios de compaixão.

– Desculpe, Abbey. Sinto tanto, tanto. Eu não sabia que seria tão difícil para você. Você está bem?

Pisquei para afastar as lágrimas e dei uma risada insegura.

– Uau. Essa foi uma viagem mental que espero não ter de repetir tão cedo.

Ele apertou minha mão e ficamos ali, sentados, em silêncio. Eu estava grata por ter um momento calmo para colocar os pensamentos em ordem. Ele esperou, lançando olhares ansiosos para mim em intervalos de poucos segundos.

– Estou bem, Caspian – eu disse, finalmente, segurando com força a mão dele e olhando em seus olhos. – De verdade. Estou bem.

– Devemos parar de falar sobre isso? – Seus olhos estavam cheios de preocupação. – Eu não quero causar-lhe mais dor, Astrid.

Aquele nome afastou quaisquer outros pensamentos que eu pudesse ter e endireitei os ombros.

– Não é você, Caspian. Nunca é você. Se essa história toda ficar difícil demais para mim, é só me dar um instante para eu me recuperar e continuar. Kristen merece. Ela merece que a morte dela faça alguma espécie de sentido. Sei que nós vamos passar por isso... juntos.

Essa foi a coisa mais corajosa que eu já havia dito a ele, referi-me a nós dois como uma coisa só. Prendi a respiração e rezei para que ele não desse uma resposta que partisse meu coração.

– Então temos um trato – respondeu ele, dando um lindo sorriso. O dedão dele tocou o meu e meu coração disparou. Ele pareceu pensativo por um momento e depois perguntou: – E o que aconteceu antes desse sonho? Kristen estava agindo de forma estranha ou fez alguma coisa fora do comum?

Pensei nas semanas que antecederam a morte dela, mas não consegui lembrar de nada em especial.

– Não consigo pensar em nada fora do normal que tenha acontecido. Nada que chame minha atenção. Nós devíamos ter ido comprar roupas para a escola quando eu voltei da cabana, mas é só isso...

– É tão estranho. – Caspian parecia pensar em voz alta, distraído, correndo os dedos pelo cabelo. – O que ela estava fazendo no rio? Ela resolveu passear de repente? Seria possível que ela tivesse dormido e então caído lá dentro? Eu queria ter estado lá...

– Quando éramos pequenas, fizemos um pacto de jamais irmos até lá sozinhas durante a noite, exatamente para evitar problemas. Não sei o que poderia ter feito ela ignorar nosso acordo. – Fiquei ali, olhando para o nada, tentando encontrar respostas. – Acho que nunca saberemos.

Afastei o nó em minha garganta e peguei na mão dele de novo. Esse contato pareceu surpreendê-lo, e ele olhou direto para mim. Os olhos dele estavam bem abertos e límpidos.

– Obrigada. E obrigada também por me encontrar na noite passada – falei aquilo sinceramente, do fundo do coração, e ele inclinou a cabeça em resposta.

– Agora – provoquei, apertando a mão dele mais forte –, chega dessa conversa triste. Quando é que você vai dizer que adorou meu cabelo? – Balancei a cabeça e suguei as bochechas, fazendo minha pose engraçada de top model.

Ele riu e tocou em um dos cachos avermelhados.

– Eu gosto do seu cabelo, Abbey. Mas a verdadeira questão é: você gosta do meu? – Ele penteou seu cabelo louro e embaraçado com os dedos até que cobrisse seu rosto completamente e depois me espiou, seus olhos verdes quase desaparecidos no meio daquela bagunça.

Devolvi o favor tirando a mecha preta do cabelo de cima do seu olho.

– Gosto especialmente da parte escura.

– Tenho essa mecha escura desde o terceiro ano. Fui a uma festa na piscina, no aniversário de um garoto, e quase me afoguei. Depois disso, essa mecha preta apareceu. – Ele deu de ombros, desinteressado, e desviou o olhar, mas detectei alguma tristeza ali.

Ele sacudiu o cabelo, e eu me perguntei por que Deus tinha decidido dar aos meninos a habilidade de apenas sacudir a cabeça e fazer seus cabelos voltarem direitinho para o lugar, enquanto as meninas têm de passar a vida lutando por isso.

— Você parece uma estrela de rock — provoquei. — As meninas do terceiro ano devem ter adorado seu cabelo.

— Não havia muita gente que gostasse dele naquele tempo — disse ele. — Não demorei muito para aprender que deveria começar a tingi-lo. Mas ao longo dos anos, bem... acho que o tingimento parou de funcionar.

Eu o imaginei no terceiro ano, sendo ridicularizado pelas outras crianças por algo que ele não podia modificar, e meu coração sentiu por ele.

Mas depois ele sorriu e me empurrou de brincadeira, e a tristeza desapareceu.

— Tudo o que importa agora é que você gosta do meu cabelo, Abbey.

Meu coração deu uma cambalhota. Ele era o homem mais perfeito do mundo.

Eu não sabia o que dizer, então, rapidamente comecei a contar todo o azar que tive pela manhã envolvendo a água oxigenada e a bagunça na banheira. Ele gargalhava com a história. E por isso, contei a ele outras aventuras que envolviam meu cabelo e as maluquices que eu havia sido capaz de fazer com ele. Acho que a história que ele mais gostou foi a "vamos cortar nossos próprios cabelos Kristen".

Passamos o resto da tarde falando sobre tudo e sobre nada, de mãos dadas. Alternando para ver quem conseguia fazer o outro rir mais alto, contamos nossas histórias usando gestos e fazendo sons esquisitos... Gostei especialmente do fato de que sempre que se dava conta de que não estava segurando minha mão, ele a procurava, quase com sofreguidão. Senti mesmo falta desse tipo de toque nas outras vezes em que nos encontramos.

Só quando chegamos a ponto de eu ter de usar a minha mão livre para secar as lágrimas de riso, foi que me dei conta de que não tinha a menor ideia de que horas eram. Tirei o celular do bolso e olhei para o relógio. A biblioteca iria fechar em menos de uma hora.

– Nossa! – Eu podia ouvir a surpresa em minha voz. – Já são cinco e meia!

Caspian parou de rir. E me olhou de uma maneira que eu começava a reconhecer.

– Detesto dizer isso, Abbey, mas tenho de ir embora.

– Eu sei, eu imaginei. – Não quis que minha resposta parecesse desanimada, mas ela meio que pareceu.

– Vou dizer a você o que vamos fazer. Tenho de encontrar meu pai às oito horas hoje, mas e se nós nos encontrássemos depois disso? Prometo levá-la para casa à meia-noite.

– Não posso – gemi. – Meus pais ainda vivem na idade da pedra. Não apenas tenho de pedir com três semanas de antecedência quando quero sair à noite, como meu "toque de recolher" oficial é às nove horas.

– Sem problemas, Abbey. Sei que irei vê-la logo – prometeu ele, ficando de pé.

– Sim, claro. Nós nos vemos lá no rio uma hora dessas. – Eu me levantei também, sem saber ao certo se deveria abraçá-lo ou esperar que ele me abraçasse.

– Vamos nos encontrar *perto* do rio e não *dentro* dele, ok? – Ele fez uma cara bem séria.

– Tudo bem – concordei e pisquei.

Ele sorriu para mim e ficamos ali, sem jeito. Dei um passo em sua direção, mas ele meio que estremeceu e ficou paralisado.

– Bem... tchau, Abbey, nós nos vemos outro dia. – Ele não pareceu notar meus movimentos estranhos e saiu da sala.

Fiquei na minha cadeira e me senti uma idiota. Talvez eu devesse ter pedido o telefone dele, algo assim.

E, então, ele chamou meu nome.

Corri para fora da sala, mas me obriguei a ir mais devagar antes de chegar ao corrimão. Ele estava me esperando nos degraus abaixo do nível do andar onde eu estava.

Ele colocou um dedo em um espaço no corrimão e fez sinal para que eu me abaixasse. Ignorando as teias de aranha, ajoelhei-me ao lado do balaústre. A distância que me separava do rosto dele era de poucos centímetros.

Ele fez um gesto para que eu me aproximasse ainda mais, e me movi mais alguns milímetros. Os olhos dele tinham aquela expressão desesperada novamente, e eu o olhei sem entender muito bem o que estava acontecendo. Nós estávamos tão próximos e queria que aquele momento em que quase ficamos juntos voltasse. Minhas pálpebras se fecharam devagar e eu esperei, bem, bem quieta.

Os lábios dele mal tocaram os meus. Ele hesitava, como que temendo que eu tivesse medo... ou dissesse a ele para parar.

Como se uma coisa daquelas pudesse acontecer.

Meu crânio pareceu explodir de novo, só que dessa vez não foi dor, foi prazer. Meu coração parou de bater. Meus dedos dos pés se encolheram. E esperei para ver o que ia acontecer.

Ele me beijou como se eu fosse frágil e delicada e pudesse quebrar com o primeiro sopro.

Ouvi um gemido baixinho e abri os olhos. Eu estava mortificada por ter feito um barulho daqueles. Ele também abriu os olhos e me encarou, a boca dele ainda na minha. Então, os olhos dele escureceram e ele sussurrou meu nome, ainda com nossas bocas unidas, e passou um dedo pelo meu rosto.

Fechei meus olhos de novo e me entreguei completamente àquele beijo. A mão dele foi do meu rosto para meu cabelo e ele segurou gentilmente minha cabeça.

Subitamente, o beijo se tornou mais intenso e desesperado. Senti a urgência dele e pensei que fosse morrer de prazer. Será que eles iriam percorrer a biblioteca para trancá-la e nos encontrar mortos nos braços um do outro? Sucumbidos ao prazer? Aquele pensamento provocou arrepios deliciosos por todo o meu corpo. Isso era *um milhão de vezes melhor* que ficar de mãos dadas. Desejei que nunca acabasse.

Assim que pensei isso, ele se afastou de mim e aquilo doeu em minha alma. Ele podia mesmo ler minha mente.

Olhei nos olhos dele, um pouco ofegante, e tentei me recompor. Eu esperava ardentemente que ele não tivesse se decepcionado comigo.

Ele estava me olhando fixamente, com o cabelo meio bagunçado. Ele tirou o cabelo dos olhos.

– Abbey, eu am... – A voz dele era um sussurro áspero. Ele desviou o olhar, por um momento, para o poço da escada. Depois ele olhou para mim outra vez. – Eu amei mesmo o seu cabelo, Astrid.

E depois de tocar mais uma vez em um de meus cachos vermelhos, ele desapareceu escadas abaixo.

Capítulo Doze

SEGREDOS

Ele estava sempre pronto, fosse para uma briga ou para uma brincadeira...

— *A lenda do cavaleiro sem cabeça,*

Quando acordei na manhã de segunda-feira, depois de ter sonhado com longos vestidos brancos e casas com cercas também brancas, eu me dei conta de que meu subconsciente estava mesmo precipitando as coisas. Mas isso não me impediu de sonhar acordada durante as aulas.

Ah, tenho certeza de que *devo* ter revivido aquele beijo milhares de vezes. Ou, *talvez*, eu tenha pensado sobre o nome que daríamos ao nosso primeiro cão. E *é bem provável* que eu tenha escrito nossos nomes juntos e cercados de corações...

Eu precisava mesmo me acalmar.

Caspian nunca disse que me amava. Eu nem sabia se ele *gostava* de mim de verdade. Nós ainda não havíamos tido nenhum encontro "oficial", e a situação era bem diferente do que seria de fato, caso eu tivesse dito a ele como me sentia. E ainda assim, eu desenhava corações, sonhava acordada e sorria, feliz, para todos a minha volta. Nem mesmo as dez milhões de horas de lição de casa extra que os professores zelosos tinham passado poderiam piorar meu humor. Estava tudo maravilhoso em meu canto no mundo.

Na terça-feira, fui bem em uma prova de história para qual havia me esquecido completamente de estudar. Na quarta-feira, a máquina de refrigerante da cantina não aceitou minhas moedas, mas depois de uma sacudida ela liberou uma latinha para mim. Apesar de o refrigerante de uva não ser *exatamente* o que eu queria, foi de graça, então eu não tinha do que reclamar.

Até mesmo o almoço parecia estar indo bem melhor. Comecei a frequentar uma mesa onde a conversa fiada era detestada por todos que estavam ali. Passávamos nosso horário de almoço fazendo nossos deveres, lendo ou, no caso de um de nós, brincando com a comida. Não era o momento mais animado de minha vida, mas era bem melhor que antes.

Na quinta-feira à tarde, achei um bilhete de Ben em meu armário, pedindo que eu o encontrasse depois das aulas, no ginásio. Aquilo me deixou surpresa. Achei que estávamos nos evitando mutuamente.

Quando o último sinal do dia tocou, eu não estava bem certa de que deveria ir ao encontro de meu colega de escola. Eu meio que me sentia culpada por aquilo. O que Caspian poderia pensar? Ele se importaria em saber que eu estava encontrando outro garoto? Quer dizer... não era como se eu fosse namorar Ben ou qualquer coisa parecida, mas ainda assim...

A mochila superlotada que eu carregava nas costas parecia pesar vinte quilos e me puxava para baixo a cada passo. Passei várias vezes pela frente do meu armário, tentando tomar uma decisão. Se eu fosse ver Ben naquele momento e só ficasse um pouco, poderia me desculpar pela coisa do baile ter acabado mal e ainda teria tempo de tentar ver Caspian indo para casa pelo rio. Seria ótimo em todos os sentidos.

Aquela decisão pareceu diminuir o peso em minhas costas e em minha alma, então, rumei para o ginásio à procura de Ben. Quando cheguei lá, vi alguns corredores fazendo aquecimento em um canto e fiquei bem aliviada por ter a certeza de que não ficaríamos sozinhos. Depois, briguei comigo mesma por pensar aquilo e disse a frase "Eu não vou me sentir culpada" em voz alta, repetidas vezes. Eu era livre e desimpedida. Ou pelo menos, eu deveria ser...

Certo.

Levei meu "eu" livre e desimpedido para os fundos do ginásio, procurando por Ben. Ele ainda não estava lá? Dei a volta nas arquibancadas e então o vi, encostado na parede, olhando os corredores. Quando me aproximei, percebi que, de onde estava, ele tinha uma visão perfeita da porta por onde eu havia entrado. Ótimo. Será que ele havia me visto falando sozinha?

Fui tomada por um nervosismo estranho conforme me aproximava dele. Será que estava bravo comigo pelo que eu tinha dito sobre o baile? E se o encontro dele com a menina do baile tivesse sido um pavor e agora ele quisesse colocar a culpa em mim?

Ele me viu e sorriu.

– Abbey, que bom que você leu meu bilhete.

O nervosismo desapareceu. Meu sorriso de resposta foi aberto e fiquei um pouco vermelha quando ele me encarou rapidamente.

– Ei, Ben – eu disse, andando na direção dele e apoiando minha mochila pesada na parede de bloco. – Juro que essa coisa quer me matar.

Ele riu.

– É, essa semana todos os professores estão super-rígidos. Espero que não tenhamos lição de casa no feriado de Ação de Graças.

– Só em um mundo perfeito – suspirei.

– É verdade. – Ele sorriu para mim de novo. – Ei, você mudou o cabelo. Gostei.

Meu rosto queimava de vergonha e toquei meus cachos.

– Obrigada. Eu estava me sentindo... festiva.

– Ficou muito bom – disse ele.

Baixei os olhos para o chão de madeira, ainda sentindo meu rosto vermelho. Ficamos em silêncio e me perguntei o que ele realmente queria dizer. Talvez se eu começasse...

– Olha, Ben – tentei olhar para algum lugar que não fossem os olhos dele –, desculpe pelo que eu disse a você sobre o baile. Você estava tentando ser legal e eu não devia ter agido daquela forma.

Ele balançou a cabeça.

– Eu fui um idiota! Desculpa. Foi por isso que mandei aquele bilhete para você me encontrar aqui. Eu devia tê-la convidado antes, logo que tive vontade de fazê-lo. Você estava certa quando recusou. – Ele me olhou cheio de esperança. – Você vai me dar uma segunda chance de te convidar para sair?

Hummm. Qual a melhor maneira de lidar com essa situação?

– Você não tem que me olhar com essa cara de cachorrinho pidão, Ben. – Tentei fazer uma piada. – Desculpas aceitas. – Virei-me para pegar minha mochila, mas a voz dele me fez parar.

– Que tal um abraço, então?

Olhei para ele, dizendo em silêncio a mim mesma que isso não queria dizer nada. As pessoas se abraçavam o tempo todo e não significava coisa alguma.

– Claro. – Cheguei mais perto e ele me abraçou com delicadeza. Ergui meus braços para abraçá-lo também e já ia recuar quando ele se inclinou e aproximou sua boca de meu ouvido.

Eu podia sentir sua respiração morna e aquilo me paralisava.

– Eu gostei mesmo do seu cabelo, Abbey – sussurrou ele, tocando de leve em um dos cachos perto do meu rosto. Virei minha cabeça e fiquei de frente para o rosto dele. Seus enormes olhos castanhos estavam a centímetros dos meus. Mas em minha cabeça, uma voz diferente dizia aquelas palavras para mim, e por um momento os olhos eram verdes.

Um segundo depois, eu me dei conta do papel que estava fazendo. Se eu não me mexesse *bem rápido*, ele iria ter a impressão errada sobre mim.

— Desculpe, Ben — eu disse enquanto me afastava dele —, eu tenho... namorado. — A palavra "'namorado" ficou meio presa em minha língua, mas me senti aquecida por dentro quando disse em voz alta. Brinquei com a palavra em silêncio, adorando o jeitão dela.

— Oh, mas eu pensei que... — gaguejou. — Quero dizer, tem? — Ele se afastou também. — Nunca a vi com ninguém. Onde ele estuda?

— Ele se formou há dois anos — respondi, cheia de orgulho.

— Ah, entendi. Bem, eu... eu não quis dizer nada com isso. Eu não sabia. Só pensei que você e eu... desde a morte de Kristen.

Eu me senti péssima.

— Não, tudo bem. Ninguém sabe sobre nós. É meio que uma novidade. — Será que eu sabia que isso ia acontecer? Era por isso que eu estava me sentindo tão culpada em encontrá-lo? Tentei melhorar as coisas, afinal de contas, ele não me queria *de verdade*. Era óbvio que ele sempre tivera uma queda por Kristen.

— Se eu não tivesse namorado, as coisas poderiam ser diferentes. Estou mesmo lisonjeada que você tenha pensado que nós poderíamos... bem, espero que nada disso arruíne a nossa amizade, Ben.

— Oh, Abbey, você está me matando — gemeu ele. — Primeiro com esse negócio de "Eu teria escolhido você, se eu já não tivesse alguém" e depois com essa história de amizade. Isso é o beijo da morte.

Eu estava sem graça, mas não sabia o que fazer.

Ben deu um suspiro sincero e depois riu.

– Tudo bem, estou só brincando com você. Se você está feliz, estou feliz. E eu fico contente em ser seu amigo.

Eu me afastei dele e me abaixei para pegar minha mochila. Quando o olhei de novo, havia um sorriso em seu rosto, mas seus olhos estavam tristes.

– Sinto muito – sussurrei, apertando a mão dele. Ele fez um sinal com a cabeça e comecei a me afastar. Adeus bom humor. Meu ânimo estava completamente diferente, enquanto eu pensava na pessoa que estava deixando para trás.

Decidi contar a Caspian sobre meu sentimento por ele quando cheguei ao rio. Eu tinha de saber se ele se sentia da mesma forma. Tinha esperança de que minha confissão não fosse em vão e que eu não tivesse de me juntar a Ben no clube dos rejeitados.

Mas minha determinação se desintegrou quando passei pelo rio e depois pela ponte. Ele não estava lá.

Vaguei pelo cemitério por algum tempo, procurando por ele em todo lugar, mas quando me dei conta de que não havia a menor possibilidade de encontrá-lo ali, parei de procurar. Desanimada, mantive os olhos no chão e fui para casa pelo caminho de sempre. Quando ergui o olhar para desviar de uma raiz exposta na estrada, dei de cara com ele.

— Caspian, o que você está fazendo aqui? — Minha voz estava carregada de alegria, e não consegui evitar ficar vermelha de vergonha.

Ele estava sentado próximo a um monumento grande no jazigo de alguma família, desenhando em um papel. Ele tinha manchas pretas nas mãos e pareceu tão surpreso em me ver quanto eu estava em vê-lo.

— Oi, Abbey. — Um olhar estranho estampou-se em seu rosto, e ele escondeu o papel. — Eu estou aqui... Pensando na vida...

— Puxa vida — ri —, você deve gostar mais daqui do que eu. — Sem jeito, joguei minha mochila no chão. — Sei que nos vimos há poucos dias e tudo, mas... — Meu rosto ficou vermelho de novo com a lembrança de nosso último encontro e então, parei de falar de repente, quando me dei conta que estava falando coisas sem o menor nexo.

Ele não disse nada. O silêncio se instalou entre nós e comecei a me preocupar.

— Você estava... esperando aqui... esperando por mim? — Eu desejava que a resposta fosse um "não" para essa pergunta, mas eu podia ver a resposta em seus olhos.

— Sim, eu passo por aqui todos os dias. Mas eu não espero muito. Tenho outras coisas para fazer, você sabe — disse ele, dando uma esnobada.

Eu me senti meio zonza.

— Sinto muito mesmo se eu não passo por aqui todo dia, Caspian. Eu... eu não sabia. — Eu me ouvi repetindo as palavras de Ben.

— Ah, não tem importância. A gente se vê outra hora, tudo bem? — Ele recolheu seu desenho e se levantou.

— Caspian, espere — eu disse. Ele já tinha começado a se virar para ir embora. — Quando... onde você quer me encontrar da próxima vez?

— Estou ocupado neste fim de semana, mas acho que podemos nos encontrar aqui no próximo sábado ao meio-dia — disse ele, por cima do ombro. — Tchau, Abbey.

Eu o observei enquanto ele se afastava, confusa com seu jeito arredio. Tudo bem, então ele estava zangado por eu não ter vindo, mas a gente não tinha combinado nada. Aliás, se eu ao menos tivesse o número do telefone dele ou algo assim, eu poderia ligar e combinar essas coisas. No próximo sábado, eu teria que me lembrar de pedir o telefone dele.

Chateada e sem saber muito bem o motivo, fui até o túmulo de Washington Irving. Como sempre, não havia ninguém lá e atravessei o portão. Fiquei andando a esmo por ali, perturbada demais para sentar no chão e ficar quieta.

— Como é que eu ia saber que ele estava me esperando aqui? — resmunguei, um pouco para mim mesma, um pouco para o cemitério vazio. — Alguma vez nesta vida eu já disse que lia mentes? Não, eu nunca disse isso. Então, como é que ele pode esperar que eu leia a mente dele? — Bem brava, chutei um monte de folhas. — Existe uma coisa chamada telefone celular. Arrume um.

Quando ouvi aquelas palavras saindo de minha boca, com o mesmo ódio que outras palavras carregavam, ditas por outro alguém usando um vestido de baile, parei de andar no ato. De cabeça baixa, fui me sentar perto da árvore toda entalhada com iniciais. Enfiei minha cabeça em meus braços e minhas pernas abaixo do corpo. *Por que ele agiu daquela forma hoje?* Era tudo tão confuso.

Passos macios agitaram a grama à minha volta, e ergui os olhos para ver o velho zelador vindo na direção da árvore. Ele vestia o mesmo macacão, mas com uma camisa marrom dessa vez. Eu me obriguei a sorrir e me levantei.

– Oi, Nikolas.

O rosto dele se iluminou e o sorriso que ele me deu quase me fez chorar. Ele parecia tão feliz em me ver.

– Abbey, que maravilha encontrá-la outra vez! Como você tem andado?

Dei de ombros e enfiei as mãos nos bolsos de meu jeans.

– Acho que bem. O dia hoje está um pouco difícil.

– Posso ajudá-la em alguma coisa?

– Não sei, é só que... – Hesitei. – Não é que haja algo especificamente errado, sabe? Eu só não entendo como é que alguém pode ser de um jeito e, de repente, mudar a forma de agir.

– Como se mudasse de ideia sobre algum assunto? – perguntou.

– Não – respondi, perdida, sem saber como descrever meu problema. – Deixa pra lá. São... os garotos. Eles me enervam. É só isso.

Ele assumiu um ar brincalhão, mas disse com o rosto sério:

– Bem, falando com a propriedade de quem, certa vez, tecnicamente, já foi um garoto... – Corei, embaraçada. – Não quero inventar desculpas para quem quer que você esteja falando – continuou ele –, mas... obviamente, ele é doido.

Arregalei os olhos e ele riu da minha cara.

– Só estou provocando você. Espero que não se importe.

Não pude esconder o riso e balancei a cabeça.

– Você é tão mau quanto os meninos – brinquei também.

Ele sorriu.

– Eu só queria vê-la sorrir. Espero que você perdoe as gracinhas de um velho. Falando sério, dê a seu rapazinho algum tempo. Tenho certeza de que ele está confuso ou inseguro sobre si mesmo. O orgulho masculino é uma coisa muito poderosa.

– Bem, isso, definitivamente, é verdade – concordei. – Então você acha que talvez não seja eu, mas ele? Talvez ele esteja chateado por estar lidando com problemas que não têm nada a ver comigo?

Nikolas chegou mais perto de mim e disse calmamente:

– Posso dizer que sua alma é sábia e bondosa, Abbey. E sou excelente para julgar caráter. Não acho que seja qualquer coisa que você tenha feito. Além disso, se ele não superar o que o está deixando tão chateado, diga a ele que venha falar comigo que eu endireito o garoto para você.

Para minha completa vergonha, caí no choro. Depois, dei um abraço nele.

– Obrigada, Nikolas – sussurrei. – Isso significa muito para mim.

Ele prendeu a respiração quase como se eu o tivesse surpreendido e hesitou antes de me abraçar de volta, sem jeito.

Ele parecia um pouco enferrujado nesse negócio de abraço. Sequei minhas lágrimas esfregando as mãos em meu rosto.

– Você sabe – disse ele. – Algumas vezes usamos uma máscara porque temos medo de como reagirão aqueles que estão próximos a nós quando virem como somos de verdade, lá no fundo. Só porque alguém faz isso, não quer dizer que esse alguém não gosta de você ou que quer colocá-la de lado, de forma alguma. Eu não acredito que alguém pudesse *não gostar* de você, Abbey.

Precisando de um minuto para me recompor, eu me abaixei e fingi que ia amarrar meu sapato. Depois de mexer nele um pouco, rezando para que meus olhos não estivessem vermelhos e borrados, eu me ergui e encarei Nikolas.

– Eu... hum... preciso ir andando. É provável que minha mãe esteja esperando por mim e eu tenho um monte de lição de casa para fazer. Então... obrigada. Gostei muito de encontrá-lo.

Ele deu um tapinha gentil em meu braço e sorriu para mim.

– De nada, Abbey. Espero vê-la de novo em breve.

Concordei, tentando não ficar envergonhada demais por ter chorado na frente de um estranho, e caminhei em direção ao portão. Parei por um segundo para acenar para Nikolas, depois desci as escadas e fui para casa. Aquele havia sido um dia horroroso.

No sábado pela manhã, perguntei à mamãe se ela queria ir comigo à casa da família Maxwell. Já fazia um tempinho desde que eu vira a sra. M. e queria saber como ela estava. Fiquei chocada quando mamãe disse que não tinha outros planos e concordou em ir comigo. Acho que a última vez em que ela tivera um fim de semana livre havia sido há uma década.

Conversamos sobre se devíamos ou não ligar antes, mas achamos melhor usar a estratégia do "estávamos passando por aqui e resolvemos dizer olá". Por sorte, os Maxwells estavam em casa quando chegamos. Foi bom estar novamente naquele lugar tão familiar, mas foi um pouco constrangedor também. Tentamos não falar muito sobre Kristen.

Quando mamãe levantou para se servir de café, aproveitei para falar em particular com a sra. Maxwell.

– Como a senhora está, *de verdade*? – perguntei.

Ela pegou minha mão e a apertou, e pude notar que ela estava tentando parecer corajosa.

– Estou bem, Abbey. Claro que é tudo muito difícil. E Deus sabe que nem pensei ainda sobre o que fazer com o quarto dela. Ainda estou sobrevivendo, um dia por vez.

Nesse momento, tive uma ideia.

– A senhora se incomodaria se eu fosse até lá?

– Você não tem que me pedir autorização para ir ao quarto dela, Abbey. Você sabe disso. Você praticamente vivia lá. – Ela soluçou e desviou o olhar.

Eu me levantei e dei um abraço nela.

– Obrigada, sra. M., não vou demorar. – Quando eu estava saindo da sala, ouvi sua voz.

– Se houver alguma coisa no quarto dela que você queira, Abbey, por favor, pegue para você.

Sorri e concordei, subindo as escadas.

A subida pareceu interminável e respirei fundo antes de colocar a mão na maçaneta e abrir a porta do quarto de Kristen. Eu tinha sido capaz de lidar com a perda dela, com meus pensamentos e sentimentos em meu próprio quarto, mas encarar seu quarto era outra história.

Abri a porta devagar e fui recebida pelo papel de parede cor-de-rosa que ela odiava com paixão desde que fizera onze anos. Não tinha mudado muito desde a última vez em que eu estivera ali. A única grande diferença era o chão e a cama, que costumavam estar cobertos de roupa suja e que agora estavam ambos livres.

Mas a escrivaninha dela ainda estava coberta de bagunça. Seu aparelho de som e suas pilhas de caixas vazias de CDs ainda estavam em cima de sua antiga penteadeira branca. Sua camisa vermelha favorita estava pendurada na porta de seu guarda-roupa também. Era quase como se ela fosse voltar a qualquer minuto.

Fui tomada pela tristeza quando me dei conta de que ela *nunca mais* voltaria... Mas coloquei aquilo de lado. Nós tínhamos passado um bocado de tempo ali naquele quarto, e não era nada difícil associar cada um daqueles objetos a alguma memória ou lembrança. Eu me agarrei a isso enquanto andava pelo quarto. Havia alguma coisa lá que me diria por que ela havia ido até o rio naquela noite?

Dei uma olhada em seu guarda-roupa, mas nada pareceu estranho ali dentro. Mexi em sua escrivaninha e, de novo, nada que destoasse. O celular dela estava conectado ao recarregador, perto do abajur. Eu o peguei e fiquei olhando para ele por um tempo.

Sobre a penteadeira só havia roupas, e eu fui mexendo em uma após a outra, o mais rápido que pude. Elas ainda tinham o cheiro de seu xampu favorito, e aquilo fez meus joelhos tremerem. Sentei-me na beirada da cama, tentando pensar apenas em coisas boas.

Ao meu lado, estava o criado-mudo e abri a gaveta, dentro da qual havia um diário. Eu o peguei e folheei. Senti-me um pouco mal em espiar a intimidade de Kristen daquela forma, mas tempos desesperados pedem medidas desesperadas.

Nada ali chamou minha atenção. Não pareceu que ela tivesse escrito qualquer coisa especificamente sobre o rio.

Então, reparei que um dos cantos da colcha estava preso de um jeito esquisito. Eu me inclinei para endireitar a coberta, meus dedos tocaram algo que estava enfiado entre o colchão e a lateral da cama, e cheguei mais perto para ver o que era.

Enfiado ali no canto da cama havia um caderno do tamanho de um... diário. Tive que erguer uma das pontas do colchão e enfiar minha mão no espaço para conseguir alcançá-lo.

Quando o peguei, vi que era igual ao primeiro diário que havia encontrado, porém tinha a capa vermelha, enquanto a outra era preta. Agora eu estava intrigada. Será que eu tinha encontrado sequências do diário de Kristen? Abri a primeira página do diário de capa preta e procurei por uma data. A primeira anotação era de 19 de abril. Então, abri a primeira página do diário vermelho para ver qual era a primeira anotação nele.

19 de abril outra vez. E do mesmo ano. Por que ela teria dois diários para o mesmo ano?

Sentando de pernas cruzadas na cama, folheei o diário de capa vermelha, procurando por alguma explicação. Senti um pouco de culpa de novo, mas minha curiosidade foi mais forte.

Tentei aplacar minha consciência fazendo um trato comigo mesma. Se eu só lesse os diários uma vez e depois nunca mais encostasse neles, não estaria fazendo nada tão errado assim. E a mãe de Kristen *disse* que eu podia pegar o que quisesse. Claro que ela devia estar se referindo às roupas ou CDs, mas essa não era bem a questão.

Antes que eu tivesse a chance de começar a ler, mamãe gritou meu nome. Pulei assustada com a súbita interrupção e me levantei rápido, olhando em volta. Eu precisava de algo para...

A camisa vermelha pendurada na porta do guarda-roupa. Perfeito.

Peguei a camisa e escondi os diários no meio dela. Quando passei pela escrivaninha de Kristen, um pedaço de papel de caderno amassado chamou minha atenção. Havia um batom ao lado dele. Tirei a tampa e vi que o batom era vermelho-escuro.

Desejando deixar minha marca, uma espécie de adeus final naquele quarto, desamassei o papel com cuidado e rabisquei "As lembranças duram para sempre" nele. Depois assinei meu nome com uma letra bem grande, tampei o batom de novo e coloquei o bilhete em cima da escrivaninha.

Fechando a porta do quarto com cuidado atrás de mim, desci as escadas e fui me juntar à mamãe. As lembranças *definitivamente* duram para sempre.

Quando chegamos em casa, fui direto para meu quarto e tranquei a porta para ter total privacidade.

Depois, pensando melhor, fui até meu *closet* e tranquei *aquela* porta. Em seguida, eu me ajeitei em uma pilha de bichinhos de pelúcia para ficar confortável durante a leitura. Ali eu tinha a certeza de que não seria interrompida.

Colocando um diário ao lado do outro, com todo o cuidado, comecei a ler o de capa preta. A primeira página não tinha nada de mais.

19 de abril - Sexta-feira de manhã

No próximo fim de semana, Abbey e eu vamos comprar óleos de essência e frascos novos dos quais ela precisa. Abriu uma loja nova ao lado do shopping center e ela mal pode esperar para ir até lá. Concordei em ir também, com a condição de darmos uma passada pelo shopping para comprar sapatos e rosquinhas de canela.

Ela tentou fingir que isso a aborreceu, mas não conseguiu fica séria nem por um segundo. Ela é tão engraçada. Quando voltarmos das compras, terei que começar a fazer meu trabalho final de ciências. Não posso tirar nada abaixo de A-, então preciso me esforçar.

Eu queria que a escola fosse mais fácil. Às vezes penso que um dia meu cérebro explodirá com tanta álgebra, biologia e história que sou obrigada a enfiar nele.
Bem, só mais um dia.
Kristen

P.S. Acabo de voltar do shopping e agora sou a orgulhosa dona do par de sandálias marrons mais fofo do universo. Venha logo, verão, para que eu possa exibir meus sapatos novos e lindos!

Sorri enquanto lia suas palavras, escritas com sua letra miúda e regular. Tudo ali era a cara de Kristen. Fui para o diário vermelho.

19 de abril - Sexta-feira à noite
Para falar sobre D., decidi começar esse diário secreto. Temo que se falar dele em meu diário real, ele seja tirado de mim, como um sonho.
D. me ligou hoje à noite. Nós conversamos por mais de uma hora, e ele quer me encontrar amanhã. Estou tão nervosa. Não posso acreditar que ele está mesmo interessado em mim. Será que estou sonhando? Será que vou acordar e descobrir que isso tudo é uma ilusão? Deus, espero que não. Eu não acho que conseguiria suportar ter meu coração partido.

É tão difícil esconder isso de Abbey. Quero tanto dividir isso tudo com minha melhor amiga. Mas sei que não posso. E nada é mais difícil que isso.
K.

Fiquei sentada ali, imóvel e em silêncio. Minha melhor amiga estivera guardando segredos de mim? Imediatamente, senti uma dor enorme e joguei os diários longe, escondendo o rosto em minhas mãos. Como isso podia ter acontecido? Nunca escondi nada dela, nunca tive segredos.

Tentei racionalizar, frente ao absurdo da situação. 19 de abril. Ela vinha guardando segredos de mim desde 19 de abril.

Quem era D.? Por que Kristen não me falou nada sobre ele?

As lágrimas correram pelo meu rosto e eu permiti, sem me importar. Eu não sabia como lidar com tudo isso. O que eu deveria fazer agora? Parte de mim queria ir adiante naquilo tudo para descobrir se ela revelava seus segredos. Mas a outra parte estava magoada demais, ferida demais e queria rasgar aqueles diários em pedacinhos. Ela havia me traído.

Eu não sabia o que fazer.

Quando mamãe me chamou para jantar naquela noite, eu estava séria, fechada e não disse muita coisa.

Eu havia chegado à conclusão de que não importava o que eu sentisse, tinha de ler os diários até o final. Talvez neles estivesse a explicação da ida de Kristen até o rio.

E com ou sem segredos entre nós, eu devia isso a ela.

Capítulo Treze

UMA BOA RAZÃO

... e um livro de sonhos e adivinhações, no qual foi encontrada uma folha de papel de rascunho cheia de rabiscos e borrões, tentativas malsucedidas de fazer uma cópia de versos em homenagem à herdeira Van Tassel.

— *A lenda do cavaleiro sem cabeça*

Como achei um pouco difícil me acostumar com as idas e vindas entre um diário e outro, parei de ler o diário de capa preta e o coloquei de lado. De muitas maneiras, o diário de capa preta era mais difícil de ler que o outro, porque nele, Kristen agia de forma normal. Como a Kristen que pensei conhecer. O diário de capa vermelha era um choque para mim, uma mudança abrupta. O tom ali era muito diferente. Até seu estilo de escrita era outro.

De acordo com o que eu havia entendido até então, Kristen tinha conhecido esse menino que insistia que eles mantivessem o relacionamento deles em segredo. Ela passava horas e horas falando com ele ao telefone. Eles até mesmo tinham ficado juntos algumas vezes.

Ela nunca contou como o conhecera ou onde e quando eles haviam se encontrado pela primeira vez, mas eu não pude deixar de me questionar onde *eu* tinha estado todo esse tempo. Eu me sentia pessoalmente traída. Era bem óbvio que ela havia feito um enorme esforço para se assegurar de que eu não descobriria nada sobre ele. E eu não conseguia entender por que ela faria isso, já que ele a fazia tão feliz.

Continuei lendo para encontrar uma pista... qualquer pista.

23 de abril - Quinta-feira à tarde

Acho que estou apaixonada! D. é tão romântico, ele fingiu que estava tirando o cabelo de meu rosto só para tocar nele. E agora, finalmente... demos nosso primeiro beijo.

Não estar com ele é uma tortura - cada instante que passamos separados me faz morrer um pouco, é uma solidão que me enche de agonia. Não posso mais suportar esse sentimento. Queria que pudéssemos passar todos os nossos dias juntos. Queria que fôssemos livres para contar ao mundo o que sentimos. Queria que ele me deixasse contar tudo à Abbey.

Espero que ele me ligue esta noite. Por favor, ligue para mim, meu amor. Não me deixe sofrer assim.

K.

17 de maio – Sexta-feira à noite
Hoje D. me disse que sou bonita. Nunca esquecerei esse momento. Quando olhei em seus olhos, quase pude acreditar nele. E, então, ele me fez chorar ao me dar uma flor que colhera. Mas eu a deixei lá, não quis que ninguém a visse. Então, ele prometeu que um dia me dará dúzias de rosas.

Talvez algum dia...

K.

2 de junho – Domingo de manhã
Faz exatamente um mês desde que D. e eu estamos oficialmente namorando. Eu o amo tanto!

Às vezes, mal posso acreditar que ele me escolheu. Não sei por que ele fez isso, mas sei que ficaremos juntos para sempre.

Eu sei o que ele quer, mas tenho medo. Pensar nisso é... Apavorante... E excitante... e divertido... Mas, principalmente, apavorante.

O que me assusta mais é o fato de que eu jamais poderei voltar. Eu gostaria de poder falar com Abbey sobre isso. Como é possível não contar algo desse tipo para sua melhor amiga? Não sei se sou capaz de guardar esse tipo de segredo.

K.

Pensei nos últimos meses de aula do ano passado, tentando analisar o tempo que passei junto com Kristen. Por que eu não fui mais atenta?

E então comecei a pensar em outras coisas. Como, por exemplo, quantas vezes ela deve ter desejado que eu fosse embora para que ela pudesse ir ao encontro desse cara? Ou será que ela havia contado a ele algum dos *meus* segredos?

Esse diário lançava sérias dúvidas sobre cada palavra que ela já havia me dito, e comecei a divagar sobre cada pequena coisa que já havíamos feito juntas. Não consegui deixar de pensar que, se eu tivesse perguntado algo sobre isso, ela teria mentido para mim. Teria, não teria? Infelizmente, a resposta parecia positiva. E aquilo me magoava.

Desejei nunca ter descoberto esse lado dela. Eu só queria que as coisas voltassem a ser como eram antes de eu descobrir que minha melhor amiga escondia coisas e mentia para mim todos os dias. Antes de eu ter que questionar o motivo por trás de todos os seus atos. E acima de tudo, antes de eu ter que me perguntar se ela *havia ou não* sido a minha melhor amiga...

26 de julho - Sexta-feira à noite
Como posso me decidir sobre uma coisa dessas? Se eu disser não, o que ele fará? Eu não posso dizer não. Tento convencer a mim mesma de que não é grande coisa. Todo mundo passa por isso em algum momento da vida. Eu posso fazer isso, posso sim.
K.

13 de agosto - Quinta-feira de manhã
Nós conversamos sobre o que vamos fazer e concordamos. Quero pedir mais tempo a ele para pensar, mas ele já me deu quase três meses. Tenho medo de perdê-lo. É tudo em que consigo pensar ultimamente. Estou obcecada por isso.

Eu me pergunto se Abbey desconfia de meus planos. Ela já deve ter adivinhado. Como posso manter isso escondido de uma melhor amiga que praticamente lê meus pensamentos? Espero que não passe pela cabeça de D. que Abbey possa saber alguma coisa sobre o que estamos para fazer. Eu não quero que ele desconfie disso... não quero perdê-lo.

Ah, Deus, por favor, não permita que eu o perca.

K.

16 de agosto - Sexta-feira à tarde
Bem, é hoje. Vamos nos encontrar no parque como sempre. Tenho de me aprontar logo. Estou tão nervosa. Espero fazê-lo feliz.

K.

18 de agosto – Domingo à noite
Tive outra briga com D. Não entendo por que isso vive acontecendo. Às vezes, desejo que Abbey venha até mim e me diga se ela sabe o que está acontecendo. Ela poderia não me perdoar por ter escondido tudo isso dela, mas pelo menos eu teria alguém com quem conversar sobre tudo.

K.

18 de agosto – Domingo à noite II
Toda vez que eu penso que acabou, que somos apenas diferentes demais para que dê certo, ele diz alguma coisa que me faz mudar de opinião. Começo a me perguntar se estou com ele porque eu quero ou porque ele quer.

K.

19 de agosto – Segunda-feira de manhã
Não posso mais aguentar isso tudo. Os segredos... as mentiras... eu disse a D. que queria contar a Abbey sobre nós, e tivemos uma briga enorme. Tive de implorar a ele que me desse outra chance. Ele concordou desde que parássemos de nos encontrar no parque. Eu

não sei para que outro lugar podemos ir. Algumas vezes eu desejo que nunca tivéssemos...

Não sei o que fazer. Não posso viver sem ele.

K.

E isso era tudo. Foi a última anotação no diário.

Após terminar a leitura, joguei-o sobre a minha cama e sacudi a cabeça com raiva, recusando-me a aceitar essa última informação. Não havia como ela ter escondido isso tudo de mim. Éramos próximas demais. Mas o diário vermelho era a prova irrefutável de que eu estava errada. Kristen tinha escondido coisas de mim... Várias coisas.

No sábado, acordei mais cedo que de costume. A semana tinha corrido bem, mas não consegui parar de pensar no diário. Era como tentar montar um quebra-cabeça sem saber que imagem ele deveria formar depois que estivesse pronto.

Obrigando-me a sair da cama, desci para a cozinha, com intuito de fazer mais biscoitos para Caspian. Depois do que havia acontecido em nosso último encontro, eu esperava que biscoitos fossem uma oferta de paz adequada. Segui as instruções do livro de receita automaticamente, sem prestar muita atenção ao que fazia.

Só quando a segunda leva de biscoitos ficou pronta que minha distração me custou caro: enfiei a mão no forno para pegar a forma sem luvas. A dor me fez largá-la. Por sorte, eu só tinha erguido a forma alguns centímetros, então, ela não caiu de muito alto. Fui xingando até a pia e xinguei mais ainda quando o telefone começou a tocar.

Decidi que minha queimadura era muito mais importante que o telefone, abri a torneira de água fria e senti um alívio abençoado imediatamente. Dez segundos depois, minha mão mal latejava, mas o telefone ainda estava tocando.

Molhei um pano de prato antes de enrolá-lo na bolha que havia começado a se formar. Virando-me para alcançar o telefone atrás de mim, arrumei o pano de prato para que ele cobrisse melhor o machucado.

– Alô?

– Ah, olá, querida! – saudou-me uma voz animada. – É a sra. Maxwell. Achei que tinha caído na secretária eletrônica.

– Oh, olá sra. M. – Aquilo me deixou alerta. *Era um sinal? Eu deveria contar a ela sobre o diário?*

– Estou ligando para dizer para sua mãe não se preocupar com as reservas para amanhã à noite. Já providenciei tudo.

– Tudo bem – respondi. – Vou dizer a ela. Vocês vão fazer alguma coisa especial?

– Temos uma reunião com o diretor curador da Sociedade histórica. Vai ser divertido. A última foi muitíssimo agradável.

O leve tom de sarcasmo que percebi na voz dela me fez rir.

– Tenho certeza de que será pura animação.

– Pelo menos a comida será boa – disse ela, num suspiro. – Vamos nos encontrar no Callenini's. Eles têm o melhor Linguini Alfredo com frango que existe.

– Diga a minha mãe para trazer pãezinhos de alho para mim. Eu adoro!

– Pode deixar, eu peço.

Falamos um pouco mais sobre o restaurante, e depois a sra. M. disse que precisava desligar. Não toquei no assunto do diário. Não pude.

Mas assim que desliguei o telefone, toda aquela dor e a sensação de ter sido traída reapareceram, e senti uma lágrima correndo devagar pelo meu rosto. Outra lágrima seguiu a primeira, deixei que minha cabeça pendesse por um momento e me permiti um pouco de autopiedade.

Saí do transe de repente, por causa do *timer* do forno. Eu o havia ajustado para apitar a cada quinze minutos para que eu pudesse retirar e recolocar uma nova fornada de biscoitos. Esfregando minhas mãos no rosto, sequei as lágrimas. Não havia tempo para ficar sentindo pena de mim, ainda havia uma tigela de massa de biscoito crua sobre o balcão com outras dúzias de biscoitos para assar.

Então, coloquei para tocar a música mais raivosa que pude encontrar, no volume mais alto possível e, com ela ecoando pela casa, voltei ao trabalho cantando a plenos pulmões.

Quatro formas de biscoitos e treze canções malvadas depois, chegou a hora de eu me arrumar para encontrar Caspian. Exatamente uma hora depois disso, eu estava usando jeans e um suéter vermelho e, de volta à cozinha, colocando os biscoitos em um saco de papel.

Já que nenhuma das unidades de controle paterno havia gritado para que eu baixasse a música mais cedo, imaginei que ambos, provavelmente, ainda estavam na rua, em suas intermináveis reuniões. Deixei alguns biscoitos em um prato perto da cafeteira. Para eles. Aquilo deveria me render alguns pontos extras no grande placar celeste, no quesito "boa filha". Depois, verifiquei novamente se tinha mesmo desligado o forno, peguei o saco de biscoitos e fechei a porta enquanto saía.

Havia um ventinho lá fora, mas não senti frio de imediato. Porém, não demorou muito e eu estava desejando ter escolhido um casaco mais pesado e luvas também. O vento foi ficando bem forte e me deixando cada vez mais gelada. Eu tremia e andava de cabeça baixa, tentando ignorar o mau tempo conforme seguia na direção do cemitério.

Passei pelos portões e continuei na trilha que levava ao rio. Encontrei-o perto do lote da família Irving. Apesar de estar de costas para mim, de preto dos pés à cabeça, eu teria reconhecido seu cabelo em qualquer lugar. Diminuí o passo e me movi silenciosa e cuidadosamente até que fiquei bem atrás dele.

– Caspian – sussurrei. Se ele me ouviu, não deu sinal disso. Continuou imóvel. Dei outro passo e agora estava bem perto dele. Ele estava observando o túmulo de Washington Irving. Toquei-lhe o braço.

– Moedas. Por que você acha que as pessoas deixam moedas aqui? – A voz calma dele me deixou arrepiada e, por alguma razão, tirei minha mão de seu braço. Ele virou a cabeça para olhar para mim e seus olhos pareciam perdidos.

– Você acha que isso significa alguma coisa? Para ele, quero dizer. – Ele parecia realmente confuso.

Eu não sabia se devia responder ou não.

Então, ele piscou e a expressão em seu rosto mudou. E ele abriu um sorriso.

– Astrid. Estou feliz por você ter vindo.

Minha cabeça não parava de girar. Será que ele tinha a consciência de que o sorriso dele derretia meu coração? Ou de como a voz dele fazia meus braços formigarem e borboletas voarem feito loucas em meu estômago? Algum dia eu seria capaz de dizer como ele me fazia sentir. Mas não seria naquele dia...

Sorri de volta.

– Oi, Caspian.

Será que meu sorriso derretia o coração dele também? Será que minha voz fazia com que ele se sentisse zonzo? Algum dia eu iria conseguir perguntar-lhe isso tudo. Mas não seria naquele dia...

– Espero que você não esteja mais bravo comigo. – Olhei para ele embaraçada.

– Bravo com você? – perguntou ele. – Por que eu estaria bravo com você?

– Porque eu não vim encontrá-lo aqui na última semana. Pensei que era por isso que você estava nervoso.

Ele balançou a cabeça.

– Eu não estava bravo com você. Como é que você poderia saber que eu estava aqui?

– Eu não sei. Acho que só pensei que... – Dei de ombros. – Não sei mesmo.

— Eu não estava bravo, Abbey — disse ele de novo. — Acredita em mim? — Ele tinha um ar sério de menininho no rosto.

Ha, como se eu pudesse resistir àquilo.

— Tudo bem. — Dei um suspiro dramático. — Acredito em você. — Sorri para ele saber que eu estava só brincando e ele sorriu de volta. Lembrando-me dos biscoitos, estendi o saco de papel para ele. — Eu fiz biscoitos para fazermos as pazes. Mas já que você não está bravo comigo, acho que vou comê-los eu mesma.

Ele tirou o saco da minha mão.

— Pensando bem, se são os mesmos biscoitos da outra vez, então acho que sim, eu preciso deles. Vão me ajudar a superar minha raiva — disse, fingindo que estava zangado.

Ri de sua gracinha.

— Claro que é a mesma receita do outro dia. Eu não faria nenhum outro tipo de biscoito para você. Quer se sentar debaixo da ponte para comer? Deve estar um pouco mais quente lá. — Eu estava tremendo e esfregando as mãos. Estava *mesmo* muito frio ali.

Ele pareceu pesaroso.

— Você está com frio? Por que não colocou um casaco mais pesado?

— Olha só quem fala. Você nem mesmo está usando um.

Ele olhou para baixo e pareceu surpreso. E depois riu.

— Eu nunca uso casaco. Acho que sou à prova de frio. Mas você está certa sobre a ponte. Vamos para lá.

Demos as costas para a lápide e começamos a descer a colina. Não falamos durante a caminhada, mas não foi um silêncio desajeitado. Estávamos confortáveis um com o outro. Esmagamos pedrinhas com os pés enquanto andávamos até a margem do rio. Estava frio perto da água, até que entramos debaixo da cobertura da ponte. Eu me sentia mais aquecida só de estar ao lado dele.

Houve outro momento de silêncio. Olhei para uma rachadura irregular na parede de concreto que havia sido erguida para sustentar a ponte.

– Bem, fui visitar a mãe de Kristen semana passada e descobri algo escondido debaixo da cama dela. Ela possuía dois diários diferentes. – Olhando para a rachadura, tentei fazer com que minha mente se concentrasse ali, tentando dar a ela algo mais para se preocupar. – Um deles foi escrito pela Kristen que eu conheci, mas o outro... estava cheio de surpresas, nada que eu esperava ler.

Eu podia ouvir o barulho do rio mais próximo e olhei para a água.

– Você já pensou que conhecia alguém e depois descobriu que tudo não passou de um grande engano? – As palavras jorravam da minha boca. Os pensamentos iam e vinham, desordenados em minha mente, e não consegui evitá-los. A represa tinha sido aberta. Enfiei as mãos nos bolsos, cheia de frustração. – Pensei que conhecia Kristen. Eu achava que ela fosse minha melhor amiga e contava tudo a ela. Tudo!

"Ela estava mentindo para mim, todo o tempo, e eu nunca soube. Eu sou mesmo uma idiota. Quero dizer, como você faz uma coisa dessas com um amigo? Como você finge ser outra pessoa e esconde quem realmente é? Como alguém pode fazer uma coisa dessas?"

Arrastei meu pé na terra.

– Talvez ela não tivesse escolha – disse Caspian. – Algumas pessoas não podem escolher quais segredos guardar.

Eu me recusei a aceitar a lógica dele.

– Kristen teve escolha. Ninguém a *obrigou* a esconder de mim que tinha um namorado. Ela poderia ter me falado sobre ele a qualquer momento. Isso é uma das exigências básicas entre os melhores amigos. Você não esconde coisas das pessoas que ama e, definitivamente, não guarda segredos como esse. – Minha voz tremia, e eu me sentia muito perto de cair no choro. Pisquei e respirei fundo. Eu não ia passar vergonha na frente de Caspian por soluçar como um bebê.

– Ah, então Kristen tinha um namorado secreto, entendi direito? – perguntou Caspian. – Você acha que ela ia encontrá-lo naquela noite?

– Não sei. Mas acho que eles estavam... envolvidos... de verdade.

Caspian me deu uma olhada, mas eu não pude olhá-lo diretamente nos olhos. Ah, o constrangimento. Sempre presente em minha vida.

– Ela cita o nome dele em algum lugar?

Balancei a cabeça.

– Apenas a inicial "D". Tinha alguma coisa muito esquisita ali. Até o estilo de escrita dela era diferente, como se ela estivesse ficando deprimida. Nunca notei nada disso pessoalmente – eu disse, cheia de tristeza. – Não sei como ela conseguia esconder isso de mim. Deve ter sido uma coisa muito difícil de fazer.

– Tenho certeza de que ela deve ter tido as razões dela – disse Caspian. – É claro que teve. Eu não acho que ela teria escondido algo assim de você sem ter uma ótima razão. Confie nela, Abbey.

– Confiar nela? Depois de ela ter mentido para mim por meses?

Ele não disse nada. Mas aquilo não me incomodou. Eu só precisava de alguém para desabafar, alguém que ouvisse minha frustração. Eu não tinha mais uma melhor amiga para fazer aquele papel. Ficamos quietos por muito tempo e, então, me apoiei contra a parede e escorreguei para o chão.

Tudo bem, então eu *estava* procurando alguém que falasse comigo, alguém que me dissesse que eu não estava louca e que tinha todo o direito de me sentir do jeito que eu me sentia.

Mas nós não falamos sobre mais nada e, um segundo depois, ele se sentou no chão ao meu lado. Estávamos perdidos em nossos próprios mundos.

Meus pensamentos foram interrompidos pelo toque do meu celular me avisando que havia um recado na caixa postal. Eu o abri e vi que ali onde estávamos não tinha sinal. Chequei as chamadas recebidas e o número de mamãe apareceu.

– Você vai comer os biscoitos ou vai guardar outra vez para quando chegar em casa? – perguntei a Caspian, numa tentativa de melhorar o clima, antes que o dia terminasse de mau jeito.

Ele me olhou como se estivesse imerso em pensamentos profundos.

– O quê? – E então ele olhou para o saco de papel entre nós. – Ah, claro. – Riu. – Você está brincando? Mal posso esperar para comê-los. – Ele abriu o saco com cuidado e pegou um biscoito que estava quebrado.

Quando ele deu uma mordida no biscoito, dei mais uma olhada em meu telefone.

– Vou ali checar minha caixa postal. Volto já.

Ele concordou e continuou a mastigar. Eu me levantei e me afastei da ponte para uma área onde houvesse sinal. A voz gravada de mamãe soou alta e clara. Suspirei e sem nem me dar ao trabalho de ouvir o que ela queria dizer, salvei o recado enquanto voltava para debaixo da ponte.

– Sabe – eu disse, enquanto fechava meu celular e chegava mais perto dele –, se você me desse seu celular, seria muito mais fácil encontrá-lo.

Ele pareceu encabulado e se levantou.

– Sei que isso vai soar terrivelmente século vinte, mas... não tenho um.

Meu queixo caiu.

– Você não tem um celular?

– Não.

Eu não podia acreditar no que ele estava dizendo.

– Tudo bem, então que tal você me dar o telefone da sua casa?

Ele balançou a cabeça de novo.

– Isso também não é uma boa ideia. Meu pai o mantém fora do gancho. Ele dorme em horas estranhas.

– Seu e-mail, msn, skype... assim posso escrever para você... – Eu já sabia a resposta antes mesmo de ele falar. Eu estava em estado de choque.

– Olha, Abbey – disse ele –, eu não quero parecer um esquisitão nem nada assim, é só que eu não fico muito tempo em casa. E, definitivamente, não fico na frente de um computador nos raros momentos em que estou por lá. Não fique tão preocupada com isso. Nós vamos nos achar um ao outro.

Caspian me ofereceu o resto do biscoito dele.

– Quer biscoito? São os melhores que já comi.

Aceitei aquele pedido de trégua e sorri. Quando coloquei o biscoito na boca, senti uma excitação secreta em pensar que os lábios dele tinham acabado de tocar aquele biscoito, era quase como se ele estivesse me beijando de novo. Mastiguei feliz da vida, engoli tudo e depois corri a língua por meus dentes para ter certeza de que estavam limpos.

– Vou estar um pouco ocupado nas próximas semanas – disse ele –, mas nós vamos pensar em algum jeito para conseguirmos nos encontrar.

Abri minha boca para protestar, mas ele não me deixou falar.

– Eu já disse a você para não se preocupar, Abbey. Relaxe. – Ele estava sorrindo para mim, e não pude resistir a sorrir também. Acho que ele estava começando a perceber que eu concordaria com qualquer coisa que ele dissesse só para receber aquele sorriso.

– Tudo bem, tudo bem – respondi. – Aproveite o resto dos seus biscoitos e nós nos vemos por aí.

– Viu? – disse ele com um sorriso enorme no rosto. – Não é tão ruim assim, é, Astrid? Sem preocupação demais. – Ele inclinou um pouco a cabeça. – Muito obrigado pelos biscoitos. Tenho quase certeza de que eles já terão acabado bem antes de eu chegar em casa. Agora, antes de você ir embora, feche os olhos e estenda a mão.

Olhei para ele.

Ele esperou.

Suspirei de um jeito meio dramático e estiquei minha mão enquanto fechava os olhos. Mas nada aconteceu.

– Tem certeza de que seus olhos estão fechados? – perguntou ele.

– Certeza absoluta.

– Você promete que só vai abrir isso em casa?

Essa era uma promessa bem difícil de fazer. Ele estava me dando alguma coisa? Era um longo caminho para casa.

– Abigail Astrid? – insistiu ele.

Eu ri.

– Sim, sim, prometo. Apesar de estar morrendo de curiosidade, prometo que só vou abrir o que quer que você esteja me dando quando chegar em casa.

Alguma coisa pequena e macia foi posta na minha mão. Pareceu um pedaço de tecido e, antes de abrir os olhos, coloquei no bolso. A tentação poderia ser grande demais se eu a visse.

– Tchau, Abbey. – Ouvi Caspian gritar. – Lembre-se de sua promessa.

Meus olhos se abriram, mas ele já estava se afastando de mim. Sorri quando senti o objeto em meu bolso. Talvez eu devesse ir correndo para casa.

– Tchau, Caspian, vejo você por aí – gritei, indo para a direção oposta. Lembrei-me da conversa anterior e alguma coisa que ele havia dito me incomodou. – Caspian, espere um pouco! – Dei meia-volta.

Embora estivesse bem longe, Caspian se virou para mim.

– Sabe o que é? Eu nem ao menos sei seu sobrenome – gritei. Mesmo daquela distância, pude ver os olhos dele brilharem.

– Crane – gritou ele de volta. – É Caspian Crane.

Capítulo Catorze

NOVOS AMIGOS

Várias pessoas de Sleepy Hollow estavam presentes na festa de Van Tassel, e, como de hábito, estavam espalhando suas lendas estranhas e maravilhosas.

– A lenda do cavaleiro sem cabeça

Mal aguentei chegar em casa. O suspense estava me *matando*. Eu alternava entre corrida e caminhada, o que logo me deixou ofegante e precisando de ar. Eu estava *mesmo* fora de forma. Várias vezes me senti tentada a olhar o que estava em meu bolso, mas então eu podia ouvir as palavras de Caspian e minha promessa a ele, e a culpa me impedia de xeretar.

Quando a porta da frente finalmente se materializou na minha frente, fiquei *muito* aliviada. Subi correndo os degraus da varanda, e, ansiosa, procurei pela chave nas minhas calças. Tirei a chave do bolso de trás, enfiei no buraco da fechadura, quando a maçaneta virou sozinha e a porta se abriu. Assustada, olhei para o rosto de mamãe.

– Oh, bem, você está... O que há de errado com você? – perguntou ela. – Você estava correndo?

Baixei os olhos na mesma hora. Eu não podia dizer a ela, assim explicitamente, que eu tinha ido encontrar um rapaz num cemitério. Respirei fundo várias vezes, tentando acalmar minha respiração, mas não estava funcionando.

– O que aconteceu? – A voz de mamãe estava aumentando, e levantei a mão tentando fazê-la parar de se preocupar.

– Está tudo bem – falei, ofegante. – Eu apenas caminhei para casa... um pouco rápido demais. Eu me lembrei... que tenho um pouco de lição de casa... para terminar.

– Mas hoje é sábado.

Minha respiração começou a voltar a algo próximo do normal.

– Mamãe... ninguém quer fazer lição de casa no domingo. – Eu me dirigi à cozinha e peguei uma garrafa de água antes de me jogar em um banquinho alto junto à mesa. Engoli a água o mais rápido que pude.

– Cuidado – alertou. – Você vai ficar doente se você beber isso muito rápido.

Coloquei a garrafa, agora vazia, na mesa e sorri ironicamente para ela. Mamãe era *tãããããoo* boa conselheira. Tateando meu bolso pela milionésima vez, eu imaginava que surpresas poderiam estar ali enquanto passava meus dedos pelas bordas macias. Dei uma olhada para o relógio na parede e imaginei com que rapidez eu poderia escapar para meu quarto.

Agora, a curiosidade poderia me matar a qualquer segundo.

— Fico feliz que você tenha recebido minha mensagem sobre hoje à noite, Abbey. — A voz de mamãe interrompeu meus planos.

Mensagem...? Certo, mamãe tinha deixado uma mensagem de voz enquanto eu estava na ponte. Eu me contorci na cadeira. Não tinha exatamente escutado o que ela dissera...

Blefei:

— Sim, recebi seu recado de voz, mas a comunicação estava péssima na ponte. — Deixei a frase assim, esperando que ela presumisse que eu não tinha ouvido a mensagem inteira por causa da má comunicação.

— Você tem passado muito tempo sozinha na ponte. — Ela franziu a testa. — Sei que era seu local favorito para ir com Kristen, mas não é saudável para você ficar lá sozinha o tempo todo. Talvez você devesse ver com suas amigas da escola se elas não querem se reunir. Nós podíamos planejar algo divertido, como uma noitada de garotas, algo assim.

Se ela soubesse o quão não sozinha eu estava na ponte... Entretanto, isso era algo que eu não iria partilhar com minha mãe. Acatei.

— Sim, talvez eu proponha a elas.

Talvez em uma outra vida.

Mas tal exclamação colocou um ar feliz no rosto de mamãe, e ela começou a tagarelar novamente.

— Tudo bem, então, para o jantar hoje à noite com tia Marjorie, eu estava pensando em rosbife, mas então percebi que nem sei se ela gosta de carne de boi. E se ela preferir frango, ou cordeiro?

Ignorei o resto da conversa. Jantar... Hoje à noite... Tia Marjorie... Dei um sorriso desanimado e tentei concordar com a cabeça em todos os momentos apropriados, à medida que mamãe murmurava, enquanto eu também me remexia na cadeira, ansiosa para conseguir a privacidade do meu quarto.

Mamãe sorriu.

–É muito bom que você esteja realmente a fim desse jantar, querida. Tia Marjorie gostará disso.

Eu podia estar abrindo o presente de Caspian neste exato momento. Neste exato segundo, segurando-o em minhas mãozinhas vorazes... Minha perna começou a contrair-se involuntariamente, pronta para correr para cima a qualquer momento.

– Você está terrivelmente agitada. – Mamãe me olhou zangada. – Por que não vai tomar um bom banho quente para acalmar seus nervos? Eu sei que nós não vemos tia Marjorie há anos, mas não há razão para ficar ansiosa por causa disso.

Saltei de cima do banquinho, feliz por ter uma desculpa para sair dali.

– Parece uma ótima ideia, mamãe. Estou toda suada e suja da corrida também. – Não sei se ela me ouviu ou não, mas já estava se movendo para fazer outra coisa, provavelmente verificando se no refrigerador havia todos os ingredientes para o jantar, alguma coisa assim.

– A que horas vamos comer? – perguntei, enquanto jogava a garrafa de água vazia na lata de lixo.

– Às seis – foi sua resposta distraída. – E procure vestir algo bonito para tia Marjorie.

Fiz uma careta para ela enquanto caminhava para fora da cozinha. "Vestir algo bonito." *Quantos anos eu tinha, dez?* Parei de pensar nisso assim que me dei conta de onde estava indo e o que aquilo significava.

O presente. De Caspian. Logo seria aberto.

Correndo escada acima, eu dizia a mim mesma o tempo todo que estava quase lá. Já era quase a hora de descobrir qual seria a surpresa dele para mim. Meu coração batia descompassadamente quando finalmente alcancei meu quarto e tranquei a porta atrás de mim. Retirei o pequeno embrulho do meu bolso com cuidado e o coloquei na cama com reverência. Ele estava embrulhado num pedaço de tecido vermelho.

Chutei meus sapatos, sentei-me com as pernas cruzadas e fui me ajeitando, até que estivesse numa posição confortável. Então, retirei o pedaço de tecido. Uma batida repentina na porta me interrompeu e quase saltei da cama.

– O que é? – gritei, empurrando o presente para baixo do meu travesseiro.

A voz abafada de mamãe ecoava pela porta.

– Abbey, preciso de sua opinião sobre uma coisa. Acabei de ligar para a loja para encomendar rosbife, e eles não têm. Você acha que eu deveria comprar frango ou cordeiro? Ou quem sabe peixe? Será que tia Marjorie gostaria de um bom assado...?

– Mãe! – explodi, cortando-a no meio da frase. – Qualquer coisa serve! Compre o que você quiser. Tenho certeza de que tia Marjorie comerá qualquer coisa que você colocar na frente dela. Ou por que você não faz algo como... bolo de carne... ou qualquer coisa?

— Essa é uma boa ideia — disse ela. — Será que ela gostará disso?

— Sim, mãe, eu acho que sim. Agora vá começar a fazê-lo. Estou indo para a banheira, lembra?

— Certo. — Ela riu. — Obrigada, Abbey. Aproveite seu banho.

Prendi minha respiração até que ouvi os passos de mamãe desaparecem. Alcançando meu travesseiro, retirei o presente e o segurei apertado em meu colo, respirando profundamente. Encarei a porta por alguns minutos, esperando para ver se haveria mais alguma interrupção, mas parecia que tudo estava calmo. Acho que me esqueci de respirar enquanto desenrolava lentamente as várias camadas de tecido vermelho. O pacote ia ficando menor e menor, até que a última dobra revelou o tesouro dentro dele.

Era um colar. Ele tinha me dado um colar.

Eu o ergui com delicadeza. Parecia ser feito de pequenas placas quadradas de vidro, com as pontas unidas umas às outras. Havia uma pequena argola no ponto mais alto, e uma fita de cetim preta estava enfiada através dela. Mas a melhor parte era o que estava embaixo da superfície de vidro.

Na frente, com um fundo de cor azul como meia-noite, estava o nome "Astrid" gravado em letras cursivas, que fluíam em vermelho. Segui com o dedo as linhas graciosas e, cuidadosamente, virei-o ansiosa para ver o outro lado.

A parte de trás tinha o mesmo fundo azul brilhante, mas pontilhada com pequenas estrelas brancas, cada uma suspensa como um perfeito diamante, brilhante contra o quadro da noite. Era absolutamente extraordinário. A coisa mais linda que eu já tinha visto.

Amarrando a fita em volta do meu pescoço, pulei da cama e corri para o espelho. O pingente ficava sobre a depressão de minha garganta e a fita preta abraçou meu pescoço num gracioso "V". Eu não podia parar de olhar para o presente. Isso *tinha* que significar que ele sentia algo por mim. De modo algum você daria algo tão pessoal a alguém que fosse apenas "amigo".

Aquele pensamento me encheu de uma alegria estranha, e dancei animadamente pelo quarto, parando apenas quando quase esbarrei perigosamente no meu criado-mudo. Fui olhar mais uma vez no espelho, quando, de repente, lembrei-me do banho que já devia ter tomado.

Fui para o banheiro, coloquei o tampão na banheira e abri a água, girando o botão da torneira até que ela alcançasse a temperatura de que eu gostava. Então, adicionei uma colher bem cheia de sais de banho e fechei a porta enquanto saía do cômodo para retirar o colar.

Desamarrei a fita lentamente e segurei o pequeno pingente em minha mão. As bordas de metal eram ásperas e irregulares, um contraste total com o vidro laminado liso. Eu estava impressionada com a perfeição dos detalhes. Onde ele tinha comprado aquilo? Era uma verdadeira obra-prima. Uma minúscula obra de arte que certamente valia mais para mim que qualquer pintura de Monet ou Van Gogh.

O som da água correndo me lembrou de meu banho novamente esquecido. Então, coloquei o colar sobre a cama e corri para o banheiro. Faltou pouco para que a banheira transbordasse, mas cheguei a tempo.

Fechei a torneira e tirei minhas roupas antes de molhar um dedo do pé descalço. Estremeci ao contato com a água. Ela estava tão quente que realmente me dava arrepios. Dando-me tempo para me ajustar à temperatura, afundei pouco a pouco e suspirei feliz, quando estava totalmente imersa. *Isto* era o paraíso numa banheira.

Alcançando a bolsa de aniagem que continha meus sais de banho, adicionei outra colherada à água. Um perfume gostoso de torta de abóbora imediatamente preencheu o banheiro, e recostei minha cabeça e fechei os olhos. A aspereza dos sais roçou minha pele enquanto eles afundavam, e passei minhas mãos delicadamente em torno de mim, criando minúsculas ondas para ajudá-los a se dissolver. A água estava quente e reconfortante, e senti meu corpo começar a relaxar lentamente.

Minha mente vagou, e me peguei pensando sobre os últimos meses. Tantas coisas haviam acontecido – boas e ruins. Apesar de ter aceitado a morte de Kristen, de alguma forma, eu ainda estava perturbada por tudo o que havia descoberto nos diários. E quanto aos planos para minha loja? Será que ela *realmente* iria querer que eu continuasse com eles?

Então, pensei em Caspian, o que imediatamente colocou um sorriso em meu rosto. Eu não havia planejado completamente onde ou como contaria a ele o que sentia, mas ainda tinha muito tempo para resolver. O momento certo viria. No devido tempo.

Fiquei na banheira até meus dedos ficarem enrugados e revivi o beijo da biblioteca várias vezes. Relutantemente, saí da água e me sequei, então marchei para pesquisar meu *closet* a fim de encontrar algo bonito para vestir. Acabei escolhendo um vestido rosa com botões que mamãe tinha comprado para mim no ano passado para a escola. Eu usaria o vestido por ela e minhas botas pretas por mim. Esse era um bom acordo.

Depois que me vesti, coloquei de volta o colar de Caspian e amarrei um lenço preto em torno do meu pescoço para escondê-lo. Eu realmente não estava com disposição para explicar a mamãe e papai de onde ele tinha vindo, mas certamente *não* iria deixar de usá-lo.

Arrastando os pés, desci, esperando o que sem dúvidas seria a noite mais chata da minha vida.

Mamãe tinha concordado com minha sugestão de bolo de carne, e esbocei um sorriso educado para tia Marjorie quando ela chegou. O jantar foi razoavelmente normal, embora mamãe e papai tenham se encarregado da maior parte da conversa. Tia Marjorie me deixou completamente chocada, enquanto, segurando as ervilhas, anunciou que também costumava usar botas tipo exército e que ela havia adorado as minhas.

A expressão de surpresa no rosto de mamãe era impagável, e decidi bem ali, naquele momento, que tia Marjorie era oficialmente minha nova tia favorita.

Ela passou o resto da noite me contando histórias sobre os anos rebeldes de sua juventude e da época em que havia pilotado. Ela ainda tinha seu próprio avião e tudo. Fiquei pedindo a ela uma história após a outra, até que o jantar terminou e várias horas haviam se passado sem que nenhum de nós percebesse. Quando ela apanhou seu casaco, fiquei triste de verdade em vê-la partir, mas prometi visitá-la logo. E ela prometeu me levar em seu avião e me ensinar uma ou duas coisas sobre como voar.

Então, ela era oficialmente minha nova parente favorita de *todos os tempos*.

Eu não imaginava que havia alguém tão bacana na família e mal podia esperar para visitá-la.

Nove horas da manhã chegou cedo demais no dia seguinte, e me senti como se tivesse fechado o olhos apenas alguns segundos antes. Com certeza, não parecia que eu havia passado as últimas sete horas e meia numa cama confortável, cercada por travesseiros macios.

Mas assim que entrei no chuveiro, a água quente fez maravilhas. Eu tinha a sensação de que Caspian estaria no cemitério hoje e queria agradecer a ele pelo maravilhoso colar.

Espiei pela janela para avaliar o tempo e vi o vento chicoteando entre as árvores, agitando no chão as folhas de bordo alegremente coloridas, e fazendo cada uma delas dançar. Agarrei um casaco impermeável de cinto vermelho a caminho da porta de saída. Eu não ia ser pega pelo frio desta vez.

O ar lá fora estava fresco e limpo, e eu respirei profundamente. Tudo parecia tão brilhante e novo... Era como um mundo inteiramente diferente aqui fora. Eu me sentia leve, bonita e completamente feliz. *Nada* poderia estragar meu bom humor...

... exceto vagar por um cemitério a manhã toda, procurando alguém que não estava lá.

Para tornar a situação pior, eu havia pulado o café da manhã de novo, o que significava que estava mais que faminta. *Faminta* eu estava uma hora atrás. Agora, parecia que eu poderia comer o café da manhã, almoço e jantar de uma vez só, um depois do outro.

Me arrastei pelo caminho do cemitério uma última vez, em direção ao rio, com minhas mãos bem fechadas em meus bolsos. Mais uma volta. Eu daria só mais uma volta lá embaixo, perto da ponte, e então realmente sairia dali. Havia vários pedaços de pizza fresquinhos, quentes, chamando meu nome na pizzaria do centro, e eu não queria recusá-los.

A decepção pesava em minha alma enquanto eu olhava sob a ponte, desesperada por qualquer pequeno sinal de Caspian. Ele não estava lá. Retomei a passagem de volta lentamente, para o caminho principal do cemitério, mas entrei à direita quando normalmente teria entrado à esquerda. O caminho se dividia, e eu comecei a andar em direção à outra metade do cemitério, dizendo a mim mesma que não havia uma razão *especial* para eu estar indo por ali. Esse rumo me levaria para fora do cemitério e para a pizza... finalmente. Não era como se eu estivesse indo ver se Caspian estava deste lado. Isso era algo que eu definitivamente *não* estava fazendo.

Eu quase tinha me convencido, quando vi alguém. Meu coração acelerou até que percebi que era Nikolas. A decepção voltou. Abri minha boca para dizer algo, mas percebi desajeitadamente que não sabia o que dizer.

Eu não sei se fiz algum tipo de barulho estranho com minha boca aberta daquela forma ou se ele, de algum modo, apenas sentiu que eu estava lá, mas de repente ele se virou e olhou em minha direção. Um largo sorriso se abriu em seu rosto e ele acenou. Sorri de volta e acelerei o passo.

– Oi, Nikolas – disse, assim que cheguei mais perto.

O cabelo dele estava ainda mais bagunçado por causa do vento do que anteriormente, mas seus olhos ainda eram quentes e amáveis. Ele me saudou com um aceno.

– Katy, veja, nós temos uma visita. A jovem sobre quem eu lhe falei – chamou Nikolas.

Eu me virei na direção que parecia que ele estava falando. Mais abaixo, em outra trilha, uma mulher mais velha estava colocando uma única flor junto a cada túmulo. Ela olhou em nossa direção, e eu podia ver seu rosto enrugado se iluminar com um sorriso. Seu longo cabelo de um dourado avermelhado estava preso e caía em suaves ondas, e ela estava usando uma saia à moda antiga que deveria parecer completamente *cafona*, mas nela ficava inacreditavelmente bem. Curvando-se para pegar a cesta do chão, ela se levantou e começou a vir em nossa direção.

Nikolas estendeu sua mão para ajudá-la quando ela nos alcançou. Ela apertou a mão dele brevemente, e Nikolas fez as apresentações.

– Esta é Abigail... digo, Abbey, querida. – Ele virou-se para mim. – E esta é minha esposa Katy.

— É muito bom conhecê-la — eu disse. Os olhos dela eram iguais aos dele; amáveis e enrugados nos cantos, mas eles eram azul-claros. Mais brilhantes até que meus próprios olhos azuis.

— Que coisa encantadora encontrar você, Abbey — respondeu ela. — Nikolas me disse que você o ajudou a cuidar do sr. Irving. Eles gostaram muito da companhia. Você gostaria de se juntar a nós para tomar chá esta tarde? — Ela me olhava esperançosamente.

— Vocês têm chá de hortelã? — perguntei com um sorriso enorme para Nikolas. Os dois riram às gargalhadas.

— Ah sim, claro. É nosso tipo de chá favorito — disse Katy.

— Então eu adoraria — concordei.

Katy passou a cesta que segurava para Nikolas.

— Se você carregá-la para mim, amor, nós iremos na frente. — Então, ela o olhou de maneira questionadora, e ele acenou com a cabeça uma vez, concordando.

Pegando minha mão, Katy a colocou em seu cotovelo, como se estivéssemos de braços dados. Eu não sabia aonde estávamos indo, não havia casas próximas deste lado do cemitério, mas ela apenas começou a caminhar, e tentei acompanhá-la. Ela era surpreendentemente rápida para alguém que era, provavelmente, sessenta anos mais velha que eu.

Caminhamos por um tempo nessa trilha. De vez em quando, ventava ferozmente de um lado ou de outro. Quanto mais para longe caminhávamos, mais voltas e giros tínhamos de dar. A folhagem também começou a ficar mais densa. As árvores pareciam estar mais perto umas das outras, com seus galhos firmemente entrelaçados uns nos outros, filtrando a luz do dia de modo que ela só passava através de pequenas porções.

O chão estava cheio de musgo recém-brotado e de flores dispersas. Samambaias silvestres se empurravam para dentro do caminho, invadindo nosso espaço. Elas pareciam estar se estendendo para agarrar as bordas de nossas roupas enquanto passávamos. Suponho que as mudanças no cenário *deveriam* ter me deixado um pouco apreensiva, mas estar com Nikolas e Katy me tranquilizava.

Eu podia ouvir o gorjeio agudo dos pássaros, em uma dispersa melodia que só eles conheciam. Um *tap-tap-tap* agudo indicava que um pica-pau estava por perto, e quando passamos por um tronco de árvore gigante, eu o vi. Sua cabeça era vermelha flamejante, e ele parou suas bicadas por um momento para olhar para trás, para mim, como se estivesse espantado ao ver alguém tão perto de seu reivindicado espaço.

Era tudo tão... extraordinário. Eu tinha passado muito tempo ao ar livre e certamente tinha visto plantas e pássaros antes, mas isto... isto era completamente diferente. Aqui era selvagem e intocado. Como a natureza deveria ser.

O que mais me surpreendeu foi que eu nunca havia notado este lugar. Eu achava que Kristen e eu tínhamos explorado cada centímetro do terreno do cemitério.

De repente, Katy diminuiu a velocidade e indicou que iríamos atravessar uma pequena ponte de madeira bem à frente. As velhas ripas instáveis da ponte saltavam e estalavam sob nossos pés enquanto atravessávamos, fazendo um som – *clip, clop* – ecoar a nossa volta. O barulho deixava o ambiente sinistro, e eu dava olhadas rápidas para me certificar de que não estava sendo seguida por um cavalo. Ou talvez um cavaleiro sem cabeça...?

Olhei para baixo, para o córrego raso, e me senti uma tola. O Cavaleiro não poderia atravessar a água. O que eu estava pensando? Forçando um riso enquanto saímos da ponte, dei um suspiro não tão silencioso de alívio. Nikolas estava a um passo atrás de nós, mas ele nos alcançou rapidamente.

Meu queixo caiu quando olhei para cima e vi o que me esperava à frente. Era o chalé mais perfeito que eu já tinha visto, algo saído diretamente das páginas de um conto de fadas.

As paredes eram feitas de pedras largas, irregulares, enquanto o telhado era de placas de palha. Várias plantas cresciam abundantemente debaixo de cada janela arqueada de vidro moldado. Uma videira trepadeira de flores roxas estava subindo pela sólida chaminé à esquerda da porta da frente de madeira.

– Glicínias – eu disse para mim mesma em uma voz muito baixa. Eu as reconheci por causa da propriedade da família Irving. – Sua casa é absolutamente linda! – sussurrei, encantada. – Eu não sabia que alguém morava aqui atrás.

Katy concordou com um aceno de cabeça.

– Obrigada. Tenho certeza de que minha casa gostou de ser elogiada. – Havia certo brilho em seus olhos.

– Fico contente que sua casa aprecie elogios – eu disse, com um sorriso. Aproveitei outro momento para olhar o lindo cenário a minha volta, e Nikolas andou ao nosso redor para colocar a cesta que estava carregando ao lado da porta da frente. Então, ele abriu a porta e manteve a mão estendida, esperando por Katy, que tinha se abaixado para apanhar uma folha morta de uma das glicínias. Ela colocou sua mão na dele, e eles cruzaram a soleira da porta juntos, partilhando um olhar que me fez sentir muita saudade de meus avós, falecidos há tanto tempo.

– Por favor, fique à vontade, Abbey – chamou Katy de dentro da casa.

Respirei fundo e entrei, insegura sobre o que eu veria. Mas a visão não me desapontou. O interior era tão belo quanto o exterior.

As flores podiam ser encontradas em absolutamente *toda parte*. A casa parecia uma floricultura. Buquês de flores secas pendurados em vigas de suporte expostas e paredes, enquanto flores frescas enchiam garrafas antigas de vidro que cobriam cada superfície livre.

Os balcões eram limpos e arrumados, sem vestígios de lanches ou *junk food*, como os da minha casa. Não havia um pacote de pão sequer fora do lugar. Uma velha roda de fiar estava pendurada em uma das paredes brancas, mas o lugar óbvio de reunião era uma mesa enorme de ardósia, gasta pela idade, colocada em frente à lareira de tijolos.

Fiquei ali em pé, meio sem jeito, sem muita certeza do que fazer agora que eu estava dentro da casa deles, mas Katy disse para me sentar e fez um gesto em direção à mesa.

Puxando uma cadeira esculpida com ornamentos, fiz como me disseram.

Nikolas alcançou uma chaleira de chá, de metal, pendurada ao lado da lareira, em seguida, levou-a até a pia e falava baixinho com Katy, enquanto a enchia com água. Ela pegou algumas folhas de uma tigela sobre o balcão e levou até ele. Alisando o cabelo selvagem dele com a mão enrugada, o olhar que ela lhe deu me fez sentir como se eu estivesse invadindo um momento muito pessoal. Olhei para fora e deixei minha mente viajar.

Eu podia muito bem ver a mim mesma ali naquele ambiente. Rodeada por meus frascos, óleos e jarros de vidro. Fazendo meu próprio chá de hortelã com alguém que tinha cabelo loiro esbranquiçado e olhos verdes e cujo sorriso me fazia derreter. Nós poderíamos construir um pequeno espaço de trabalho sob a janela ao lado da pia, e eu poderia criar meus perfumes o dia inteiro com uma visão perfeita do jardim. Um gato gordo e preguiçoso deitaria em frente à lareira e à tarde tomaríamos nosso chá juntos. Ele poderia me ajudar a rotular os perfumes, encher os frascos, levantar todas as coisas que eram pesadas demais para mim e conversaríamos sobre tudo e sobre nada, enquanto trabalhávamos lado a lado.

O som estridente e repentino do metal do bule batendo no gancho que o pendurava na lareira interrompeu meus devaneios, e eu os freei. Eu estava mesmo reorganizando a casa de outras pessoas para atender as minhas necessidades e planejando o futuro de Caspian por ele? O que havia de errado comigo? E se ele não quisesse morar num chalé aconchegante e encher frascos ou levantar coisas pesadas, e ter pausas para o chá à tarde? E se ele quisesse fazer algo inteiramente diferente com sua vida?

E se ele não... me quisesse? Eu estava delirando seriamente e colocando o carro à frente dos bois, então, respirei fundo e tentei me acalmar. Olhei em volta e vi que Nikolas estava indo para uma cadeira de balanço no canto com uma pequena faca e um pedaço de madeira na mão, enquanto Katy esfregava o balcão à sua frente. Vê-los ali, num lugar obviamente muito amado e adequado para eles, trouxe uma dor sombria para o meio do meu estômago. Eles realmente me lembravam dos meus avós.

Desde que eles haviam morrido, um poucos dias depois do outro, quando eu tinha seis anos, o que me havia restado deles era um punhado de lembranças. Mas os sentimentos de amor e ternura nunca se esvaíram. Eu podia me recordar vagamente do quanto eles realmente pareciam gostar da companhia um do outro. Era completamente diferente no que dizia respeito a meus avós por parte de pai. *Eles* estavam divorciados havia mais tempo do que foram casados e nem mesmo gostavam de ouvir o nome um do outro.

Eu esperava de todo coração que aquilo nunca acontecesse comigo. Eu queria um final feliz e um chalé feito de pedra no futuro. Queria nunca acabar odiando a pessoa que eu havia jurado amar até que a morte nos separasse. Preferiria não amar ninguém àquilo acontecer comigo.

Pensar sobre divórcios e "infelizes para sempre" certamente não estavam fazendo minha tarde mais feliz, então, decidi tentar manter uma conversa educada. Afinal de contas, não poderia ficar pior do que enfiada em uma cadeira me deprimindo com meus próprios pensamentos. Eu disse a primeira coisa que me veio à mente.

– Então, vocês gostam da lenda?

Katy e Nikolas me encararam como se eu estivesse falando uma língua desconhecida.

– A lenda? – perguntaram eles inocentemente.

– Vocês sabem – elaborei –, *A lenda do cavaleiro sem cabeça*. Como vocês vivem aqui... estou curiosa para saber se vocês gostam dela.

– Sim, nós gostamos – falou Nikolas antes que eu tivesse a chance de abaixar a cabeça e me desculpar pela minha óbvia inabilidade em manter conversas educadas. Dei uma olhada para ele, que estava concentrado em arrancar lascas de madeira.

– É uma história que nos é muito próxima e querida pelo fato de termos vivido toda a nossa vida aqui – concordou Katy, puxando uma cadeira ao meu lado. Ela segurava um monte de fios multicoloridos emaranhados, e eu podia ver duas agulhas de tricô prateadas brilhando, projetando-se para fora. – E você, querida? – perguntou ela. – O que você acha da lenda? Você parece ter uma forte ligação com Sleepy Hollow.

– Oh, é uma de minhas favoritas – eu disse. – Eu também vivi aqui minha vida inteira e acho que é ótimo que a cidade aceite a história tão bem. Meus pais são do conselho municipal, então vou a muitas reuniões com eles e posso ver em primeira mão todo o trabalho que é feito na preservação de Sleepy Hollow.

Katy concordou com um gesto de cabeça enquanto começava a separar os montes de fios.

– A conscientização dos moradores da cidade sobre sua própria história certamente cresceu ao longo dos anos, mas sempre houve algo especial neste lugar. Eu não acho que alguém possa passar um tempo vivendo aqui sem sentir sua magia, a atração de viver a história a nossa volta. Nós também temos uma ligação especial com o cemitério.

Um estalo ecoou pela sala quando ela pegou suas agulhas e começou a tricotar. Cruzei as mãos à minha frente e assisti a seus dedos voarem com movimentos, dando laçadas e puxando, intermináveis vezes.

– Você esteve no Museu de Sleepy Hollow ultimamente? – perguntei, e me curvei levemente para a frente, ainda insegura sobre o que fazer com minhas mãos. – A exposição de genealogia tem um monte de coisas novas que são realmente interessantes. Eu gosto da... – A chaleira apitou com força, interrompendo minha frase, e dei um pulo por causa do barulho inesperado. Nikolas levantou-se para pegar um pano de prato para segurar o cabo quente da chaleira.

– Só um minuto, querida. – Katy deu um tapinha em minha mão antes de apanhar três xícaras de chá idênticas. – Deixe-me preparar o chá, e então você pode continuar.

Nikolas trouxe a chaleira para ela, cuidadosamente despejando o líquido fervente, e então colocou-a de volta em seu gancho de ferro.

Dois potinhos de prata menores combinados estavam colocados no meio da mesa, e eu os movi para mais perto de nós. Katy trouxe do refrigerador um terceiro pote combinando e o colocou ao lado dos outros dois.

— O leite está neste, e aqueles dois são açúcar e mel — explicou ela, pegando sua xícara de chá.

Eu assistia enquanto ela despejava uma pequena quantidade de leite e algumas gotas de mel em seu chá e então agradeceu a Nikolas quando ele colocou três colheres sobre a mesa. Nikolas preparou seu chá da mesma forma, usando um pouco mais de mel. Sua esposa sorriu, zombando dele em desaprovação, e ele sorriu como um menino que tivesse pegado um segundo pedaço de bolo de chocolate.

Minha xícara era a próxima. Normalmente, eu preparava meu chá como costumava fazer com meus cafés. Três pingos de leite e duas colheres de açúcar. Mas naquele dia, experimentei o mel. Coloquei algumas gotas a mais, como Nikolas, imaginando que quanto mais doce melhor. Enquanto mexia vigorosamente a colher em minha xícara, Katy recostou-se em seu assento, e Nikolas retornou a sua cadeira de balanço.

Tomei um gole cauteloso.

Era surpreendentemente bom. O sabor de hortelã era nítido e forte, muito melhor que o gosto do chá de hortelã genérico, de saquinho, e o mel adicionava a quantidade certa de sabor, dando a ele um paladar diferente. Dei outro gole, maior desta vez. Eu podia realmente começar a gostar dessa coisa.

Ficamos os três ali, sentados, em silêncio, e quase parecia que eu conhecia aquelas pessoas por minha vida toda e que tinha passado cada dia tomando chá com eles. Mas então comecei a sentir como se tivesse que compensar o tempo perdido, e isso me assustou um pouco. *Estes não são seus avós*, eu me obriguei com firmeza a lembrar. Embora eles parecessem pessoas muito boas, provavelmente tinham seus próprios netos que realmente vinham visitá-los para o chá. Eu era apenas uma estranha de passagem.

– Vá em frente e termine o que você estava dizendo, querida – insistiu Katy com um sorriso acolhedor, e me forcei a me livrar da melancolia.

– Eu só estava dizendo que realmente gosto da exposição que eles fizeram, com base na vida de Washington Irving. Só isso. – Enrolei meus dedos em torno da xícara de chá quente a minha frente.

– Você deve ser uma fã dele – disse Katy. – Não são muitas as pessoas da sua idade que ajudariam um velho a tomar conta de um túmulo.

– Oh, eu o faria a qualquer hora – falei sem pensar. – Quero dizer, para qualquer túmulo, mas especialmente para o dele. Minha melhor amiga e eu costumávamos passar muito tempo lá, conversando com ele e tal. – Olhei para minha bebida, percebendo o quanto aquilo me fazia parecer maluca. – Quero dizer – eu disse, rapidamente –, não como malucas ou qualquer coisa assim. Apenas... fingindo. – Ouvi minhas palavras e me encolhi por dentro. Sim, *desse modo* eu ia fazê-los pensar que eu *não* era louca...

Katy sorriu para mim por sobre suas agulhas estalando.

– Nós sabemos o que você quer dizer, Abbey. Eu acho que é maravilhoso. Ele também era muito importante para nós. Suas obras são um pedaço da História dos Estados

Unidos, e acho que você presta um grande serviço à memória dele ao lembrá-lo assim.

– É exatamente assim que eu penso também! *A lenda do cavaleiro sem cabeça* é uma das únicas histórias de fantasma dos Estados Unidos, e eu tenho a sorte de viver bem aqui, no meio de tudo isso. É incrível. Estamos literalmente vivendo na História e isso me deixa admirada.

Nikolas riu de meu entusiasmo evidente, e corei.

– Desculpe – eu disse. – Às vezes, eu exagero um pouco no entusiasmo.

Katy discordou.

– Bobagem. Não há nada errado em amar História. Eu aposto que sua amiga tem a mesma opinião que você, não é?

– Bem, ela tinha. Ela... morreu. – Baixei os olhos, encarando o que havia sobrado do meu chá.

– Lá vêm, novamente, aquelas lembranças tristes – falou Nikolas do canto.

Sorri para ele corajosamente e chacoalhei minha cabeça em negativa.

– Hoje não. Hoje não deixarei as lembranças tristes tomarem espaço.

– Você disse antes que morou aqui toda a sua vida. Onde fica sua casa? – perguntou Katy. Eu estava contente que ela tivesse mudado de assunto e aceitei de boa vontade outro tema sobre o qual conversar.

– Moro na rua em frente ao outro lado do cemitério, perto dos portões principais. É uma grande casa vitoriana, com ornamentos verdes. Não dá para não vê-la.

Os dois fizeram muitas perguntas e pareciam verdadeiramente interessados no que eu tinha a dizer, então, passei o resto da tarde contando a eles sobre a escola, Kristen, e até mesmo sobre meus planos para a loja no centro da cidade. Hesitei em alguns momentos, incerta sobre o quanto deveria contar a eles ou por quanto tempo eu deveria ficar falando sobre mim, mas eles insistiam a cada vez que eu fazia menção de parar.

A luz do sol na sala mudou de posição várias vezes antes que eu percebesse que provavelmente estava abusando de minha acolhida. Então, despedi-me rapidamente e deixei a casa deles com a promessa de uma nova visita para o chá.

Foi surpreendentemente fácil encontrar o caminho de volta à trilha principal do cemitério. Enquanto atravessava os portões de entrada e seguia para casa, não pude evitar de pensar sobre o quanto era estranho que eles sempre tivessem morado lá atrás o tempo todo e que nunca os tivesse encontrado antes.

Capítulo Quinze

A OFERTA DE EMPREGO

Sua pequena e notável esposa também tinha muito o que fazer na casa além de cuidar de suas aves. Como ela mesma dizia, coberta de razão, patos e gansos são criaturas tolas, e precisam ter quem olhe por eles, já as moças podem tomar conta de si mesmas.

— *A lenda do cavaleiro sem cabeça*

Nas duas semanas seguintes, visitei o rio quase todos os dias, porém Caspian não estava lá. Eu sabia que ele estava ocupado, mas por que ele não podia fazer um intervalo de cinco minutos em sua programação? Visitei Katy e Nikolas novamente, mas acabei ficando apenas alguns minutos. Eu não estava sendo uma companhia muito agradável.

Uma tarde, fui até o túmulo de Kristen. Eu não ia lá desde a noite do baile da escola, e realmente *não estava* com o melhor dos humores, senti quase uma necessidade de ir. Fazia muito tempo que eu não a via.

Quando sua lápide apareceu em meu campo de visão, prendi a respiração. Eu podia sentir a dor direto em meu coração. Algum dia isso ficaria mais fácil? Será que algum dia eu seria capaz de me habituar ao fato de que minha melhor amiga agora morava *aqui*?

Eu me ajoelhei e toquei o alto da lápide.

– Ei, Kris. – Percorrendo com o dedo as letras ásperas de seu nome gravado, apenas me deixei ficar ali, sentada, quieta. Era bom me conectar com ela deste modo silencioso.

Depois de ficar sentada ali por um tempo, comecei a falar sobre a carta que eu tinha escrito para ela na noite do baile da escola. Então, trouxe à tona Caspian, e como eu havia passado os últimos dias procurando por ele. Não mencionei os diários que eu tinha encontrado ou os segredos que ela havia escondido de mim. Eu ainda não estava pronta para falar sobre aquilo. Talvez nunca estivesse.

Começou a escurecer, e eu sabia que era hora de voltar para casa, então me levantei, toda dura por ter ficado tanto tempo sentada no chão. Uma de minhas pernas tinha ficado dormente, e saí do cemitério mancando, deixando Kristen com um rápido adeus e a promessa de voltar a visitá-la logo.

Enquanto caminhava para casa, eu inventava desculpas para Caspian e para mim mesma. Ele deveria ter viajado durante o feriado ou talvez estivesse doente, ou vai ver sua família decidiu mudar-se para a África... Mas eu sabia que nenhuma delas era verdadeira e a depressão instalou-se. Eu tinha dificuldade em me concentrar. Não dormia muito bem. E até meu apetite tinha ido embora.

Quando as aulas finalmente acabaram na tarde de segunda-feira e começou o feriado de Ação de Graças, eu me senti tremendamente grata. Minha ida diária ao cemitério não havia produzido nada de novo, e acabei deitada na cama, naquela noite, bem acordada. Depois de uma hora olhando para o teto, sabia que tinha de encontrar *algo* para fazer antes que enlouquecesse. Acendendo a luz, olhei em volta do quarto. Uma mala cheia pela metade, encostada junto à porta, chamou a minha atenção.

Como visitaríamos uma porção de parentes durante o feriado de Ação de Graças, eu precisava me certificar de que havia material suficiente para me manter ocupada de forma que eu passasse o mínimo de tempo possível com a parentada.

Passei as duas horas seguintes inventariando cuidadosamente meus estoques de perfumes e separando nota por nota de velhos projetos que ainda não tinham sido terminados. Embalei muitos frascos de teste, uma meia dúzia de tubos extra de cor azul-cobalto e quase todos os óleos de essências. Então, arrumei outra mala cheia de livros, CDs, filmes e algumas revistas.

Quando tudo estava arrumado, olhei em volta novamente, satisfeita com o que tinha escolhido. Sentindo uma repentina dor nas costas e as pálpebras pesadas, empilhei minha mala, agora cheia, e duas bolsas no canto, e então cambaleei para a cama. Com alguma sorte, seria capaz de adormecer logo; eu tinha uma razão especial para despertar bem cedo.

Apesar de ter dormido apenas durante quatro horas naquela noite, eu me sentia surpreendentemente bem na manhã seguinte. Pulando da cama, apressei-me em reivindicar meu assento no furgão. Se não chegasse lá antes que papai acabasse de carregá-lo, seria forçada a suportar uma viagem desconfortável, espremida entre montes de malas.

Felizmente, tive sucesso, e me certifiquei de ter à mão tudo de que iria precisar para as sete horas de viagem até Ohio. Papai deve ter apressado mamãe também, porque meros trinta minutos mais tarde ambos estavam presos em seus cintos de segurança, e nós estávamos a caminho.

Tirei os fones de ouvido da minha bolsa, coloquei-os em minhas orelhas e abaixei o volume. A melodia era lenta e triste, mas relaxante. Eu me recostei e olhei pela janela enquanto deixávamos a casa para trás, contente por poder deixar minha mente vagar. As árvores passavam como um borrão, uma após a outra, e aquilo foi me hipnotizando. Meus olhos saltavam de galho em galho, enquanto meu cérebro tropeçava de pensamento em pensamento.

Por que *eu* tinha de ser aquela a descobrir os segredos de Kristen? Por que *eu* tinha de ser aquela cuja melhor amiga a traía? Por que *eu* tinha de ser aquela que era arrastada de casa e carregada por meio país para ver parentes com os quais eu não tinha a menor ligação? Por que meus pais não podiam dizer a todos que o peru seria tão saboroso em nossa casa quanto na deles? E por que Caspian não podia ter um maldito número de celular, de forma que eu pudesse encontrá-lo?

Claramente, o mundo inteiro estava conspirando contra mim.

Infelizmente, meu humor não teve a menor chance de melhorar quando chegamos à casa dos parentes. Me obrigavam a dormir num sofá cheio de protuberâncias, incomodada de todas as formas possíveis por primos chatíssimos de quinto grau e, mesmo quando eles eram mandados embora, a chateação não terminava, já que fui lembrada intermináveis vezes por dia, por várias tias, de que eu precisava concentrar-me mais no trabalho da escola porque ir para a faculdade não era como ir a um piquenique. Agora eu estava deprimida, brava *e* doida por estar confinada com todos aqueles parentes.

A vida teve misericórdia de mim e aquilo chegou ao fim, e logo nós estávamos indo para os parentes de Nova Jersey. Eles, pelo menos, tinham um quarto e um aparelho de DVD extras. O tempo passou bem rápido lá.

A parada final da nossa jornada de Ação de Graças era de volta a Nova York para ver tio Bob. Ele morava a cerca de uma hora de nós e possuía uma sorveteria que ficava a menos de vinte minutos da nossa casa. Uma vez que descobri que íamos visitá-lo na sorveteria, comecei a esperar ansiosamente por aquilo. Tio Bob + sorveteria = todo o sorvete que eu pudesse aguentar.

Ah, sim, eu *mal podia esperar* por essa visita.

A viagem não demorou muito, mas eu estava bastante cansada de passar a semana saltando de parente em parente, e me estatelei num velho sofá de couro no escritório do tio Bob assim que chegamos lá. Quando acordei, podia ouvir mamãe e papai conversando com ele na parte em que ficava a loja da sorveteria propriamente dita, então, silenciosamente, peguei o caminho do estoque para me servir de um pouco de sorvete. Eu sabia que tio Bob me deixaria comer todo o sorvete que quisesse, mas mamãe era outra história.

A sala do estoque estava escura e fria, mas os congeladores estavam surpreendentemente brilhantes e novos. Eles provavelmente eram as *únicas* coisas novas ali em volta. Tio Bob tinha tentado decorar a maior parte da loja em um estilo retrô dos anos 1950, mas acabou com uma coisa mais para velha e sem graça que para retrô...

Onze copinhos de sorvete mais tarde eu não aguentava comer mais nada, então vaguei de volta ao escritório do tio Bob. Um bando de retratos velhos decorava as paredes, e a maioria era assinada por pessoas que haviam parado ali num momento ou outro. Reconheci algumas celebridades e dois cantores, mas os outros eu realmente não imaginava quem fossem. As molduras dos retratos estavam descascadas e empoeiradas e pareciam ter sido trocadas havia anos. Balancei a cabeça diante de mais sinais de negligência à medida que continuava meu circuito pelo escritório e jurei a mim mesma que minha loja *jamais* se pareceria com aquilo.

Uma vez que alcancei a mesa, vi mais evidências de que manutenção, obviamente, não era uma das prioridades de tio Bob. Havia caixas por *todo lado*.

Cada uma estava abarrotada com papéis, recibos e envelopes fechados. Havia uma enorme caixa-arquivo onde estava marcado "Pendências" em letras negras apertadas, sob a escrivaninha, ao lado de uma cadeira. Ela também estava transbordando. Um armário de arquivos contra a parede tinha uma gaveta meio aberta e, após uma inspeção mais apurada, vi que não continha nada a não ser pastas vazias.

Enquanto olhava ao redor da sala, percebi que alguém realmente deveria dar uma arrumada naquilo um pouco. Um escritório não podia permanecer aquela bagunça e ainda assim ser funcional. E se tio Bob não fosse funcional, ele poderia perder a loja, e eu não queria que aquilo acontecesse. Além do mais, era algo para me manter ocupada enquanto mamãe e papai contavam a ele todos os detalhes de cada coisinha que tinha acontecido desde a última vez que nós o vimos. *Aquilo,* com certeza, levaria um bom tempo.

Então, atirei meu copinho de sorvete quase vazio na lata de lixo mais próxima, prometi solenemente nunca mais experimentar sorvete de manteiga de amendoim com abacaxi de novo e comecei a trabalhar.

Comecei pela escrivaninha que estava soterrada sob uma pilha de correspondência de aproximadamente meio metro de altura. As pilhas se erguiam de quase todos os lugares onde era possível. E então, quando você achava que havia acabado, mais um pouco de correspondência empilhada era encontrada. Era uma bagunça gigante. Fiquei tão envolvida com meu projeto que perdi a noção do tempo e não parei novamente até que ouvi vozes ficando mais altas. Quando percebi que eles estavam chamando por mim, corri para fora da sala para encontrá-los.

Mamãe me olhou de maneira estranha enquanto perguntava se eu estava ocupada demais para almoçar. Dei uma olhada para meu jeans, completamente sem noção do que ela queria dizer, mas então vi uma risca de pó subindo por uma das pernas. Escovei apressadamente para retirá-la, tentando pensar numa explicação.

– Eu estava só... tirando o pó de... alguns retratos nas paredes – eu disse quase sem voz.

Entretanto, ela deve ter engolido a desculpa esfarrapada porque deixou o assunto morrer. Papai e tio Bob formavam a outra parte de nosso grupo, e saímos para comer pizza.

A pizzaria aonde fomos estava praticamente vazia, e o proprietário fazia pessoalmente as pizzas, servindo-as em nossa mesa. Tio Bob estava no meio de uma história sobre como o peru tinha "entrado em combustão espontânea" no último Dia de Ação de Graças quando o sininho sobre a porta tocou e Ben entrou.

Imagino que eu deveria ter ficado surpresa em vê-lo, mas não fiquei. Tentei não fazer contato visual direto e me encolhi na cadeira, mas de qualquer modo, ele me viu. Um segundo mais tarde, o sino tocou novamente e entrou uma garota que me parecia familiar. Imaginei que provavelmente ela era da minha escola.

– *Não* olhem para lá – sibilei para todos na mesa. Como se combinado, suas cabeças imediatamente se voltaram para a porta.

– Eu disse não olhem – gemi. – Tem umas pessoas da minha escola ali na frente, mas não quero que me vejam.

Mas era tarde demais.

– Ei, Abbey – gritou Ben. – Podemos nos sentar com vocês, pessoal?

A garota com quem ele estava não pareceu muito contente com o pedido dele, nem eu.

– Claro, querido – disse mamãe, antes que eu tivesse a chance de dizer não. – Nós já pedimos algumas pizzas, então por que vocês, crianças, não vêm direto para cá?

Ben deu um enorme sorriso e pegou a mão da garota arrastando-a para nossa mesa. Forcei um sorriso e puxei minha cadeira até o lado oposto. Eles podiam estar partilhando nossa comida, mas isso não significava que eu tivesse de me sentar ao lado deles.

Declarando que a garota com quem ele estava se chamava "Ginger", Ben sentou-se, e eu, de má vontade, fiz as apresentações, começando com papai. Ele e mamãe pareciam contentes em ter mais companhia, e tio Bob estava louco de felicidade por ter uma plateia maior para ouvir sua eletrizante história sobre o peru.

Consolando-me com um pedaço de pizza de queijo, eu procurava esconder minha humilhação enquanto "Ginger" me encarava com punhais em seus olhos. Tentei imaginar quanto tempo exatamente esse show de horrores duraria.

Assim que voltamos à loja do tio Bob, mamãe e papai recomeçaram a conversar, e corri de volta para meu projeto. Tinha esperança de que o trabalho me ajudasse a esquecer, que ele fosse o suficiente para limpar meu cérebro da lembrança daquela noite na pizzaria.

Mudei todos os calendários para o mês corrente, endireitei uma pilha de revistas espalhadas pela mesinha de café ao lado do sofá. A última coisa que fiz foi levantar uma pilha gigante de correspondência fechada até a poltrona reclinável de couro desgastada, que servia como cadeira da escrivaninha.

Quando terminei, estava coberta com mais poeira ainda e minhas costas estavam me matando, mas o escritório estava começando a ficar ótimo. Estatelando-me no sofá, tirei meus sapatos e recostei minha cabeça contra a almofada. Profissionais de limpeza teriam cobrado um braço e uma perna para fazerem o que eu tinha feito. Era uma boa coisa que eu gostasse tanto de sorvete. Tio Bob poderia me pagar assim.

Sentindo o colar que usava sob minha camisa, eu o toquei por um instante e pensei em Caspian. *O que ele estaria fazendo agora? Será que estaria pensando em mim?* Fechei meus olhos e tentei descansar, mas os pensamentos de sorvete de menta com gotas de chocolate e *sorbet* arco-íris ficavam dançando por minha cabeça. Esqueça o descanso, é hora de pegar meu pagamento.

Deslizando meus sapatos de volta aos pés, bati em meus braços e pernas para retirar toda a poeira. Então, limpei minhas mãos. Com todos os traços de sujeira removidos, mamãe não deveria mais me lançar olhares estranhos.

Fui de novo até o estoque e enchi uma tigela com duas bolas de sorvete de menta com gotas de chocolate e *sorbet* arco-íris, lembrando da última vez que eu havia comido *sorbet* arco-íris. Tinha sido com Kristen, no último verão. Nós sempre apostávamos uma corrida para ver quem comia mais sorvete sem que o cérebro congelasse. Ela normalmente ganhava.

Uma súbita batida veio da porta ao lado dos congeladores e interrompeu meus pensamentos. Segurando a colher de sorvete em uma das mãos e a vasilha em outra, abri a porta empurrando-a com meu pé.

– Não é que esteja frio aqui nem nada parecido – ironizou uma voz mal-humorada. Um braço usando um Rolex prateado apareceu, segurando a porta.

Quase deixei cair a vasilha.

Um sujeito passou pela porta e pareceu encher a sala toda. Seu cabelo loiro tinha aquela aparência cuidadosamente iluminada e elegante que o fazia parecer naturalmente perfeita, e seu casaco de couro parecia novinho. Meus olhos se arregalaram.

– Meu pai me pediu para deixar estes papéis aqui. Ele precisa que sejam assinados e devolvidos até segunda-feira. – Ele deu uma olhada e de repente pareceu me ver pela primeira vez. – Quem é você?

– Eu sou... hum... a sobrinha dele. Sobrinha de Bob. – Coloquei a vasilha e a colher de sorvete na tampa do congelador.

– Sim, que seja. Você pode se certificar de que ele pegue estes papéis? São muito importantes. – Ele disse estas duas últimas palavras vagarosamente, como se estivesse soletrando para uma criança.

Estúpido.

– É claro que posso – eu disse, alegremente. Forcei um falso sorriso claro e brilhante em meu rosto. *E você que vá para...*

– Ótimo.

Ele colocou os papéis sobre o congelador e se virou para a porta.

– *Muuuito* obrigado – disse ele, cheio de sarcasmo, enquanto saía.

Quando a porta bateu, logo que ele saiu, fiz uma careta e mostrei a língua. A ousadia de algumas pessoas...

Peguei mais um pouco de sorvete, fechei a porta do congelador e me dirigi para o escritório do tio Bob. Coloquei os papéis em sua escrivaninha limpa e, então, fui me juntar ao resto da família na sala principal. Conversamos por mais uma hora, e então tio Bob nos acompanhou até lá fora, quando chegou a hora de irmos embora.

A viagem para casa foi calma e rápida. Eu não podia esperar para subir aquelas escadas rumo a meu quarto e finalmente dormir em minha própria cama por mais de uma noite. Tudo o que eu queria era estar em casa e ficar lá para sempre.

Eu nem mesmo reclamei de ter que levar minhas próprias malas para cima quando, por fim, chegamos lá. Arrastei-me escada acima feliz da vida e atirei meus sapatos quase tão rapidamente quanto despejei as coisas da minha mala aberta. Acho que realmente adormeci assim que minha cabeça alcançou o travesseiro e meu corpo se aconchegou sob os lençóis.

Deus, como era bom estar em casa.

Domingo de manhã, acordei cedo e não consegui entender por que tinha dormido tão bem, até que o estupor induzido pelo sono passou e vi que estava em minha própria cama. Nunca soube quanto eu realmente amava meu quarto até que fui forçada a deixá-lo. Jurei que isso nunca mais aconteceria novamente. Pelo menos não até o próximo Dia de Ação de Graças.

Quando cambaleei para fora da cama para me vestir, passei com dificuldade por uma colina de roupa suja que tinha explodido de minha mala e, rapidamente, percebi que roupa para lavar teria que ser o número um na minha lista de prioridades do dia. Eu esperava que mamãe estivesse à altura da tarefa.

Juntando toda peça que pude carregar, arrastei a roupa suja escada abaixo, cambaleando sob seu peso. Calculei que o mínimo que eu podia fazer por minha mãe era carregar tudo para baixo, já que ela ia cuidar de todo o resto. Larguei a roupa ao lado da porta da máquina de lavar e então fui fazer uma incursão na cozinha para o café da manhã. Arrastar roupa suja abre mesmo o apetite.

Depois que ataquei duas tigelas de cereal, voltei para cima e me inclinei relaxadamente sobre minha escrivaninha. Estava um pouco cansada, mas não estava com vontade de voltar para cama. Eu não sabia o que fazer. Revirando alguns papéis espalhados, peguei um velho caderno de perfume e dei uma olhada descuidada por ele. Um pensamento simples começou a agitar-se em algum canto obscuro da minha mente e continuei folheando, na verdade, não mais vendo as páginas à minha frente, mas pensando nesta nova e brilhante ideia que estava se formando em minha mente.

Eu me levantei para pegar minha mala de perfumes, mas parei de repente. *Talvez, em vez disso, eu devesse ir ao cemitério. Caspian pode estar esperando por mim lá*, pensei. E eu ainda não tinha agradecido por seu presente.

O orgulho lutava contra o bom-senso, e eu debatia comigo mesma sobre o quão boas eram as minhas chances de que *desta* vez eu fosse realmente encontrá-lo. O bom-senso dizia que não eram muito boas. O orgulho me dizia que *ele* deveria vir *me* procurar.

Por isso, voltei para minha mesa de trabalho com minha mala de perfumes nas mãos. A escola começaria novamente na segunda-feira, e eu poderia cortar caminho pelo cemitério na volta para casa. Então, procuraria por ele. Tudo o que eu tinha de fazer era aguentar até o fim do dia.

Eu me obriguei a me concentrar em um dos meus projetos de perfume inacabados, e foi um estômago roncando que finalmente interrompeu minha concentração. Empurrei minhas notas e frascos e me levantei para esticar as pernas. Perambulando lá embaixo, procurando um lanche, eu estava entrando na cozinha quando mamãe chamou meu nome.

Gritando de volta que eu estava ocupada, procurei na geladeira por algo comestível. Tudo o que encontrei foram restos de comida e carne do almoço. Por que eu nunca encontrava nada bacana para comer? Nós *nunca* tínhamos comida em casa. Eu estava parada na frente da despensa quando ela chamou meu nome de novo, desta vez com mais insistência. Segurando um saco de batatas fritas em uma das mãos e um de rosquinha salgada na outra, entrei pisando duro na sala de visitas.

– Estou ocupada, mamãe, indo lá para cima e não tenho tempo para conversar.

Ela estava sentada no sofá com seu *laptop* apoiado ao lado dela, mas parou um momento e olhou para cima.

– Telefone para você, Abbey.

– Quem é? – perguntei, colocando meus lanches na cadeira mais próxima e correndo para pegar o telefone.

– É o tio Bob.

Meu dedo parou antes de apertar o botão para ligar o telefone.

– Tio Bob? – falei em voz baixa e áspera. – Ele... hum... falou o que queria conversar comigo?

Ela deu de ombros, prestando mais atenção à tela do seu *laptop* do que em mim.

– Não sei. Ele só perguntou se você podia falar com ele.

Engoli meu medo, contei até dez, e apertei o botão.

–Alô? Tio Bob?

Sua voz potente ecoou alto e tive de segurar o telefone a cerca de um centímetro da minha orelha.

–Oi, Abbey, como você está?

–Bem, tio Bob. Eu vou bem. E você?

–Bem, bem – falou ele, num estrondo. – Escute Abbey, estou ligando para perguntar uma coisa. Espero que você não se importe. Bem, eu acho que você não se importará, se eu estiver raciocinando bem.

Às vezes, seguir a linha de raciocínio de tio Bob não era coisa fácil. Era uma característica que todos a meu redor percebiam mais cedo ou mais tarde.

Franzi a testa.

– O que é, tio Bob? O que você queria me perguntar?

– Bem, veja, é sobre meu escritório. Eu não pude deixar de notar o que você fez lá.

Meu coração afundou até meus pés. *Ah não. Lá vem.* Ele provavelmente estava ligando porque eu tinha tirado do lugar algo importante e ele não conseguia encontrar.

– Olhe, tio Bob – interrompi. – Sinto muito sobre aquilo. Eu só pensei que você gostaria. Posso voltar aí e... não sei... tentar, de alguma forma, colocar tudo como estava? – Sim, claro, como se eu pudesse refazer aquele pesadelo e colocar de volta a poeira e a sujeira. *Boa jogada, Abbey. Bem pensado.*

– Você está brincando? – falou tio Bob de novo, alto e claro. – Eu adorei! Você fez um trabalho realmente ótimo e eu esperava que talvez você pudesse vir e fazer isso de novo. Só separar alguns papéis e algumas coisas. Talvez até mesmo arquivar um pouco? Eu lhe pagaria, claro. Como um trabalho depois da escola. O que você me diz?

O que eu poderia dizer? Eu estava sem palavras. Pensei que ele estava ligando para gritar comigo e, em vez disso, ele estava me oferecendo um emprego? Isso não era incrível?

Minha mudez não passou despercebida.

– Abbey? Você ainda está aí? Se você está preocupada com o dinheiro, eu posso lhe pagar dez dólares por hora. Que tal?

Eu ainda estava completamente atordoada, mas encontrei voz suficiente para responder.

– Hum, sim, com certeza, tio Bob. Isso parece muito bom para mim. Quando você quer que eu comece?

Acho que ele perguntou se eu queria começar na semana seguinte. Eu apenas fazia barulhos concordando de vez em quando. Não podia acreditar que esse telefonema estava mesmo acontecendo.

Quando desliguei o telefone, mamãe deve ter percebido meu olhar pasmo quando peguei meus lanches.

– O que foi tudo isso? Está tudo bem com tio Bob? – perguntou-me ela.

Eu ri alto.

– Sim, está. Está tudo bem. Eu acho... acho que ele acaba de me oferecer um emprego.

Capítulo Dezesseis

A VISITA

❦

... um tipo de marasmo eletrizante reinava na sala de aula.

– *A lenda do cavaleiro sem cabeça*

Na segunda-feira de manhã, acordei com a neve. Enquanto estava deitada na cama vendo os flocos brilhantes caírem devagar, eu me aconcheguei ainda mais em meu ninho de cobertas quentinhas. Eu realmente não queria sair da cama e talvez conseguisse convencer mamãe a me trazer um pouco de chocolate quente.

Comecei a dormir de novo, mas a voz de mamãe me arrancou do sono preguiçoso. Sentei direito, tirando as cobertas de cima de mim por um momento e me arrependendo por isso instantaneamente, quando o ar gelado bateu. Tremendo, peguei as cobertas de volta e me afundei novamente, ignorando minha mãe quando ela chamou pela segunda vez.

O barulhão na escada, dez minutos depois, foi alto demais para ignorar. Rolei para fora da cama, enfiei dois casacos de moletom, mais uma calça por cima do pijama e meti meus pés em um par de meias grossas. Eu não estava feliz com a ideia de sair da minha cama quentinha. Corri para o topo da escada, mas mamãe já estava na metade do caminho. Ela também não parecia muito feliz.

– Eu já estava indo arrancar você da cama, Abigail.

Ai, caramba, o nome todo.

– Você só tem 45 minutos para estar pronta para a escola e então vou embora.

– Desculpe, mamãe – bocejei. – Estou acordada agora. Vou me vestir. Você poderia fazer chocolate quente de café da manhã? – Fiz um olhar pidão por cima do ombro, mas ela estava balançando a cabeça e resmungando para si mesma ao começar a descer a escada.

– Está bem, esqueça o chocolate quente – balbuciei.

Voei para o meu banheiro e tomei um banho a jato. Não queria sair da cascata de água quente, mas sabia que estava ficando sem tempo. Resmungando sobre banhos quentes e manhãs frias, sequei-me rápido e corri para o armário. Lá, peguei um longo casaco preto e um par de botas vermelhas que nunca havia usado antes.

Quando cheguei lá embaixo, olhei desolada para a mesa da cozinha, onde estava uma caneca vazia e um pacote de chocolate quente instantâneo. Não era *bem* isso o que eu tinha em mente, mas é a intenção que conta, certo? Dei uma olhada no relógio do forno. Faltavam dois minutos. Eu não teria tempo para chocolate quente de *nenhum* tipo. De dentro de um dos armários, peguei uma barra de granola e enfiei na bolsa, depois catei uma maçã na geladeira. Acho que seria o café da manhã na correria hoje.

Uma buzina de carro tocou impaciente na garagem. Com o café da manhã firme na mão, fiz malabarismo com a chave e fechei a porta da frente bem rápido enquanto saía.

Ahhh, segundas-feiras. Tinha que amá-las.

A neve estava linda quando pisei lá fora e fez um barulho suave de amassado. Apressei-me até o carro, agradecida pelo aquecimento e mordi minha maçã enquanto saíamos. O gostinho azedo era delicioso, mas me entristeci por não ser quente e calmante... como chocolate quente.

– Você quer que eu pegue você depois da aula hoje? Está ficando mais frio – disse mamãe.

– Não, obrigada – respondi instantaneamente. Tinha planos que envolviam um cemitério e esperava também um encontro com Caspian. – Não está tão frio. Além do mais, gosto de andar na neve.

– Está bem. Vejo você quando chegar em casa então.

O carro parou e empurrei a porta para abri-la. Dando uma última mordida na maçã, saí e acenei.

– Obrigada, mamãe!

Ela sorriu quando a porta fechou atrás de mim e aí acelerou. Olhei para aquela imponente estrutura cinza que aparecia à minha frente, ergui minha bolsa e, relutante, comecei a me arrastar em direção a ela.

Onde estão as tempestades de neve quando você precisa delas?

Ao entrar no corredor da escola, todos em minha volta pareciam ter gostado da ideia de sair de uma cama quentinha e aconchegante naquela manhã e desafiar o tempo frio tanto quanto eu. Narizes vermelhos e olhos lacrimejantes passavam um atrás do outro. Rastros de neve derretida e lama cobriam o piso de madeira e mais de uma luva havia sido abandonada, perdida depois de cair de um bolso de jaqueta para nunca mais ver seu par novamente. Considerando que esse era o último lugar na Terra em que queria estar agora, eu me sentia estranhamente contente nesse mar de sofrimento.

O resto do dia na escola passou como muitos outros dias passaram antes desse. As provas começavam em janeiro, logo após as férias do Natal, então, todos os professores passavam o tempo explicando o que iríamos rever nas próximas duas semanas.

Quando o último sinal do dia tocou, a neve já tinha parado de cair. A maior parte do que estava no chão havia sumido, com exceção de pequenos montes que ainda brilhavam, escondidos na sombra. Gritos de alegria encheram o estacionamento quando todos os alunos foram finalmente liberados de sua prisão por mais um dia. Fugi de toda a barulheira e me encaminhei ao cemitério, esperando fervorosamente que Caspian estivesse lá.

Após passar pela margem do rio, vi flores marrons em diversos túmulos, enquanto seguia a trilha do cemitério. Não conseguia dizer se elas estavam mortas por estarem lá há muito tempo ou por causa da recente onda de frio. De qualquer modo, era uma coisa triste de ver.

Quase parei uma ou duas vezes para me livrar delas, mas aí pensei melhor. As famílias podem querer fazer isso elas mesmas. Era uma coisa engraçada. Algumas pessoas não se importariam com o fato de que uma completa estranha tivesse se livrado das flores mortas nos túmulos dos seus entes queridos, enquanto outras ficariam profundamente ofendidas.

Escolhi o jeito menos ofensivo e continuei, dizendo um pequeno "desculpe" a cada túmulo, à medida que passava e deixava as flores marrons permanecerem onde estavam.

Uma montanha familiar entrou em meu campo de visão e depois a cerca de ferro que marcava o local do mausoléu da família Irving. Tomando cuidado com os blocos de gelo, subi os degraus de pedra e entrei pelo portão. As pilhas de moedas ainda estavam perto do túmulo de Washington Irving, mas agora uma garrafa de vidro marrom escrito "Absinto" de modo tosco estava deitada ao lado da pilha no degrau da pedra. Alguém também havia colocado uma flor de Natal vermelha brilhante em cima da placa, e ela estava muito perto de tombar. Dei a volta na garrafa marrom e arrumei a planta, limpando os pedaços de terra.

Agachando perto da lápide, tracei as letras gastas como fizera tantas vezes antes.

– Bom dia para você, sr. Irving. Bom encontrá-lo mais uma vez. – Um vento frio soprou a minha volta e enfiei minhas mãos nos bolsos, lamentando o fato de ter esquecido as luvas em casa. – Espero que tenha tido um ótimo Dia de Ação de Graças. – Balancei para trás nos calcanhares de leve. – Nós passamos todo o feriado visitando parentes. Foi horrível.

Olhei para o céu acima de mim. Nuvens acinzentadas estavam passando. Não o tipo que significa que uma tempestade está a caminho, mas o tipo que significa que mais neve está a caminho. E eu esperava que fossem muitos e muitos centímetros de neve.

O silêncio me envolveu e estremeci de novo por causa do frio. Eu sabia que devia ir embora. Era bastante óbvio que não iria encontrar Caspian. Talvez nunca mais o visse...

Aquele pensamento me encheu de profunda dor e lutei contra as lágrimas. Fazia apenas duas semanas, muito cedo para perder todas as esperanças. Eu só estava sendo boba e muito dramática. Inclinei a cabeça e esperei o nó na garganta desaparecer antes de falar outra vez.

– Nós, ah... tivemos um pouco de neve hoje. Primeira neve da estação. Estava linda, brilhando no chão por toda parte. E alguém deixou uma flor de Natal para você. Todo o resto está limpo e arrumado em volta. Nikolas trabalha bem.

O barulho do portão sendo aberto me pegou de surpresa. Eu me contorci para trás para ver o que estava acontecendo e escorreguei. Equilibrando-me antes de cair no chão, olhei para cima.

Era Caspian.

Saltei para ficar de pé, um pouco animada demais e quase corri até ele. *Meu Deus*, ele era lindo. Obriguei-me a ir devagar, repetindo de modo silencioso várias vezes que *não* ia me jogar nos braços dele. *Não* ia.

O cabelo dele estava mexido pelo vento e bagunçado, como se ele tivesse acabado de desarrumá-lo com os dedos.

E aqueles olhos... que se dane o eu-não-vou-me-jogar-nos-braços-dele. Com a olhada que ele estava me dando agora, os braços dele eram o único lugar em que eu queria estar.

Perdi o controle a cerca de quinze centímetros dele.

– Oi – eu disse, suavemente.

– Oi, Astrid. – Ele estava com as mãos nos bolsos e eu queria colocá-las nas minhas.

– Eu tentei encontrá-lo, mas... – comecei a falar.

– Eu senti muita saudade de você – disse ele, ao mesmo tempo.

Eu podia sentir meu rosto ficando vermelho e arrastei meus pés, enfiando meu dedão em um buraco imaginário no chão.

– Você primeiro. – Ele riu.

Eu ri também, mas estava ouvindo outra vez as palavras dele na minha cabeça. *Eu? Eu disse alguma coisa?* Voltei três segundos atrás. Certo, está bem.

– Tentei encontrar você para agradecer pelo lindo presente, mas não consegui. E depois, meus pais me arrastaram por todo canto para ver parentes durante a Ação de Graças, então, fiquei fora por um tempo. Você não estava, hum, esperando por mim aqui... estava?

Um olhar travesso passou por seus olhos antes de ele balançar a cabeça.

– Eu realmente deveria dizer que sim, mas não, não estava. Estive ocupado também. Ação de Graças com a família e todas essas coisas.

Uma onda instantânea de alívio e tontura passou por mim e olhei rapidamente para ele. Era tão bom vê-lo aqui, ao vivo. Minha imaginação não faz justiça suficiente a ele. Hummmm... imaginando-o... ao vivo...

Estava com medo do meu rosto ficar vermelho para sempre. Tratei de mudar meu foco de atenção para outro lugar. Ele levantou uma sobrancelha brincalhona para mim e deu uma risadinha. Eu poderia jurar que ele sabia o que eu estava pensando.

Olhando a minha volta com sentimento de culpa, fiz minhas bochechas voltarem à cor normal.

— De qualquer forma... — Tossi. — Obrigada, de novo, pelo lindo colar. É perfeito, eu adorei. Onde você o achou? Eu nunca tinha visto nada assim antes.

Foi a vez de ele parecer envergonhado e desviar o olhar.

— É porque fui eu que fiz. — Ele me deu uma olhada e meu coração derreteu. *Eu estaria sonhando? Tinha que ser um sonho.*

— Você que fez? — Algo molhado atingiu minha bochecha e limpei, esperando impaciente pela resposta dele.

— Sim — disse ele timidamente. — Eu que fiz.

Outro pingo atingiu meu nariz e eu chacoalhei minha cabeça com nojo. Fala sério, a chuva não podia esperar mais um pouquinho? Então algo branco e fofo ficou preso nos meus cílios. Olhei para o céu. Como que em fila, milhares de flocos pequeninos e úmidos começaram a despencar, evaporando na grama assim que encostavam.

— Neve! — exclamei. — Está nevando de novo!

Caspian olhou para cima também e eu ri dele quando ele colocou a língua para fora. A neve mudou de uns salpicos pequeninos para flocos grandes, gordos e fofos que pousavam em nossos cabelos e roupas. Tirei minhas mãos dos bolsos e girei, delicadamente, antes de parar de maneira graciosa.

Meu coração acelerou quando seu olhar fitou meus lábios. *Sim, vá em frente!*, minha mente gritava. *Nada no mundo poderia ser mais romântico do que um beijo na neve agora!*

Ele apenas me encarou, seus olhos esverdeados queimavam meu coração. Implorei com os olhos para que ele me beijasse. Era exatamente o que eu queria naquele momento. Ele deu um repentino passo para trás e olhou em volta de nós. Dei um passo inesperado para a frente.

Obviamente, esse foi um desses estúpidos momentos de rapazes nos quais eles não entendem o que a gente quer. E ele, definitivamente, não entendeu o que eu queria. Eu explicaria a ele muito em breve.

Então ele deu outro passo para trás e parou de repente, confuso. Nós não estávamos em sintonia de novo?

– Você precisa ir para casa, Abbey. Eu não quero que você fique presa por causa da tempestade – disse, com urgência.

Estiquei uma das mãos, não parecia que poderia me segurar.

– Está bem – eu disse, atrevida. – Por que você não caminha comigo até lá?

Uma expressão de dor encheu os olhos dele. Estendeu a mão também, mas deixou cair.

– Abbey, eu... eu não posso – disse ele, parecendo verdadeiramente sentido. – Tenho de ir para a direção oposta e vou chegar atrasado.

Os olhos dele estavam tão tristes que fiquei com o coração partido.

— Tudo bem Caspian, esqueça. — Baixei minha mão. — Vejo você por aí.

Ele deu um passo em minha direção, mas então parou.

— Você tem certeza? — O rosto dele estava preocupado e meu coração se inundou de calor.

— Tenho — respondi. Então, decidi testar o terreno.

— Mas você sabe, se calhar de você estar livre amanhã à noite, meus pais não estarão em casa. Eles têm uma reunião do conselho municipal para ir. Você poderia aparecer... se quisesse... — Corei outra vez.

Ele não me respondeu a princípio e tentei não ficar ofegante. Ele ia me dispensar. No que eu estava pensando?

— Certo — disse ele, de forma decidida. Seus olhos pareciam determinados. — A que horas posso chegar?

Oh, os múltiplos significados atrás dessas palavras...

— Sete e quinze? — perguntei, suavemente. *Estou fazendo isso? Eu estou mesmo fazendo isso?* — A reunião começa às sete e meus pais saem cerca de dez minutos antes para chegar lá. Fica bom?

— É um encontro. Está marcado, então — disse ele, tão suavemente quanto eu. — Vejo você amanhã, Abbey.

Ele acenou um "até logo" ao passar por mim e fiz o mesmo. Por um instante, nossas mãos quase se tocaram. Éramos duas estátuas congeladas com tão pouco e tanto nos separando. Mas aí o momento passou e ele estava caminhando.

E eu estava indo para casa sozinha. Extasiada até as pontas dos pés de minhas botas vermelhas e brilhantes.

Capítulo Dezessete

SINAIS CONFUSOS

... e embora suas brincadeiras amorosas fossem algo como as suaves carícias e carinhos de um urso, ainda assim foi sussurrado que ela não desencorajava completamente suas esperanças.

— *A lenda do cavaleiro sem cabeça*

Andei para lá e para cá, entre a porta da frente e as escadas, o tempo marcado no grande relógio de pêndulo passou devagar, segundo a segundo.

A noite de terça-feira finalmente tinha chegado, e eu estava uma pilha de nervos. Mamãe e papai tinham acabado de sair para a reunião deles e eu me sentia como se estivesse sido ligada na tomada. Verificando a casa inteira, dei um jeito de eliminar qualquer coisa que pudesse ser embaraçosa, dando atenção especial a possíveis pilhas de roupa suja espalhadas.

Eram 7:01. Então, 7:02. Por volta das 7:03, eu estava pronta para gritar. O horário de 7:15 *nunca* chegaria. Meus olhos examinaram com muita atenção a sala de visitas mais uma vez, e então olhei para minhas roupas. *Este conjunto era realmente a escolha certa? Eu deveria me trocar novamente? Talvez eu devesse colocar um vestido...*

O toque da campainha da porta ecoou por toda a casa e me fez dar um pulo assustado. Ele estava aqui. Meu coração começou a bater descompassadamente, e tentei controlar minha respiração. Ai... meu... Deus. Ele realmente estava aqui. Na minha casa.

A campainha tocou de novo, e me apressei em atendê-la. Isso não era grande coisa. Ele já tinha estado aqui anteriormente, no meu quarto, só isso. Não era grande coisa mesmo.

À medida que eu me movia rapidamente, desejei que tivesse agarrado algumas pastilhas para o hálito. Coloquei a mão na frente do rosto para fazer o teste do hálito, mas aquilo não funcionava muito bem, e a campainha tocou novamente. Se não respondesse logo, ele pensaria que eu o abandonara. Abri a porta cruzando os dedos.

As dobradiças rangeram sinistramente enquanto a porta se abria e Caspian estava lá, com um sorriso no rosto. Nevava, e alguns flocos cintilantes repousavam sobre os ombros do casaco preto dele.

– Oi, Caspian, entre – eu disse, *muito* nervosa. Eu não iria pensar em mamãe e papai agora nem em como eles provavelmente me matariam se soubessem daquilo.

Ele deu um passo para dentro e correu seus dedos pelo cabelo, dispersando os flocos de neve.

– É bom ver você de novo, Abbey.

Fui à frente, a caminho da sala de visitas, sem saber se eu deveria ou não pegar o casaco ou deixar por conta dele.

– Você também – eu disse, enfiando uma mecha de cabelo atrás de uma orelha. – Você quer se sentar ou...?

– Sim, claro. – Tirando o paletó displicentemente, ele o dobrou sobre as costas do sofá antes de se sentar. – Isso pode ficar aqui? – perguntou.

– Pode, sim. – Fiz um gesto com a mão esperando indicar um descuido casual e então me sentei no extremo oposto do sofá. – Eu apenas estou surpresa com que você realmente esteja usando um paletó. – Muito ciente de mim mesma, puxei meu suéter listrado de cinza e preto e notei que ele estava usando um suéter grosso cinza com a barra enrolada e jeans azuis.

O silêncio pairava entre nós e dobrei meus pés debaixo de mim, feliz por não ter calçado sapatos. Acomodando-me mais confortavelmente no sofá, olhei em volta. A atmosfera era quente, acolhedora e romântica... mas eu não podia pensar em nada para dizer.

Caspian estava observando a sala com atenção, olhando para todos os lados, menos para mim.

Suspirei intimamente. Isso não estava correndo como o planejado. Claro, eu não tinha *exatamente* feito qualquer plano, mas certamente não o convidara para vir aqui para encarar as paredes de minha sala. Eu precisava de algo para falar *imediatamente*.

– Então, como foi o seu Dia de Ação de Graças? – arrisquei. – Você disse que passou com seus parentes, certo?

Ele se virou para olhar para mim.

– De certa forma – disse ele, devagar. – Fui visitar uns parentes que não via havia algum tempo. Foi bom vê-los novamente. Acho que nós não sabemos realmente quanto tempo ainda se tem, então é bom manter contato de vez em quando.

Bem, aquilo foi um tanto quanto mórbido.

– Hum, sim, eu acho que sim. Então, vocês prepararam o peru na casa de um parente ou na sua? Quero dizer, se é que vocês preparam peru. Eu não sei, talvez sua família goste de pernil para a Ação de Graças. Ou hambúrgueres de tofu, se vocês forem vegetarianos. Você é vegetariano?

Ele sorriu e balançou a cabeça.

– Não. Eu não sou vegetariano. Nós normalmente fazemos o peru na casa de qualquer um, menos na nossa. Papai não é o melhor cozinheiro do mundo. Ele se sai bem no churrasco e organizando a cozinha dentro de casa, mas peru é um pouco complicado demais.

– Então, é só você e seu pai? – perguntei, hesitante. – Você não mencionou sua mãe.

Ele brincou com as franjas de uma manta que estava ao lado dele no braço do sofá.

– Sim. Só eu e meu pai. Minha mãe partiu quando eu era um bebê e, desde então, não tenho contato com ela. Meu pai nunca fala dela. Não tenho ideia de onde ela está.

Olhei para baixo e tirei um fiapo inexistente do meu jeans. Meus pais realmente não ficavam em casa com tanta frequência, mas eu sempre soube que podia contar com eles. Não podia imaginar como seria ter um dos pais me abandonando daquele jeito. Caspian provavelmente tinha crescido imaginando se tinha alguma parcela de culpa por ela ter partido.

– Estou certa de que ela pensou ter uma boa razão. – Eu não levantava os olhos do meu fiapo imaginário. – Não havia nada que você pudesse fazer para impedi-la. E nada que você tenha feito a fez escolher partir. – Então dei uma olhada para ele, que estava olhando para longe com uma expressão estranha em seus olhos.

– Eu sei – disse ele, gentilmente. – Mas, ainda assim, às vezes eu imagino se... – Ele não terminou e era quase como se não estivesse me respondendo. Aquilo me deu um calafrio na espinha, e eu queria trazê-lo para o aqui e agora, comigo.

– Você não disse que seu pai é mecânico? E que ele estava abrindo a própria loja? – Aquilo o trouxe de seu torpor, e ele olhou para mim de novo.

– Sim, papai vai assumir a loja assim que o proprietário se aposentar. Eu desenhei algumas plantas para ele, assim ele poderia ter um recurso visual.

– Qual o nome desse lugar? – perguntei. – É por aqui? – Então, uma palavra que ele disse me chamou a atenção. – Espere, espere. Você *desenhou* as plantas para ele?

Ele concordou com um gesto de cabeça, parecendo orgulhoso de si mesmo.

– Sim, eu desenhei as plantas. Mike, o proprietário, faz os consertos de carro agora, mas papai planeja mudar a oficina para uma loja de carrocerias de automóveis e estocá-la com material para personalizar carros. Ele tem algumas ideias excelentes.

– Ohhhh. – Eu estava ficando perdida em toda aquela conversa de carro. Este não era, definitivamente, meu assunto preferido. – Então, você é o tipo de pessoa que gosta de carros?

Uma expressão de surpresa atravessou seu rosto.

– Eu? Não. De jeito nenhum. Meu pai é que está no negócio de carros. Embora eu *goste* de usar um maçarico de vez em quando, estou mais interessado na minha arte. Para a eterna tristeza do meu pai – acrescentou ele, quase se lamentado.

Eu me animei.

– Você tem uma pasta com suas ilustrações ou qualquer coisa assim?

– Tenho a minha coleção de quando eu trabalhei para um estúdio de tatuagem. Antes de me mudar para cá, eu desenhava umas coisas para eles. – Agora ele parecia feliz, seus olhos brilhavam de orgulho.

Aquela notícia era *muito* interessante.

– Um estúdio de tatuagem? – Estiquei minhas pernas e me movi para mais perto dele no sofá. – Uau. Você teve uma vida bastante animada. – Tentei lançar-lhe meu melhor olhar você-é-tão-sexy-e-eu-estou-muito-impressionada, mas acho que não funcionou.

Ele só riu e passou seus dedos pelos cabelos novamente.

– Eu não sei se eu chamaria a minha vida de interessante e animada, mas ela era legal.

– Você estava desenhando no cemitério aquele dia? Suas mãos estavam totalmente pretas.

Ele olhou para longe por um minuto, e eu pensei ter visto suas bochechas corarem de leve. Mas pode ter sido a sala. Estava ficando bem quente ali.

– Você deve ter visto minhas mãos sujas de carvão – disse ele. – Quando desenho, uso carvão. Peguei esse hábito fazendo os esboços para as tatuagens e então o mantive. Gosto da textura que ele dá ao desenho. O único inconveniente é que muitas vezes esqueço de lavar as mãos depois de desenhar com ele.

Então, era *por causa daquilo* que ele tinha corado? Porque estava admitindo que não lavava as mãos? Eu achava que era mais ou menos como um requisito dos rapazes estarem sujos a maior parte do tempo. Mas eu não queria que ele se sentisse mal, então, admiti:

– Eu também não fico para trás com meus perfumes. Se não tomo cuidado, posso espirrar meus óleos por todo lugar, e, por mais que lave, o cheiro não sai.

Ele me deu um meio sorriso e a temperatura do cômodo parecia ter subido para 112 graus. *Meu Deus, estava quente aqui.* Desesperada por uma brisa fresca, pensei em abrir a porta, mas decidi não fazê-lo. Em vez disso, fui olhar pela janela, usando o pretexto de ver a neve que ainda estava caindo. Assim eu podia sentir o frescor da vidraça da janela.

– Dói fazer uma tatuagem? – perguntei, e me voltei para ele depois de um minuto de falsa observação da neve. – Você tem alguma?

Ele esticou as pernas sob a mesinha de café em frente a ele e deslocou-se levemente para me encarar.

– Não posso falar por mais ninguém, mas as minhas não doeram. Senti uma leve pressão e então uma ferroada fraca, mas não doeu de verdade. Tudo depende do local do corpo em que é feita a tatuagem, de quem a está fazendo e da sua tolerância à dor.

Coloquei minha mão contra a vidraça da janela e senti o frio penetrar em minha pele.

– Onde fica... a sua tatuagem? – perguntei para a janela a minha frente, tímida demais para me virar e encará-lo.

– Duas delas nas costas e a outra no braço esquerdo.

Meu truque da janela de repente parou de funcionar, e decidi ser valente. Caminhei de volta pra o sofá.

– Posso vê-las?

Caspian pareceu confuso. Esperei, avaliando se deveria ou não rir como se fosse uma piada ou dizer a ele para esquecer aquilo. Mas eu não queria esquecer. Havia muita coisa que eu... queria. Estava na hora de ver se ele queria algumas dessas coisas também.

Ele não me respondeu, mas sustentou meu olhar fixo e enquanto se levantou e devagar começou a alcançar a parte de baixo do seu suéter. Ele se virou e levantou o suéter até a altura dos ombros, e eu, de novo, esqueci como respirar. O suéter deslizou para fora do corpo dele em um movimento longo e suave, desarrumando seu cabelo, deixando-o desgrenhado e sexy.

Uma cadeia interligada de pequenos círculos e triângulos estava gravada em cada ombro, terminando no meio de suas costas. Era um lindo desenho que parecia sedutor e exótico, e eu ardia de vontade de percorrê-lo com o dedo. Ele se virou para me encarar e seus olhos verdes olharam direto para mim.

Parei de encará-lo e olhei para o chão, engolindo em seco. O peito dele era musculoso, mas não volumoso, e seus quadris eram magros. Um rastro fino de pelos loiros, pálidos, corriam abaixo de seu umbigo e desapareciam debaixo do cós do jeans. Engoli em seco novamente e tentei *mesmo* não babar.

Ele levantou seu braço para me mostrar os círculos negros interligados, tatuados ali.

– Eu sempre fui fascinado por formas – disse ele, enquanto eu encarava o chão. – Com os círculos, não há começo nem fim. Eles continuam para sempre. Eu gosto disso.

Ouvi a batida do meu coração ecoar alto em torno de nós, à medida que eu arrastava cada respiração repentinamente dolorosa.

– Você tem alguma tatuagem, Abbey? – sussurrou ele.

– Ainda não – eu disse. – Onde você acha que eu deveria fazer uma?

Sem qualquer esforço, parecíamos ter chegado mais perto um do outro. A sala ficou mais quente outra vez. Meus olhos recaíam involuntariamente sobre aquele desenho tatuado. Então, olhei para ele novamente e coloquei por trás daquele olhar tudo o que sentia, tudo o que eu queria fazer.

Ele estremeceu e fechou os olhos. O momento era poderoso e tão opressivo que também fechei meus olhos. Ele *tinha* de saber. Ele *tinha* de ter visto o que eu sentia por ele. Eu não poderia emitir um sinal mais claro. Eu queria que ele me beijasse e desejava isso *agora*.

Senti uma brisa súbita passar sobre mim e tremi na corrente de ar frio. Meus olhos se abriram rapidamente, e observei enquanto ele vestia de novo seu suéter. Eu agora podia sentir a relutância nele.

– Por quê? – gritei. – Por que você faz isso? Sou eu? É algo sobre mim? Eu pensei que você... Pensei que nós sentíamos... – Suspirei de pura frustração e fiquei parada lá esperando pela resposta dele.

Ele não disse nada.

– Você não gosta de mim? Porque eu pensei que depois daquele beijo na biblioteca e do colar, de todas as vezes em que nós nos encontramos... e da noite do baile da escola! Você estava no meu quarto na noite do baile da escola! Eu pensei que talvez você me amas... – Interrompi e olhei para o chão. Eu estava balbuciando. De novo.

– Abbey, sinto muito. Isso é tudo o que eu posso dizer. – Olhando para mim com tristeza nos olhos, ele tentou explicar. – Eu não queria que fosse desse jeito. Eu só não sei... Perdoe-me, Astrid.

Um pedido de desculpas *e* meu nome especial? Era difícil ficar brava diante daquilo.

– Perdoar-lhe pelo quê, Caspian? Por agir como se você gostasse de mim, quando, na verdade, não gosta? Eu, às vezes, não entendo você. Você dá dois passos para a frente e, então, cinco para trás. Você age como se quisesse que eu chegasse em casa em segurança, mas não me acompanha até lá. Nós nunca nos encontramos em qualquer lugar normal, como um restaurante ou um shopping, e você sempre tem de estar "em algum outro lugar". O que está acontecendo? Você quer ficar comigo ou não?

Lágrimas quentes encheram meus olhos, mas me recusei a desviar o olhar. Eu queria que ele visse toda a dor e confusão que eu estava sentindo. Então, talvez eu conseguisse uma resposta direta.

Ele se virou e começou a caminhar entre o sofá e a poltrona. Ele ia e voltava.

– Por favor, não chore, Astrid – implorou ele. – Eu não valho isso. Sinto muito, de verdade, sinto muito. As coisas apenas estão complicadas agora. Não é que eu não queira... eu *quero* estar com você. Eu não tinha intenção de dar a você sinais confusos. Eu só preciso que você lide comigo de uma maneira específica. Dê-me um tempo para entender tudo isso. Vamos devagar.

Ir devagar. O beijo da morte. De repente, lembrei-me das palavras de Ben em outra época e lugar e entendi exatamente o que ele queria dizer. Eu suspeitava que aquilo fosse um "fora" que realmente não era, mas que, na realidade, era.

No entanto, meu coração queria Caspian, e eu estava ansiosa para fazer o que quer que ele pedisse.

– Tudo bem – concordei, piscando os olhos para parar as lágrimas. –Tudo bem, nós podemos ir devagar. – Ri trêmula e tentei não pensar em que parte do processo nós estávamos. Esse negócio todo era confuso demais. – Você quer algo para comer? Ou beber? Vou para a cozinha, estou morrendo de fome. – Esperei pela resposta dele, mas ele balançou a cabeça dizendo que não.

Caminhar para a cozinha exigiu muito esforço, e eu respirava profundamente, tentando me recompor. Esse era um obstáculo pequeno, até minúsculo, a ser ultrapassado. Não era grande coisa. Tirei uma lata de refrigerante da geladeira e a coloquei no balcão antes de ir até os armários. Mas não peguei comida nenhuma. Meu apetite subitamente desapareceu. Eu nem mesmo estava com tanta sede, mas precisava de uma desculpa para sair de lá e me acalmar.

A caminho de pegar meu refrigerante no balcão, dei uma parada quando vi meu reflexo na porta do microondas. Meus olhos estavam arregalados e minhas faces pálidas. Dei tapinhas em meu rosto e então belisquei as duas bochechas para colocar alguma cor nelas. Correndo uma das mãos por meus cachos selvagens, eu os afofei e arrumei. Não fez milagre, mas ajudou um pouco.

Endireitando meus ombros, arrumei e marchei para dentro da sala, a bebida na minha mão. Caspian estava ao lado da janela olhando para a neve lá fora, e eu me sentei no sofá enquanto, simultaneamente, abria a lata.

— Contei que meu tio quer que eu vá trabalhar em sua sorveteria? — Mudar de assunto era a única coisa na qual eu podia pensar.

Dei um gole no refrigerante, mas tentei fazer isso com delicadeza e continuei falando:

— Vou cuidar do escritório para ele. Ou algo assim. Nós ainda não discutimos todos os detalhes, mas devo começar neste fim de semana.

Caspian se virou deixando a janela e veio novamente sentar-se no sofá, mantendo uma grande distância entre nós. Procurei não deixar aquilo doer.

– Isso é ótimo, Abbey – disse ele. – Sei que você fará um bom trabalho.

Eu me endireitei no sofá e coloquei o refrigerante, agora esquecido, na mesa de centro.

– Você acha? Quero dizer, estou preocupada mesmo. E se eu estragar alguma coisa? Aquilo é um negócio de verdade, não apenas algo que imaginei. E se eu não puder fazê-lo? – O fato é que eu não tinha dado muita atenção aos meus medos, mas eles estavam lá, latejando o máximo possível.

– Você será capaz de lidar com ele – assegurou-me ele. – Tenho fé em você, Abbey. Você não vai estragar nada, e isso dará a você a prática para quando você estiver pronta para abrir o "Vale da Abbey".

Recostei-me no sofá, imaginando se veria esse dia chegar. Parecia tão distante. E como ele conseguia falar de modo a fazer com que me sentisse confortável mais uma vez?

– Sabe, tenho trabalhado em um projeto para uma nova linha de perfumes. – A animação enchia a minha voz. – É baseada na *Lenda do cavaleiro sem cabeça*, e cada personagem tem sua própria fragrância. Mas não apenas as personagens têm aromas, como também os sentimentos e cenários. Eu tinha planejado... – O som da chave na porta da frente me fez parar de repente. Nós dois congelamos. Eu podia ouvir vozes abafadas do lado de fora.

— Meus pais! – gritei. – Rápido, saia pela porta dos fundos. Assim eles não vão ver você.

Caspian levantou-se e agarrou seu paletó enquanto eu o apressava. A qualquer segundo, eles estariam abrindo a porta, e eu ficaria de castigo até os 35 anos.

Ele abriu a porta em silêncio e eu me apressei atrás dele, enfiando meus pés num velho par de botas deixado lá fora.

— Tchau, Caspian! – sussurrei. – Obrigada pela visita. Agora, vá embora!

Ele acenou um até logo e saiu para o escuro da noite. Arrastei os pés rapidamente pela neve enquanto o observava partir, mas estava difícil me livrar de todas as pegadas. A neve não estava caindo rápido o suficiente para cobri-las completamente.

Foi aí que eu tive uma ideia: deitei-me no chão e abri e fechei meus braços e pernas freneticamente, criando um anjo de neve improvisado. Então, escolhi outro local e fiz o mesmo. Um terceiro completou a farsa e todas as "evidências" haviam desaparecido. Tentei não me preocupar com o fato de que suas pegadas levavam da casa para a direção que ele tinha tomado. Com alguma sorte, mamãe e papai ficariam dentro de casa a noite inteira.

Agora estava absolutamente *congelante* lá fora, e meu coração estava correndo a cem quilômetros por minuto enquanto eu cambaleava pela porta de trás para confrontar meus pais com o olhar perplexo.

— Nós estávamos justamente procurando por você – disse mamãe. – Pensamos que você estivesse dormindo.

– Não. Eu estava lá fora, na neve. Quando a vi, não pude esperar para fazer um anjo de neve. – Eles realmente engoliriam aquilo? Eu não tinha mais sete anos.

– Sem seu casaco? – perguntou papai, com um ar confuso em seu rosto.

– Eu, hum, pensei que só levaria um minuto, então... Não peguei meu casaco. Estou bem cansada. Hora de ir para a cama. Vejo vocês de manhã. – Os dois me observavam enquanto eu pegava minha lata de refrigerante e me dirigia até as escadas. Lancei um olhar discreto para trás para me certificar de que não havia sinais visíveis de que eu tinha recebido uma visita.

Estava tudo bem.

– Boa-noite, vejo vocês de manhã – gritei novamente, enquanto corria escada acima para meu quarto. Eu passaria a noite inteira acordada.

Capítulo Dezoito

CONVERSA INDESEJÁVEL

Nosso homem das letras, por isso, era particularmente feliz nos sorrisos de todas as donzelas do país.

— *A lenda do cavaleiro sem cabeça*

Sobrevivi à maior parte da semana, e *pensei* que tinha superado aquilo. Mamãe e papai nunca descobririam que Caspian tinha estado em casa naquela noite em que saíram. Mas não foi um bom sinal quando desci para o café da manhã na sexta-feira e vi papai sentado numa cadeira, lendo o jornal.

Meu pai *nunca* ficava em casa até tão tarde. Ele devia ter partido para o trabalho pelo menos uma hora atrás.

Cambaleando para dentro da cozinha, fingi estar meio adormecida.

— Ei, papai, o que você está fazendo aqui? Você não vai se atrasar para o trabalho? — *Diga que você está indo trabalhar... Por favor, diga que você está indo trabalhar...* Esfreguei meus olhos sonolentamente e olhei para ele.

Ele dobrou o jornal no meio e o enfiou embaixo do braço.

– Por que você não fica em casa e deixa de ir à escola hoje, Abbey? Eu acho que nós deveríamos ter uma conversinha. Escreverei um bilhete explicando sua ausência.

Quase caí da cadeira na qual eu estava tentando me sentar. Era isso. Eu estava em apuros.

– Ficar... – Minha voz falhou. – Ficar em casa? Não ir à escola? Não podemos conversar agora? Você sabe, durante o café da manhã. Minhas provas de meio de ano estão chegando, e eu realmente não queria perder nada da matéria que estamos revendo em aula. – *Pense, Abbey. Pense muito rápido. Invente uma razão realmente boa para explicar por que Caspian estava aqui. Com você. Os dois, sozinhos.*

Meu cérebro começou a paralisar.

Um aluno novo da cidade?

Um parceiro de estudo?

Aluno participante de programa de intercâmbio obrigatório?

Meu cérebro continuou paralisado.

– Eu não sei, Abbey... – disse ele hesitante. – Sua mãe e eu conversamos sobre algumas coisas que nós sentimos que devem ser discutidas com você.

Oh. Meu. Deus. Pernas. Virando. Água. Cérebro. Paralisando. Novamente. Não posso. Pensar. Frases completas...

– Nossa, papai – falei finalmente, após um minuto inteiro de mau funcionamento do cérebro. – Eu não quero mesmo nenhuma matéria de prova. Não podemos simplesmente conversar hoje à noite, depois da escola?

Depois que eu tiver tempo de pensar em muitas, muitas desculpas, fazer uma lista de muitas, muitas pessoas da escola que poderiam me ajudar, e, possivelmente, fugir. Claro, havia um pequeno problema: eu não conhecia tantas pessoas assim na escola. Mas havia uma ponte, e ela podia ser atravessada.

Mordi a unha do polegar. Por quantas semanas eu ficaria de castigo se arrumasse uma desculpa que fosse relacionada à escola? Provavelmente o tempo mínimo. Era a única maneira de sair dessa.

— Já sei! — disse papai, de repente, quase me fazendo ter um ataque do coração. — Se você ficar em casa, farei panquecas para você *e* iremos jogar boliche. Além disso, tenho certeza de que seus professores não darão muita matéria, hoje, que lhe fará falta. É sexta-feira. Eles nunca dão muita coisa às sextas-feiras.

Bem, ele estava certo sobre aquilo. Além do mais, com panquecas e boliche, eu não poderia estar tão encrencada. Pelo menos, esperava que não. Papai estava radiante e deu um tapinha em minha cabeça, bem contente, enquanto esperava pela resposta. Interessante... *Muito* interessante...

Senti que poderia ter algum tipo de esperança. Se eu estivesse a ponto de ser punida pelo resto da vida, papai estaria com a sua expressão de "disciplinador severo" no rosto. E talvez, enquanto eu comesse as panquecas, pudesse usar o tempo para pensar numa desculpa sensacional que envolvesse a escola, se estivesse realmente numa grande encrenca. *Era mesmo capaz de aquilo dar certo*, pensei.

— Ah, está bem, papai, você pode escrever uma justificativa para a escola hoje. Mas não se esqueça de colocar muito, muito chocolate extra nas minhas panquecas.

— Combinado — disse ele. — Cuidarei da justificativa agora, assim você poderá levá-la na segunda-feira, depois, começarei as panquecas. Vá se vestir. Elas estarão prontas em aproximadamente 15 minutos.

Dei a ele o meu sorriso mais corajoso enquanto me levantava. Boliche e longas conversas com papai...

Sim, este dia ia ser *muitoooo* ruim.

Parada na frente do meu *closet*, tentando escolher algo para vestir que dissesse: *Não, eu não recebi aquele rapaz aqui porque eu queria, nós tínhamos que fazer um projeto para a escola*, eu tentava pensar o que eles poderiam tirar de mim como castigo.

Eu ainda não tinha um carro ou minha habilitação, então, isso estava fora da lista. E eles não poderiam me proibir de ver Kristen, isso também estava fora de cogitação. Acho que eles poderiam tirar o emprego com tio Bob e todo o dinheiro que ele traria. Mas visto que eu ainda não tinha *começado* a trabalhar, não havia dinheiro a perder.

A única alternativa era ficar presa em meu quarto. E embora aquilo, definitivamente, fosse muito ruim — porque me impediria de ver Caspian —, se não durasse muito tempo, eu poderia trabalhar em meu mais recente projeto de perfumes. Iupi. *Definitivamente,* devo usar o trabalho escolar como desculpa.

Desisti de encontrar uma roupa que pudesse diminuir meu tempo de castigo e escolhi um suéter azul-escuro e calças jeans. Enfiando minhas botas, desci as escadas lenta e ruidosamente. Meus 15 minutos haviam terminado e o interrogatório me aguardava. *Talvez eu devesse elogiar as habilidades de boliche do papai...*

– Está com um cheiro muito bom, papai – eu disse, alegremente, com um sorriso falso pregado no rosto enquanto passava pela porta da cozinha. – Espero que você tenha feito muitas panquecas, porque estou morrendo de fome. – Sentei de novo na cadeira onde estava antes, fazendo uma parada rápida no caminho para pegar a embalagem de suco de laranja. *Até agora, tudo bem.*

Papai trouxe uma grande pilha de panquecas amontoadas, eram pelo menos dez, num prato amarelo brilhante.

– Aqui está, Abbey. Guarde algumas para mim, se puder. Vou adiantar um segundo lote.

Engoli em seco enquanto encarava a enorme pilha abrindo caminho em minha direção. Talvez eu tivesse exagerado um tantinho no papel "estou-tãoooo-faminta".

– Isto é suficiente, papai. Por que você não vem me ajudar a comer estas aqui enquanto elas ainda estão quentes e depois você prepara mais?

Ele pareceu gostar da ideia e pegou um garfo extra.

– Não se esqueça dos copos – lembrei a ele. – Peguei o suco de laranja.

Papai comeu sua primeira e segunda panquecas antes que eu tivesse comido metade da minha.

– Vamos lá, Abbey – provocou ele –, achei que você estivesse com fome.

Sorri de volta e engoli forçadamente o resto da minha primeira panqueca, já receando a segunda. Ele não falou novamente até que tivesse terminado toda a pilha de panquecas dele.

– Você não vai comer aquelas que sobraram? Se você ainda estiver com fome, posso fazer mais.

Balancei a cabeça em negativa e parei com meu garfo no ar.

– Está tudo bem papai. Acho que ainda estou cheia do jantar de ontem à noite. Você pode comer essas se quiser, em vez de fazer mais. – Ele, de boa vontade, pegou o resto das minhas panquecas e, bem contente, abri mão delas. Eu não ia conseguir comer uma terceira.

Afundando-me na cadeira, deixei minha perna balançar, tomando pequenos goles de suco de laranja para manter minha mente ocupada. Eu imaginava quanto tempo a conversa demoraria a começar. A quem estava enganando? Eu estava completamente encrencada.

Não tive de esperar muito, porque papai limpou o resto do meu prato mais rápido do que tinha limpado o dele e empurrou-o para longe.

– Abbey... – disse ele, entre goles de suco de laranja. *Oh, Deus, lá vem.* Meu coração sapateava em meu peito e meu pai continuou: – Sua mãe e eu temos conversado muito sobre isso ultimamente e queríamos saber o que você tem a dizer. – Empurrando seu suco para o lado, ele cruzou suas mãos e se acomodou em sua cadeira. – Como você tem... enfrentado... os acontecimentos? Como as coisas estão indo para você desde o acidente? Quero dizer, agora que Kristen se foi?

Era uma coisa boa que eu estivesse sentada, ou eu quase teria caído da cadeira novamente. Era sobre *isso* que ele queria conversar? *Kristen?!* Isso jamais passaria pela minha cabeça.

Pensei bastante e escolhi minhas palavras com cuidado. Eu não podia contar sobre a noite do baile da escola. Isso só levaria a perguntas demais... e sermões. Eu tinha certeza absoluta de que haveria sermões.

– Tenho lidado com isso da minha própria maneira. Foi muito mais difícil quando eles a... encontraram. Mas dei um jeito de aceitar isso. Consegui ficar em paz.

Ele estava prestando muita atenção.

– Como estão as coisas na escola? Eu sei que não tem sido fácil para você atravessar todo o último ano, sendo que sua melhor amiga, de repente, se foi. E sua mãe contou sobre a comissão do baile da escola. Aquelas meninas pararam de chatear você?

Eu estava completamente chocada com as perguntas que ele estava fazendo. Eram intuitivas e compreensivas.

– A escola é bem chata – admiti –, mas isso serve para qualquer escola. A maioria deles me deixa em paz a maior parte do tempo. Agora que toda a história do baile acabou, aquelas garotas não têm mais nenhum assunto comigo. Mas eu já esperava por isso. Elas estavam fazendo aquilo tudo só para chamar a atenção.

Eu brincava distraidamente com a alça da minha xícara. Havia estado tão envolvida com Caspian nos últimos tempos e tão obcecada pelo que Kristen estava escondendo de mim que não estava pensando muito na escola. Meus dias *eram mesmo* muito solitários. Estranho que eu nunca tivesse percebido isso.

Papai limpou a garganta, e olhei para ele. As mãos dele ainda estavam cruzadas e ele parecia um tanto envergonhado.

— Abbey, providências podem ser tomadas — disse ele, dobrando-se para a frente para dar um tapinha em minha mão, meio sem jeito. — Se você precisa mudar de escola, podemos providenciar isso. Eu sei que sua mãe não gostará muito, mas quero que você fique confortável. E se você, em algum momento, precisar falar com alguém, um psicólogo ou um conselheiro, podemos arranjar isso também. Não há nada do que se envergonhar.

Eu tinha algum tipo de aviso invisível em volta do meu pescoço que dizia "CUIDADO: FIQUE A DOIS PASSOS DA LOUCA" ou algo assim? Todo mundo supunha que eu precisava de ajuda profissional.

Dei um tapinha na mão dele, também sem jeito.

— Não, papai, estou bem. De verdade. Obrigada pela oferta sobre a escola, mas estou bem lá também. — Ele me olhou de maneira questionadora, mas balancei a cabeça. — É verdade, juro. Se eu vier a precisar... de qualquer coisa... você será o primeiro a saber. Combinado?

Ele concordou com um gesto de cabeça e retirei minha mão, feliz por aquela conversa não ser sobre o que pensei que seria.

— Então, como tudo está bem na escola para você, já pensou um pouco sobre o que fará a seguir? — perguntou ele.

Gemi interiormente. A conversa sobre o futuro. Eu deveria saber que aquilo estava vindo. Preparei minhas defesas e tentei pensar na melhor maneira de conversar acerca da situação.

– Bem – comecei, vagarosamente, tentando pensar rápido. – Você sabe que eu falei sobre administrar meu próprio negócio. Tenho pensado muito nisso ultimamente. Tenho também pesquisado diferentes questões e aspectos, esse tipo de coisa.

Ele não pareceu impressionado.

– Eu quero dizer: quais cursos quer fazer? Em que tipo de área você pretende ingressar? Qual tipo de especialização vai escolher? Já tem em mente algumas faculdades específicas para as quais queira se candidatar?

As perguntas dele me pegaram desarmada. Sinceramente, eu não havia dado nenhuma importância a *esses* detalhes.

– Eu ainda tenho muito tempo, papai. Existem muitas opções por aí e quero ter certeza para fazer a escolha certa, entende?

Agora ele parecia infeliz.

– Você não tem tanto tempo assim, mocinha. Se você quer ser aceita por uma boa faculdade, tem que começar a pensar em se candidatar, nas dissertações e custos das mensalidades. Há muito trabalho envolvido em entrar numa faculdade. Não é fácil.

Um franzido profundo estava começando a se formar em sua testa e eu sabia que meu barco estava afundando bem rápido. Pensei sobre meus perfumes e sobre como aquilo era o que eu queria fazer da minha vida, então me lembrei das palavras de Caspian. *Se você disser a sua mãe e seu pai quais são seus planos agora, talvez eles não percam o tempo deles planejando um futuro diferente para você.*

– Papai – eu disse –, sei que você e a mamãe só querem o melhor para mim, mas o que eu faço com minha vida é decisão minha. *Sou eu* que vou arcar com as consequências das escolhas que fizer. Eu *poderia* ir para uma faculdade que você escolhesse ou fazer uma especialização de que você goste e talvez até arrumar um emprego num lugar que você aprove, mas não serei feliz assim.

Ele começou a dizer algo, mas levantei a mão.

– Por favor, apenas me deixe terminar e então você pode rebater tudo o que eu disser, tudo bem? – Ele concordou com um gesto de cabeça e continuei: – *É claro* que quero um ótimo emprego e um futuro seguro, mas eu o quero do meu jeito. Eu não quero me tornar uma médica ou uma advogada, uma relações-públicas ou jornalista. Essas coisas podem me dar mais dinheiro ou podem fazer *você* feliz, mas elas não *me* farão feliz. Você não quer que eu seja feliz mais que qualquer outra coisa na vida, papai? – Dei a ele meu olhar mais sincero e ele concordou com a cabeça, lentamente.

– Eu só quero ser feliz com minhas próprias escolhas. E como eu disse, *tenho* pensado muito sobre meu futuro... Muito mais que outros adolescentes da minha idade. Eu quero ter a minha própria loja no centro da cidade, até já escolhi um local. Eu sei quanto será o aluguel e quais os tipos de custos fixos que terei... Além disso, tenho uma relação de material em andamento, e sei das quantidades deles que preciso manter em estoque. Tudo o que tenho até agora está escrito num plano de negócios. Eu sei que ainda preciso de muito trabalho e sei que será duro no começo, mas estou segura e determinada a fazê-lo. *Do meu jeito.*

Eu esperava ter abordado todos os pontos importantes para mim, quando algo mais surgiu em minha cabeça.

– Oh, e eu planejo *mesmo* frequentar alguns cursos de negócios, quem sabe até tirar um diploma disso, mas talvez leve um tempo, e será numa faculdade local. Quero trabalhar como estagiária para alguém que já tenha uma loja de algo similar enquanto faço meus cursos e usar isso como uma experiência prática para minha vida acadêmica. Essa também é uma das razões pela qual estou tão animada para trabalhar com tio Bob.

Sentando-me novamente, respirei fundo. Eu havia posto tudo para fora. Ele poderia tanto amar quanto odiar minha ideia. Não haveria meio termo. A qualquer segundo, a gritaria poderia começar.

Ele tinha uma expressão pensativa no rosto, e eu não podia dizer se ele realmente estava digerindo o que eu havia dito ou pensando maneiras de combater minhas ideias. Mas ele não dizia nada, e comecei a ficar nervosa. Isso poderia terminar sendo algo muito, muito ruim.

– Acho uma ótima ideia, Abbey.

– Você acha?

– Sim, acho – disse ele. – Você estabeleceu seus planos de uma maneira muito clara e concisa. Obviamente, teve tempo para refletir bastante. E se você realmente já conseguiu tudo o que acabou de me dizer, então, você está em vantagem. Estou muito orgulhoso de você.

Uau. Hoje estava se tornando o dia *mais* fantástico de todos os tempos.

– Obrigada, papai – eu disse. – Você não imagina o que isso significa para mim. Pensei que você e mamãe iriam reagir mal quando eu contasse. Obrigada por ser tão legal em relação a isso.

Ele parecia levemente desconfortável, mas deu um tapinha na minha mão novamente.

— Bem, eu não sei como sua mãe vai reagir, mas contarei as novidades a ela bem devagar. Afinal de contas, você tem razão sobre ser decisão sua, e nós queremos que você seja feliz. Se isso significa que você vai ficar mais perto de casa, tenho certeza de que ela não se incomodará.

Sorri para ele. Essa conversa estava indo *muito* bem.

— E vou dizer o que mais farei — disse ele, de repente. — Se você terminar seu plano de negócios, digamos, até o final do ano escolar, eu lhe darei três mil dólares como capital inicial, para ajudá-la a começar. Combinado?

Ele estendeu sua mão e rapidamente a apertei.

— Combinado.

Como se eu tivesse de pensar sobre aquilo. Três mil apenas para acabar meu plano de negócios? Eu concordava sem pestanejar.

Papai parecia bastante satisfeito consigo mesmo, e eu estava me sentindo muito feliz também. Sorri para ele e pulei para lhe dar um meio abraço espontâneo. Ele estava surpreso, mas retribuiu, e eu sorria como uma boba, sentindo-me absurdamente feliz naquele momento. Então, ele pigarreou, limpando a garganta e me colocou de lado.

— Sabe, você parece mais feliz ultimamente. Mesmo com a morte de Kristen. Existe alguma coisa que você queira me contar?

Vamos ver...

Eu estava apaixonada pela primeira vez. Eu não tinha ficado encrencada por ter recebido um rapaz em casa quando estava sozinha. Amanhã começaria um trabalho muito legal, que pagaria bem. E tinham acabado de me oferecer um punhado de dinheiro para escrever um projeto de negócios.

Havia algo que eu quisesse contar a ele...?

– Não – eu disse, com um sorriso largo.

– Você tem certeza? – perguntou ele, com um brilho perversamente provocante nos olhos. – Não existe ninguém *especial* por aí? Um rapaz sobre quem você não nos falou?

Tentei muito, muito mesmo não corar, mas senti minhas faces ficarem vermelhas.

– Ah, papai – fingi –, você conhece as meninas. Nós sempre temos uma queda por um rapaz ou outro. É só uma bobagem.

Ele riu e empurrou a cadeira para trás, saindo da mesa.

– Eu sei, eu sei. Mas certifique-se de nos apresentar para alguém que seja especial. Sua mãe e eu queremos conhecer *aquele* rapaz.

– Ok, papai. – *Sim, certo.*

Ele começou a juntar os pratos e fui ajudá-lo.

– Por que não vamos jogar boliche agora? – perguntei, tentando mudar de assunto. – Então podemos parar para comprar comida chinesa no caminho de volta.

Ainda rindo, ele me deu uma rápida piscada de olho.

– Está bem. Deixaremos os pratos aqui, e cuidarei deles quando voltarmos. Corra lá para fora, até o carro.

Empilhei os pratos e fui para a pia, abrindo passagem para ele, deixando-o ir na frente, enquanto eu dizia para mim mesma que tudo isso era por uma boa causa. Qualquer coisa que eu tivesse de fazer para estar bem com ele valia a pena. Mesmo que fosse jogar boliche. Com papai. Em público.

Por incrível que pareça, jogar boliche com papai foi muito bom. Havia apenas uma pessoa numa pista mais afastada, então o lugar era praticamente nosso. Papai comemorou no caminho de volta porque tinha vencido duas das três partidas, mas me ofereceu revanche quando eu quisesse, como um cavalheiro.

Comemos muita comida chinesa, deliciosa, e eram quase seis horas da tarde quando chegamos em casa. Eu estava muito surpresa pelo quanto meu pai acabou sendo legal. Foi um dia muito divertido. Não que eu fosse admitir isso a alguém, claro.

Mamãe estava em casa, o jantar esperava por nós assim que entramos. Tomei várias tigelas de sopa de mariscos fervendo, com vontade, e comi meia baguete. Caí na cama um pouco mais tarde naquela noite, exausta, mas aquecida e cheia. Era uma sensação ótima.

Na manhã seguinte, porém, eu já não me senti tão bem, já que ainda estava *congelando lá fora*, e tive de me forçar a sair da cama aconchegante outra vez. Era sábado e eu tinha um trabalho a fazer.

Bocejei e esfreguei meus olhos embaçados de sono, ouvindo mamãe reclamar sobre como ela também tinha coisas a fazer nos finais de semana e elas não envolviam ser minha motorista de táxi profissional, enquanto me levava para a loja do tio Bob. Ela mudou o tom de voz quando, alegremente, lembrei a ela que eu poderia tirar minha carteira de habilitação a qualquer hora e dirigir eu mesma. *Então* ela rapidamente concordou em me levar todo fim de semana para a loja do tio Bob.

Eu sabia que a história da habilitação funcionaria.

Mamãe freou de repente na frente da sorveteria e me disse que estaria de volta para me pegar às cinco. Fui despejada sem cerimônia, e ela partiu. Eu podia jurar que ouvi os pneus cantarem.

Virando para encarar a loja, entrei pelas portas de vidro. Sinos tilintaram suavemente sobre minha cabeça enquanto eu chamava tio Bob.

– Aqui atrás! – respondeu ele de algum lugar próximo ao escritório. – Estou contente que você tenha vindo. Tem certeza de que isso vai funcionar para você? Eu sei que jovens gostam de passar seu tempo com os namorados nos fins de semana. Quero dizer... isto é, se você tiver um namorado. Você tem...?

Revirei meus olhos enquanto caminhava até lá atrás para encontrá-lo. Eu estava quase receosa em responder. Só Deus sabe aonde *aquilo* iria me levar. Como eu explicaria meu relacionamento "vai e volta" com Caspian?

– Não, tio Bob – respondi. – Não tenho.

Na quarta-feira à tarde, peguei-me sentada, de pernas cruzadas, sob a ponte, olhando sem foco para a água que corria. Faltavam duas semanas para o Natal e eu não sabia o que comprar para Caspian.

Um barulho de cascalho pisado chamou a minha atenção, mas eu não tive nem de olhar para cima. Eu sabia quem era. Um segundo mais tarde, Caspian se aproximou e sentou-se ao meu lado, inclinando sua cabeça num cumprimento silencioso. Acenei de volta com a cabeça. Ele não disse nada, e voltei a olhar para a água e para meus pensamentos.

Ele tinha um bloco de desenho numa das mãos e algo fino e negro na outra, e observei com o canto do olho quando ele começou a desenhar em uma das páginas.

Ele estava desenhando a carvão.

Franzindo a testa, ele parou de desenhar, balançou a cabeça e esfregou um dedo repetidamente pela página, fazendo surgir uma mancha escura. Ele olhou mais um momento para ela, então, virou para uma nova página em branco e colocou seu carvão para trabalhar novamente.

Abandonei todos os meus pensamentos e inclinei meu corpo para observá-lo mais de perto, agora completamente absorta pelo que ele estava fazendo. Não demorou muito para uma árvore, depois uma margem do rio e, finalmente, a própria água começarem a tomar forma no papel. Seus dedos magros voavam pela página, e eu observava maravilhada à medida que traços curtos e abruptos se fixavam ao lado de outros longos e suaves. Criando um cenário que enfraquecia e fluía junto, espelhando seus sósias da vida real. Foi uma coisa bonita de observar.

– Como foi seu primeiro fim de semana no novo trabalho? – perguntou ele, sem tirar os olhos do papel. Eu não podia parar de olhar para suas mãos. Elas se moviam tão depressa, e, ainda assim, ele nunca hesitava. Imaginei se a próxima vez em que ele me tocasse seria com confiança ou hesitação.

– Foi ótimo – eu disse, tentando obrigar meus pensamentos a irem para outro lugar. – Tudo o que fiz, até agora, foi abrir e separar a correspondência do meu tio, mas ele tinha uma tonelada de cartas. Neste fim de semana, vou instalar um novo sistema de arquivamento para ele e mostrar como usá-lo. – As mãos dele se mantiveram em movimento. Sombreando, agora. Misturando as bordas de uma linha a outra. – Então, no fim de semana depois deste, vou começar a compilar todas as faturas e informações sobre fornecedores e fazer um banco de dados. Ele me disse que quer que eu assuma completamente a parte de escritório do seu negócio. Eu quase não posso acreditar.

– Eu disse que você seria ótima nisso – respondeu ele. – Então, seu tio vai te pagar com sorvete? Porque estou completamente disponível se ele quiser contratar um segundo empregado.

Eu ri.

– Não, ele não vai me pagar com sorvete, mas posso tomar todo o sorvete que quiser. Uma das vantagens de trabalhar lá.

Eu me virei em direção a ele num sorriso encantado, alcançando seus olhos por um breve segundo, quando ele olhou para cima.

– E você sabe o que é mais legal? Passei a sexta-feira com meu pai, conversando sobre algumas coisas; como a escola e coisas assim. E contei a ele sobre meus planos para a loja. Imagine isso, ele realmente aceitou bem e achou que era uma ótima ideia. Ele até mesmo ofereceu algum dinheiro inicial se eu terminar meu projeto de negócios!

Ele sorriu.

– Viu? Eu estava coberto de razão.

– Sim – ri –, você estava.

Caspian recomeçou a desenhar, e voltei a olhar para a água.

– Você sabe – eu disse, baixinho –, é bom mesmo estar trabalhando com tio Bob. Kristen e eu tínhamos planejado arrumar trabalhos para depois da escola este ano, e acho que ela gostaria do fato de que estou trabalhando lá. – Com o canto do meu olho, pude vê-lo concordar com um aceno de cabeça.

Então, ele perguntou:

– Você soube algo novo sobre o namorado secreto de Kristen?

Peguei um pequeno punhado de seixos, vagarosamente jogando-os de uma mão para a outra. O pensamento inesperado sobre diários de Kristen me deixou inquieta e zangada, e eu precisava de algo com o que me distrair.

– Não, não soube. – Endireitei minhas pernas e atirei os seixos na água. – Diga-me o que eu deveria fazer, Caspian

— eu disse, de repente, com desespero na voz. Surpreendi até a mim mesma. — Eu não sei o que fazer. Não há ninguém a quem perguntar, nenhuma maneira de conseguir qualquer resposta... Não sei quem esse sujeito era ou o quanto ele pode estar envolvido com o que aconteceu. E se ele estava com ela no rio naquela noite? E se ele marcou um encontro com ela e a deixou esperando, e ela fez algo estúpido e desesperado? Eu nem tenho mais certeza de que *quero* mesmo saber o que aconteceu. — Coloquei minhas mãos no chão e dei impulso para me colocar de pé. — Por outro lado, eu *preciso* saber, Caspian. Preciso saber as respostas para essas perguntas.

Ele apenas ficou sentado lá. Trabalhando em seu desenho.

— Caspian?

Ainda sem resposta.

Estalei meus dedos enquanto chamava seu nome novamente.

— Caspian! Diga-me o que eu deveria fazer... por favor.

Ele finalmente olhou para cima.

— Eu não acho que você quer que eu lhe diga isso — disse ele devagar.

Eu esperava, impaciente, sobrancelhas levantadas, que ele continuasse.

— Por que não? — incitei.

— Porque — disse ele, na mesma lentidão —, você não vai gostar do que vai ouvir.

— Por favor, diga-me — implorei. — Se eu não quisesse seu conselho, então, não o teria pedido.

Os dedos dele se imobilizaram e ele olhou para mim. Eu podia ver uma tempestade se formando em seus olhos.

– Nós temos de fazer isso, Abbey? – perguntou ele, furioso. – Você realmente quer falar sobre isso? Por que você simplesmente não deixa isso para lá, e nós fingimos que nunca aconteceu? Apenas voltamos para o jeito como as coisas eram, antes de falarmos sobre isso. Eu nunca deveria ter trazido isso à tona. – A voz dele diminuiu, e parecia que estava ficando zangado.

De onde tinha vindo aquilo, diabos? Eu não achava... as palavras começaram a voar para fora da minha boca.

– Oh, não! – eu disse, com muita calma, cozinhando lentamente minha raiva. – Vamos lá. *Definitivamente* vamos "falar sobre iss". Eu não sou mais uma criança. Posso lidar com isso. Então, diga o que você acha que eu deveria fazer. Vá em frente, diga – insisti.

Balançando a cabeça, ele colocou o bloco e o pedaço de carvão no chão. Então, levantou as duas mãos e massageou as têmporas.

– Eu não quero fazer isso, Abbey. Eu não quero brigar com você. Diga-me o que dizer para fazer com que tudo isso passe e eu direi. Diga-me o que fazer para melhorar tudo isso.

Comecei a andar de lá para cá, eu achava que ia abrir um buraco no chão. Eu também não queria fazer isso, mas havia algo errado comigo. Alguma parte perversa da minha mente sentia prazer em me torturar. Agora não havia mais volta.

– Apenas me diga o que você ia dizer. Simples assim, e tudo estará terminado.

Ele balançou a cabeça novamente e deu um grande suspiro. Os olhos dele encontraram os meus e se fixaram ali enquanto ele também se levantava. Nós encaramos um ao outro, atraídos pelo calor do momento. Nossa raiva era grande e mortal. Algo que nunca deveria ter estado entre nós.

– Ok, você venceu – disse ele. – Você sempre vence, Abbey. Eu não queria lhe dizer o que fazer porque acho que você deveria apenas deixar tudo isso para lá. Deixá-la ir. Permitir a Kristen manter seus segredos. Todo mundo tem segredos, Abbey, até mesmo você, e alguns precisam ser protegidos mais que outros. Talvez esse seja um daqueles segredos. Talvez suas perguntas *nunca* sejam respondidas, mas acho que você deve deixar isso ficar do jeito que está. Está satisfeita agora? – Seus ombros se curvaram e ele desviou os olhos de mim para o rio.

Eu me senti como se tivesse acabado de ser socada no peito.

– Deixar para lá? Você acha que eu deveria apenas deixar para lá? Eu não posso fazer isso, Caspian. Ela era minha melhor amiga, eu tinha o direito de saber. Eu não posso apenas deixar isso para lá e você não tem o direito de me pedir isso.

Eu estava respirando rápido agora, a raiva crescendo dentro de mim. E mesmo enquanto eu dizia aquelas palavras amargas e cheias de raiva, queria retirá-las. Dizer "desculpe-me" e implorar por seu perdão. Fazê-lo entender que era com Kristen e comigo mesma que eu estava realmente brava. Não com ele.

Mas eu não disse aquelas coisas, e as palavras horríveis ficaram entre nós. Nunca fui boa em conversas sociais... ou desculpas.

– Eu sinto muito, Abbey, mas isso não é escolha sua – disse ele. – Você não sabe se esse sujeito é responsável por qualquer daquelas coisas, e Kristen não está aqui para lhe dizer nada diferente. Os segredos eram dela para contar... ou guardar. E ela fez sua escolha.

Minhas mãos estavam tremendo e lutei contra o desejo de chorar. Elas não eram lágrimas de tristeza, mas de raiva e frustração. Eu odiava o fato de que se eu cedesse às lágrimas, isso faria com que eu parecesse um bebê chorão.

– Primeiro, você me dá a ideia de descobrir o que Kristen foi fazer no rio e, quando começo a fazer isso, você me diz para esquecer a história toda? *Pensei* que me apoiaria, em vez de ficar todo... – As palavras me faltaram, e eu não sabia o que dizer. – Em vez disso que você fez... não foi nada solidário.

Eu odiava terminar a frase demonstrando fraqueza, mas havia sido pega de surpresa, estava muito emocionada para terminar de forma eloquente. Levantei minhas mãos para impedi-lo de responder.

– Você quer saber? – eu disse, cansada. – Não, não me responda. Não me dê sua opinião. Não "fale sobre isso". Eu não posso mais lidar com essa história. Tenho que ir. Eu... a gente se vê mais tarde.

Não dei a ele a chance de falar, mas vi a expressão triste em seus olhos. Afastando-me, enfiei as mãos no fundo dos bolsos. Uma pedrinha deve ter ficado para trás quando as tirei de lá, porque quando apertei meus punhos para dentro do jeans, senti o corte repentino da borda áspera de um dos seixos contra a palma de minha mão. Estranhamente, não me incomodei com a dor tediosa. Era uma distração bem-vinda daquilo que eu estava deixando para trás.

E, além disso, não era nada comparada à dor em meu coração quando o ouvi sussurrar "Sinto muito, Astrid", enquanto eu me afastava.

Capítulo Dezenove

O PRESENTE PERFEITO

Outra de suas fontes de terrível prazer era passar longas noites de inverno com as velhas esposas dos holandeses... com uma fileira de maçãs assando e estalando junto da lareira, e ouvir suas maravilhosas histórias de fantasmas e duendes...

– *A lenda do cavaleiro sem cabeça*

Chorei até dormir durante os dias que seguiram e evitei o cemitério e o rio a todo custo. Eu me sentia deprimida, péssima, e com o coração doente. Entre a briga mais recente e a conversa anterior sobre "ir devagar", as coisas não estavam indo muito bem entre mim e Caspian. O fato de ser quase Natal tornava tudo dez vezes pior.

Tio Bob deve ter sentido o meu humor, porque ficou me perguntando se estava me sentindo bem enquanto eu configurava o sistema de arquivamento para ele. Eu disse a ele que estava tudo bem, que me sentia ótima, mas não acho que ele tenha acreditado. Não que eu pudesse culpá-lo. Eu estava introvertida e silenciosa, com olheiras enormes. Não exatamente o retrato de saúde radiante.

Por fim, cedi a insistência e saí mais cedo no domingo à tarde. Ele insistiu em me pagar pelo dia inteiro de trabalho e até mesmo adicionou um bônus de Natal. Eu apenas tentei não chorar e dei-lhe um abraço forte antes de encontrar mamãe do lado de fora. Aquele negócio de chorar estava ficando irritante, mas vinha acontecendo muito nestes dias. Felizmente, dei um jeito de manter a choradeira sob controle.

Mamãe me surpreendeu, parando no shopping a caminho de casa, dizendo que eu estava precisando urgentemente de uma terapia espontânea de compra sazonal. Eu discordava dela. O *último* lugar onde eu queria estar agora era num shopping lotado, assistindo a todos os casais felizes passeando de mãos dadas, partilhando a alegria do Natal.

Eu não estava *mesmo* com disposição para *aquilo*.

Mas mamãe sempre foi uma brilhante estrategista e venceu minha resistência com promessas de comida gratuita e sapatos novos. Enquanto abríamos passagem pelas portas giratórias, ela fez o caminho mais curto para a praça de alimentação e agarrou alguns rolinhos de canela frescos e chocolate quente.

Enquanto eu mastigava fazendo barulho de propósito, não podia deixar de pensar que mamãe deveria ter sido um general em tempos de guerra ou algo assim. Ela havia errado totalmente de vocação. Não deixando qualquer margem para dúvidas, ela me arrebatou para a loja de sapatos e, quase sem querer, acabei dona do par de botas mais bonito do lugar.

Dane-se, mamãe sabia o que estava fazendo.

Passamos pelos tocadores de sinos, embaladores de presentes e cantores de cantigas de Natal vestidos em trajes à moda antiga. De vez em quando, parávamos para conferir uma loja, mas durante a maior parte do tempo estávamos só dando uma olhada. Nós até mesmo vimos um Papai Noel e um duende muito alto de aparência muito entediada, mas pensamos melhor antes de parar. Depois de nos aproximarmos da vitrine da loja de animais e passarmos um pouco de tempo cobiçando os filhotes de gatinhos, mamãe e eu decidimos nos separar por algum tempo e cada uma de nós foi por um caminho diferente.

Não levei muito tempo para encontrar uma nova bolsa para levar o *laptop*, que seria o presente de Natal dela, e um jogo eletrônico com perguntas sobre beisebol para papai. Eu realmente não tinha nenhuma ideia do que comprar para os Maxwells, e nada me chamava a atenção enquanto eu continuava a olhar em volta, então, decidi esperar e pensar um pouco mais sobre o presente deles.

No que dizia respeito a Caspian... Bem, eu ainda não sabia o que *fazer* sobre o assunto.

Por um lado, eu nem mesmo sabia se nós ainda estávamos nos falando, muito menos se nós éramos namorados. Mas, por outro lado, não me parecia certo não lhe comprar *nada* de Natal. Eu tinha que ser capaz de encontrar algum presente para dar a ele.

Caminhei com dificuldade pelo shopping e acabei numa loja de artigos esportivos, numa loja de eletrônicos e mesmo numa loja de roupas masculinas no caminho, mas eu ainda não encontrava nada. Quando comecei a olhar meias, enquanto imaginava se poderia embalá-las para presente, soube que estava na hora de parar.

    Arrastando minhas sacolas de volta para a praça de alimentação, parei para pegar outro chocolate quente antes de encontrar um banco. Por um tempo, fiquei sentada lá, à margem da multidão e observei a aglomeração de pessoas passar enquanto soprava suavemente sobre minha bebida.

    Bem, quando eu estava bebericando algo e verificando em meu celular quanto tempo ainda tinha antes de encontrar mamãe, alguém se sentou ao meu lado de repente. Dei um pulo, surpresa, e tentei não deixar cair meu copo de isopor. Minhas sacolas se chocaram contra minhas pernas e eu me virei, pronta para da um bronca em quem quer que tivesse se sentado daquela maneira.

    A sra. Maxwell estava sentada ali, levemente franzindo a testa.

    – Desculpe-me querida, achei que você tinha me visto chegar. Jamais despencaria em cima de você desta forma se soubesse que tinha uma bebida quente em suas mãos.

    – Sem problema. – Tentei fazer um gesto, mas a bebida ainda estava na minha mão. Então, tomei um gole. – Como vocês estão? Eu não os vejo há algum tempo. Já fizeram as compras de Natal? – Notei a falta de sacolas e me dei um pontapé mentalmente. Ela teria uma pessoa a menos para quem comprar presentes este ano, e provavelmente a fiz lembrar disso.

    – Hoje estou só vendo vitrines – respondeu ela. – Eu ainda não comprei nada desde que... bem, você sabe. As coisas estão diferentes este ano.

Eu me ocupei com minha bebida novamente e caímos num silêncio constrangedor.

– Então... Dá para acreditar que nós já temos neve? Eu espero que este ano tenhamos um "Natal branco". – Era ridículo falar sobre o tempo, mas infelizmente foi tudo o que me ocorreu.

– Eu sei – disse ela. – A neve está tão linda. Eu também espero que seja um "Natal branco". Mas só neve, sem gelo. Eu odeio gelo.

Dando golinhos vagarosos, eu olhava a minha volta, concordando com um gesto de cabeça. Será que seria *sempre tão desagradável entre nós*? A mãe de Kristen tinha sido uma segunda mãe para mim, mas agora era como se fôssemos meras conhecidas. Uma morte pode mudar tantas coisas para tantas pessoas. Era de partir o coração.

– Vocês irão à festa de Ano-Novo no museu? – perguntei, esperando que esse fosse uma investida mais segura.

Ela balançou a cabeça em negativa.

– Acho que não. Nós provavelmente ficaremos em casa este ano e manteremos as coisas quietas. É o melhor a se fazer.

Uma expressão triste percorreu seu rosto, e eu podia dizer que ela estava lutando para não chorar. Coloquei meu copo quase vazio no chão ao meu lado e peguei a mão dela.

– Sei que este Natal será difícil para a senhora. Perder Kristen foi como perder um membro, e eu, *especialmente eu*, posso sentir sua dor. Será difícil para todos nós. – Respirei fundo e ali, naquele momento, desejei nunca ter de contar à mãe de Kristen sobre os diários. Ela não precisava daquilo em sua cabeça. – Verei a sra. e o sr. M. lá em casa para o jantar de Natal, certo? Vocês não podem faltar. E a senhora sabe que alguém precisa me ajudar a comer todas aquelas dúzias de biscoitos que mamãe inevitavelmente fará em um ataque de loucura. A senhora não quer me deixar sozinha nessa empreitada, não é? Vou acabar ganhando uns vinte quilos e então, definitivamente, ficarei muito brava quando for forçada a comprar um monte de roupas novas.

Ela riu e apertou minha mão.

– Sua mãe entra num delírio de biscoitos todo ano. Eu acho que não seria justo deixar você fazer esse sacrifício sozinha.

Soltei um grande suspiro.

– A senhora *realmente* entende. E obrigada por ter pena de mim e de minha pobre cintura.

Ela riu novamente e meu ânimo se elevou. *Talvez pudesse finalmente me livrar daquele constrangimento.* Um sorriso no rosto dela era uma melhora definitiva em relação às lágrimas.

– Então, mesma hora, mesmo lugar? – perguntei, num convite.

Ela concordou com um gesto de cabeça, e o sorriso permaneceu em seu rosto. Era tão bom vê-la feliz. Eu queria fazê-la ficar daquele jeito para sempre.

– A senhora sabe – eu disse, baixinho –, se algum dia precisar adotar uma filha, mesmo que seja por algumas horas, sou toda sua. A senhora sempre foi uma segunda mãe para mim e ficarei honrada em retribuir o favor.

Aquelas palavras fizeram com que os olhos dela marejassem e ela murmurou um "obrigada" antes de me dar um abraço afobado.

– Preciso ir, querida. Eu disse a Harold que ia encontrá-lo em dez minutos. Se eu não encontrá-lo a tempo, ficaremos presos aqui por horas olhando as coisas na loja de eletrônicos. Você sabe como os homens são.

Concordei com um gesto de cabeça e ela olhou para mim por mais um minuto, então, virou-se e afastou-se rapidamente, se tornando uma sombra perdida, fundida entre todas as outras pessoas que passavam. Como eu ainda tinha alguns minutos para matar, decidi ir dar uma olhada na loja de perfumes.

Mamãe me encontrou dez minutos mais tarde, cheirando alegremente várias amostras.

– Como eu sabia que encontraria você aqui?

Eu nem mesmo me virei.

– Oi, mamãe, você acabou de fazer suas compras?

– Sim, sim – disse ela. – Mas nós precisamos ir embora. Esqueci que tenho cinquenta e quatro laços para fazer para todas as lojas participantes do "Natal no Vale". Tenho que voltar para casa e começar a fazê-los.

– Estou pronta para ir quando você estiver. Você acha que meus perfumes têm um cheiro melhor que estes? – Estendi o provador. – Os meus têm um aroma mais forte e sem tanto álcool no aroma de fundo.

Ela se inclinou para cheirar o provador e fez uma careta.

– Sem dúvida, os seus cheiram melhor. Agora pegue suas sacolas e vamos embora.

Tampei as amostras e peguei minhas sacolas antes de me virar para sair. Mamãe estava tagarelando sobre o quanto ela estava contente que apenas as lojas da rua principal estivessem participando e que não era em *todas* as ruas, porque, se fosse, ela iria ter quinhentos laços para fazer... blá-blá-blá.

Eu não estava prestando muita atenção à divagação dela. Estava muito ocupada pensando sobre o meu projeto de perfumes Sleepy Hollow e como eu poderia unir um tema festivo a ele.

Estávamos a cinco passos das portas de saída quando uma loja pequena como um furo na parede chamou a minha atenção. Era uma livraria chamada *Palavras Consagradas*, e o letreiro na porta afirmava que eles eram especializados em livros clássicos.

Derrapei ao parar, e as sacolas voaram descontroladamente ao meu redor. Mamãe não percebeu logo, mas ela virou quando alcançou a porta sozinha.

— Preciso fazer uma parada aqui — eu disse. — Só vou demorar cinco minutos, juro.

A expressão dela era de descrédito.

— Você teve todo o tempo do mundo antes, Abbey. Por que você não veio aqui antes? Eu lhe disse que tenho muito trabalho para fazer hoje à noite.

— Por favor, mamãe? Só cinco minutos. Você pode aquecer o carro e trazê-lo até aqui. Eu *prometo* que não vou demorar mais de cinco minutos.

Ela me encarou.

— É melhor você estar na porta quando eu chegar lá. Cinco minutos.

— Ok — falei, olhando por cima dos ombros, já caminhando em direção à loja. Eu não sabia se iria encontrar algo lá, muito menos encontrá-lo em cinco minutos, mas tinha um bom pressentimento.

Passar pelas portas de vidro era como voltar no tempo. A loja tinha um cheiro de livro velho e era bom. Respirei profundamente, imaginando se eu podia fazer um perfume que cheirasse como aqueles livros velhos, mas então comecei a me apressar. Meus cinco minutos estavam passando e não havia como esse tempo ser suficiente para passar ali.

Os livros estavam literalmente *em todos os lugares*. Do chão ao teto, fileira após fileira. Estantes alinhadas uma atrás da outra e cada uma praticamente gemendo sob sua carga plena.

Eu estava perdida. Nunca conseguiria terminar a tempo.

Passeando pelo primeiro corredor, eu ficava me dizendo que deveria sair. Era desperdício de tempo. Mas continuei caminhando e o primeiro corredor me levou ao segundo, que me levou ao terceiro e então virei à direita. Eu estava só tentando dar meia-volta e desistir, quando cheguei a um aparador de canto.

Lá, em duas pequenas prateleiras de bronze, estavam vários livros velhos, enquanto o prêmio estava no centro. Um telescópio antigo. À medida que me aproximei, pude ver que era um aparador com livros e objetos que tinham relação com astronomia. Minha cabeça ficou com uma sensação de zumbido estranho, e senti um pequeno choque percorrer minha espinha enquanto olhava em estado de adoração muda e reverência.

Era isso. Eu tinha encontrado o presente perfeito para Caspian.

O telescópio estava numa condição surpreendentemente primitiva. Feito de vidro antigo e um belo metal velho, ele parecia algo a ser encontrado no laboratório de um cientista maluco. Era perfeito.

Prendi a respiração enquanto o pegava, sentindo seu peso, a superfície sólida sob a ponta dos meus dedos, e eu rezava para que tivesse um preço que eu pudesse pagar. Visões de etiquetas de preços que marcavam duzentos, trezentos, e até mesmo quinhentos dólares ficavam rodando pela minha cabeça, e eu esperava desesperadamente que estivesse errada.

Quando a etiqueta revelou um preço de cinquenta dólares reduzido pela metade, e vinte e cinco dólares marcado ao lado, praticamente saí cantando e dançando. Oh sim, ele era totalmente meu.

Cuidadosamente guardando meu tesouro sob um braço, eu me virei para os livros e peguei um que era lindamente ilustrado com desenhos de estrelas. Era do começo do século XX e eu não podia acreditar na minha boa sorte. A etiqueta de preço daquele pequeno exemplar maravilhoso mostrava meros oito dólares, e rapidamente o adicionei a minha pilhagem.

Sabendo que meu tempo estava provavelmente esgotado, tentei encontrar a frente da loja e ansiosamente esperei a vendedora registrar minhas compras no caixa.

– Você encontrou o que estava procurando? – perguntou ela enquanto registrava minhas compras.

– Sim – respondi, com um grande sorriso. – Encontrei *exatamente* o que estava procurando.

Capítulo Vinte

AQUELA ÉPOCA DO ANO

Os livros foram arremessados para o lado sem serem guardados nas prateleiras, tinteiros foram virados, bancos jogados ao chão, e a escola inteira foi liberada uma hora antes do horário habitual, irrompendo como uma legião de diabinhos...

— *A lenda do cavaleiro sem cabeça*

Os últimos dias antes do feriado de Natal foram brutais, e eu não era a única cansada de estudar para as provas semestrais. Cada vez que uma aula começava, a atenção de todo mundo se voltava do que estava sendo escrito na lousa para quem iria usar o quê no baile de Natal.

Era bem ruim ver os cartazes coloridos olhando com malícia para mim, com sua animação detestável, mas nada comparado à punhalada de solidão que eu sentia sempre que um pedacinho de conversa voltava para meu ouvido.

— Oh, meu Deus, tenho o vestido mais perfeito! Ele é vermelho e branco...

Eu me importava que o tema do baile fosse: Romance de inverno no País das Maravilhas?

Não.

— Eu ouvi que eles vão fazer nevar dentro do salão do baile e...

Se eu me importava se houvesse delicados pingentes de vidro em forma de gelo e montinhos de neve falsa bem fofa cobrindo tudo?

Não.

— Você pode acreditar que haverá passeios de trenó...

Se eu me importava que uma carruagem puxada por um cavalo fosse estar disponível para dar uma volta romântica com seu par?

Não.

Eu queria ir àquele baile estúpido?

Sim. *Desesperadamente*.

Realmente não era justo. Eu agora tinha um namorado. Neste momento, nós não estávamos exatamente em nossa fase "olhos nos olhos", mas *eu*, presumivelmente, deveria ser uma daquelas garotas decidindo qual vestido usar no baile. Não aquela que está do lado de fora olhando para dentro.

Uma pontada de culpa me alcançou quando percebi que há apenas dois meses eu não tinha ido ao baile porque Kristen nunca teria a oportunidade de ir. Sentindo-me uma melhor amiga horrível, bani todos os pensamentos de baile para o fundo de minha mente na mesma hora e jurei não voltar a pensar nisso.

O sinal da escola proclamou o final das aulas, e arrancou-me os pensamentos. As portas de repente se escancararam para o corredor, enquanto vozes enchiam o ar. A maioria dos alunos nem mesmo parou em seus armários. Eles tinham duas semanas de liberdade pela frente e queriam sair.

Eu não podia culpá-los.

Sozinha no corredor vazio, joguei minha mochila no chão, com o zíper aberto. A porta do meu armário bateu com força contra a porta ao lado dela, mas não liguei. Peguei meu livro de literatura inglesa e joguei dentro da mochila.

Baile de Natal estúpido.

O livro de Álgebra foi o próximo.

Pingente de gelo e neve falsa estúpidos.

Então, o de Ciências.

E o cavalo provavelmente vai fazer cocô em tudo quanto é lugar.

O som surdo das batidas do arremessar de livros era estranhamente bom, e eu atirei mais alguns livros com força. Eu estava completamente sem munição, e meu armário parecia oco e desamparado. Então, olhei para baixo e vi dúzias de papéis de chiclete, bolinhas de pedaços de papel e lápis mastigados por todo o fundo do armário.

Era hora de uma faxina rápida.

Aproveitando o corredor livre, arrastei a lata de lixo mais próxima. Ela era feita de um metal muito velho, monstruoso e barulhento e fez um barulho estridente como um grito de terror. Lutei, puxei e implorei para a coisa cooperar comigo, mesmo que só um pouquinho. Felizmente, ela escolheu cooperar, e metade da batalha estava vencida uma vez que a estacionei ao lado do meu armário.

Comecei jogando os papéis de chiclete, as anotações esquecidas do semestre passado, uma prova de ciências velha que eu tinha procurado por toda parte, um punhado de lápis gastos, uma fotografia minha com Kristen.

A foto saiu voando antes mesmo que eu tivesse a chance de reconhecê-la e, então, era tarde demais. Enquanto eu olhava para baixo na pilha enorme de lixo horrível, eu sabia que não podia deixá-la ali. A foto tinha sido tirada no ano passado, numa viagem da escola ao campo, e era a única cópia que eu tinha.

No começo, tentei apenas estender meu braço tomando cuidado para ficar afastada das laterais limosas. Mas eu não alcançava. Eu era uns quinze centímetros menor que o necessário.

Eu ansiava por alguém alto que ainda estivesse em volta e pudesse, de repente, aparecer e pegá-la para mim, mas uma olhada rápida pelo saguão vazio me disse que a chance daquilo acontecer era zero. Eu estava sozinha e dependia apenas e totalmente de mim.

Então, fui em frente...

Prendendo a respiração e colocando um pedaço de papel como uma barreira entre minha camisa e a lata, eu me inclinei e dei o bote com tudo. Não havia muita luz, uma vez que eu estava lá dentro, então, buscava às cegas até que senti a foto. Também consegui de algum jeito agarrar metade de uma barra de doce meio comida enquanto estava lá, mas rapidamente deixei aquilo cair e arrastei meu braço para fora dali.

Eu me levantei para fora da lata de lixo, tentando balançar o cabelo para tirá-lo da frente. Então, dei um passo para trás, segurando a foto firmemente em minha mão, e imediatamente esbarrei em alguém. Um pavor instantâneo surgiu na boca do meu estômago quando percebi que quem quer que estivesse atrás de mim tinha acabado de testemunhar meu mergulho na lata de lixo.

Não tinha sido exatamente um de meus melhores momentos.

Eu me virei devagar. Os olhos risonhos de Ben começaram a entrar em foco, e ele tinha uma expressão estranha em seu rosto, como se estivesse segurando o riso. Abaixei a cabeça, enquanto meu rosto ficava cada vez mais vermelho.

– Não é o que você está pensando. Eu deixei cair algo sem querer ali e tinha de pegar. Era o único modo.

Ele balançou a cabeça e ainda tinha aquela expressão estranha em seu rosto. Apenas diante do meu insistente "vá em frente", ele se curvou e caiu na gargalhada. Mas, pelo menos, não durou muito.

– Sinto muito, Abbey – disse ele, enxugando as lágrimas. – De verdade, eu não estou rindo *de* você. Foi uma imagem engraçada. Pensei que você estava procurando por um sanduíche lá ou algo assim.

Ele sorriu para mim de forma ingênua e sorri de volta. Era contagiante.

Debrucei-me contra meu armário e pressionei meu quadril contra ele para me apoiar, desistindo de qualquer intenção de parecer tranquila. O que podia ter acontecido para que Ben escolhesse *este* momento para me encontrar?

Ele me deu um sorriso sério e me olhou de maneira nervosa por sobre a porta do meu armário.

– Então, como estão as coisas para você, Abbey?

Por um momento eu tive um *déjà vu*. Já não tinham me perguntado isso antes?

— As coisas estão bem — respondi, depois que a sensação passou. — E com você?

— Bem, elas estão bem comigo também — disse ele. — Estou namorando Amanda Reynolds. Estamos saindo há mais ou menos um mês.

Amanda Reynolds. O nome tilintou na parte de trás do meu cérebro, mas eu não conseguia localizá-lo.

— Desculpe acho que não a conheço.

Ele olhou de volta para o armário e então para baixo, para a lata de lixo.

— Nós, hã, fomos ao baile da escola juntos.

Meus lábios fizeram o som antes mesmo que eu pensasse sobre ele.

— Ooooooh.

Vestido amarelo. Na noite do baile da escola. Aquela que disse que eu era uma vaca.

— Não é nada sério. — Ele deu de ombros. — Mas quem quer ficar sozinho no Natal, não é mesmo?

Concordei com a cabeça, lentamente. *É, quem quer ficar sozinho no Natal?*

Ele olhou em meus olhos por um segundo e hesitou, quase como se estivesse esperando que eu dissesse algo. Permaneci em silêncio, e ele continuou:

— Então, de qualquer modo, como estão as coisas entre você e... como é o nome dele?

— Caspian — completei. — O nome dele é Caspian. E estão bem, eu acho. Estamos tentando resolver umas coisas. Mas está tudo bem.

Ele concordou com um gesto de cabeça e nós dois ficamos lá num silêncio constrangedor. Foi Ben quem falou primeiro:

– Aqui. – Ele puxou algo que estava em seu bolso de trás. – Isto é para você. – Ele estendeu um envelope vermelho e eu olhei para ele surpresa.

– É só um cartão de Natal – disse ele, respondendo a minha pergunta silenciosa. – Não é grande coisa. Apenas, você sabe, porque "está na época" e tudo o mais. Olhei para o cartão de novo, assombrada. Ele tinha um cartão de Natal para mim? Eu não tinha ganhado um cartão de mais ninguém. Era uma tradição do colégio que se trocassem cartões de Natal com todos seus amigos todo ano, mas como só Kristen e eu tínhamos sido amigas uma da outra, aquilo deixava nossa lista de cartões bem curta.

– Eu não sei o que dizer. – Era verdade, eu não sabia. Ainda nem tinha pegado o cartão.

– Não diga nada, apenas pegue o cartão. – Ele o estendeu para mais perto de mim e eu o peguei pateticamente agradecida.

– Obrigada Ben. Isso significa muito para mim.

Vendo que a fotografia que eu havia tido tanto trabalho para resgatar ainda estava em minha mão, eu a empurrei para ele.

– Eu quero que você fique com isto.

Ele tentou protestar no início, mas eu não iria ceder. Finalmente, ele a aceitou. Não pude deixar de ver que ele tocou o rosto sorridente de Kristen antes de guardá-la em seu bolso. Abaixando sua cabeça, ele se virou para mim, tímido.

– Eu tenho que ir. Cuide-se, Abbey. Feliz Natal.
– Sim, você também – falei, enquanto ele se virava e começava a se afastar. – Boas-festas.

Esperei para abrir o envelope de Ben quando estivesse indo para casa. Havia apenas um cartão genérico "Boas-Festas" lá dentro, assinado com o nome dele, mas aquilo *realmente* significava muito para mim. Eu me sentia horrível por não ter um para ele, mas agora era tarde demais. Se eu desse um a ele, quando voltássemos à escola, pareceria que eu estava apenas retribuindo um favor.
Bem, pelo menos eu poderia tentar no próximo ano.
Quando finalmente cheguei em casa, soltei um suspiro de alívio ao retirar com uma sacudida, a mochila de meus ombros doloridos e deixei-a cair no chão desordenadamente. Eu nem mesmo ligava para o fato de que mamãe provavelmente gritaria comigo mais tarde por deixar a bolsa no meio da entrada. Não importava.
Caminhei em direção à cozinha e peguei um lanche antes de ir para meu quarto. Ligando o computador, descansei a cabeça em minhas mãos enquanto esperava que ele iniciasse. A exaustão era minha companhia constante.
O computador estalou, fez bipe e resfolegou, e, quando todos os barulhos pararam, eu sabia que estava funcionando. Conectei-me à internet e aproveitei para verificar meus e-mails. Então, passei os olhos por alguns sites de compras conhecidos. A maioria deles anunciava FRETE GRATUITO! para as festas, e mais uma vez minha cabeça se voltou para os presentes. Mentalmente, verifiquei a lista de pes-

soas para quem eu já os havia comprado e nela faltava o sr. e a sra. Maxwell.

Ainda insegura sobre o que comprar para eles, digitei "presentes exclusivos" num site de busca e apertei *enter*. Em segundos, dúzias de anúncios apareceram em minha tela. Eu não estava satisfeita com nenhum deles, até que finalmente apareceu um site anunciando que se podia dar o nome de alguém a uma estrela.

Dez minutos mais tarde, eu estava convencida. Dar o nome de Kristen a uma estrela era o presente perfeito. Eles *amariam* aquilo. Rapidamente fui clicando até chegar ao "Caixa" estremecendo diante do fato de que FRETE GRATUITO! não era oferecido *neste* site e que, para conseguir meu certificado de notificação a tempo do Natal, teria de desembolsar trinta e dois dólares extras.

Mas eu o escolhi assim mesmo, afinal, era Natal, e tio Bob *tinha* me dado um bônus. Quando digitei o número do cartão de crédito de mamãe, que eu sabia de cor, fiz uma anotação mental para me lembrar de que lhe devia dinheiro.

Pensei em tio Bob e me lembrei de que havia esquecido completamente de comprar um presente para ele, então, comecei a navegar por outros sites. Era ainda mais difícil encontrar algo para meu tio e, alguns minutos mais tarde, desliguei o computador completamente frustrada. Quando foi que fazer compras de Natal havia se tornado tão difícil?

Empurrei minha cadeira para trás e me levantei, caminhando até o banco junto da janela. Lá fora, uma neve suave estava caindo, e o cenário gelado era lindo e calmo.

Entretanto, do lado de dentro, eu não sentia nada além de preocupação e ansiedade. Eu queria desesperadamente ir até o cemitério e encontrar Caspian.

Decidindo que precisava de uma distração, peguei meu casaco e desci as escadas. Para manter minha mente desligada das coisas, desta vez eu iria em direção *oposta* à do cemitério, para a rua principal. E talvez eu até encontrasse algo para tio Bob por lá.

Desta vez, lembrei-me de minhas luvas e as calcei enquanto andava. Em minutos, a primeira loja apareceu à vista. Estava absolutamente linda, e parei para olhar as decorações. Uma guirlanda verde, cercada de minúsculos laços vermelhos e bolas de vidro prateadas, estava pendurada do lado de fora da loja, enquanto fios de pipocas e luzes brancas cintilantes cobriam o lado de dentro.

Olhando a minha volta, percebi que esta não era a única frente de loja decorada. Os vizinhos tinham realmente se esforçado. Passeei devagar, observando o grande laço vermelho na porta de cada loja. Isso certamente era produto do trabalho manual de mamãe. Ela havia criado o laço de volta dupla perfeito, e ele realmente dava o toque certo.

Até mesmo as esquinas das ruas tinham sido decoradas, e uma grande luminária a gás, antiquada, tinha sido colocada em cada uma. As chamas dançantes piscando por trás do anteparo coberto de vidro iluminavam perfeitamente os flocos de neve que ainda caíam. Era uma linda visão, e logo me senti como se tivesse sido transportada de volta no tempo.

A próxima vitrine pela qual passei estava nua e vazia, mas parei. Era a minha loja. Ou, de qualquer modo, minha futura loja. Estendi uma das mãos e amorosamente corri meu dedo pelo vidro sujo. A moldura de madeira pintada estava lascada e descascando, mas eu não ligava. Ela estava esperando por mim. Este, um dia, seria meu bebê. Eu sonhava acordada sobre como iria montá-la.

Talvez eu usasse uma banheira com pés em garra e armários não combinados para mostrar meus produtos. Eu poderia ter um setor de leitura, com uma biblioteca de livros antigos, mostrando todos os trabalhos de Washington Irving. Ou talvez houvesse mesas antigas e garrafas de boticário. Em uma loja de produtos de beleza à moda antiga, as possibilidades eram infinitas.

Meus pensamentos corriam desenfreados, mas me afastei relutantemente da vitrine. Eu não tinha muito tempo antes que todas as lojas começassem a fechar e eu iria ver tio Bob amanhã. Eu precisava achar um presente para ele e tinha de encontrá-lo rápido.

Uma pequena loja de flores me rendeu o presente perfeito para tio Bob, e ele ficou emocionado com a caneca "O melhor chefe do mundo" com a qual eu o presenteei no trabalho, no sábado. Ele a tinha nas mãos cada vez que vinha falar comigo para que pudesse ver nitidamente que ele a estava usando. Mal tive trabalho para fazer.

No domingo, ele se contentou em deixar a caneca sobre sua mesa, e finalmente comecei um novo projeto. Quando era hora de mamãe vir me pegar à noite, lembrei ao tio Bob que o veria em duas semanas e disse-lhe novamente que não precisava agradecer pela caneca, era um prazer. Corri para fora antes que ele tivesse a chance de voltar a esse assunto outra vez.

Finalmente, eu estava livre para as festas e pronta para o descanso.

Nos três dias seguintes, dormi até meio-dia, fiz dúzias e dúzias de biscoitos com mamãe e bebi galões de chocolate quente. Estava completamente feliz.

A véspera de Natal chegou antes que eu percebesse, e passei a maior parte da manhã ajudando mamãe a embalar os biscoitos para toda nossa família, dos dois lados. O que provavelmente explicava por que mamãe sempre entrava num frenesi de biscoitos a cada ano. Nós tínhamos *muitos* parentes.

Depois que terminamos de embalar os últimos, fui para o meu quarto embrulhar alguns de meus próprios presentes. O certificado de "nome de uma estrela" tinha chegado bem a tempo, e eu estava emocionada ao ver que ele veio numa linda moldura preta. Eu o embrulhei e coloquei um laço vermelho, e em dois minutos estava pronto. Em seguida, havia os presentes para mamãe e papai, e eles também não demoraram muito para serem embrulhados.

Usei toda minha criatividade para encontrar uma maneira original de embrulhar os presentes de Caspian. Depois de encontrar um pouco de papel de presente azul-escuro e acrescentar algumas estrelinhas adesivas, desenhei algumas formas espiraladas com marcador cinza. O resultado foi perfeito.

Tentando encontrar uma caneta vermelha para escrever o nome dele, revirei a minha caixa de suprimentos de perfume. Parei um minuto quando meus olhos pousaram sobre a amostra que eu havia feito para Kristen. Tirando a tampa da garrafa azul, despejei uma quantidade minúscula num frasco de teste e a juntei à pilha de presentes.

Não podia me esquecer de minha melhor amiga.

Uma vez que acabei minha tarefa e tinha encontrado a caneta vermelha, meus pensamentos vagaram de volta para o cemitério. Eu me debatia com a decisão de voltar ou não ao cemitério enquanto, distraída, escrevia os nomes em cada presente. Afinal de contas, era Natal. E realmente não importava quem tinha dito o quê, contanto que tudo estivesse bem entre nós.

A indecisão me fez morder o lábio de preocupação, então, decidi me afastar dos problemas com mais biscoitos. Biscoitos sempre tinham funcionado antes e, esperançosamente, eles não me decepcionariam agora.

Desci até a cozinha e me dediquei ao processo de fazer outra fornada, mas logo percebi que estar com o braço enfiado na massa de biscoito dava a minha mente bastante tempo para vagar e me preocupar. Completamente aborrecida comigo mesma e me sentindo extremamente desanimada, desisti dos biscoitos, coloquei a massa na geladeira e marchei de volta até meu quarto para pensar no que deveria fazer.

Então, pensei na desculpa perfeita: presentes para Nikolas e Katy.

Eu sabia do que Katy iria gostar e revirei meus perfumes, cheia de impaciência, procurando por um aroma que nunca tivesse usado. Cheguei a uma velha mistura e, depois de uma rápida verificação na etiqueta de descrição, retirei a tampa e inalei profundamente.

Com toques de violeta e madressilva, o perfume tinha descansado por mais de um ano e envelhecido muito bem. Era um perfume quase antiquado, e imediatamente eu soube que era o perfeito para ela. Então, eu me recostei e refleti sobre o que dar a Nikolas.

Eu não tinha certeza absoluta de que ele gostaria de receber um perfume como presente de Natal. Além do mais, não queria passar a ideia errada e fazer com que pensasse que eu achava que ele *precisava* de um novo perfume. O cheiro de biscoitos frescos ainda permanecia no ar e me distraiu enquanto eu o inalava, deliciada.

A inspiração me alcançou novamente, e fui lá para baixo. Assim como eu sabia que Katy gostaria do perfume, sabia que Nikolas adoraria alguns biscoitos recém-assados. Escolhendo da seleção de biscoitos de gengibre, canela e amanteigado com geleia no meio que mamãe e eu tínhamos feito antes, coloquei todos numa lata redonda colorida. Quando ela estava cheia, fechei com a tampa e acrescentei um laço.

Estava na hora de brincar de Papai Noel.

Percorri as ruas cuidadosamente, tentando evitar pedaços de gelo escondidos. A neve ainda estava caindo e uma película fina grudava molhada ao solo. Eu escorregava e deslizava de vez em quando, mas, com sucesso, dei um jeito de não deixar cair a bolsa com minhas coisas pelo caminho.

Não demorou para que eu atravessasse a cidade, e a casa dos Maxwells logo apareceu.

Pisando com cuidado nas escadas estreitas, bati os pés, uma vez que cheguei a meu destino. Sempre havia um pequeno espaço entre as cortinas transparentes que cobriam a janela da frente com vista para a varanda, e espiei através dele enquanto colocava minha bolsa num local seco.

Ambos os Maxwells estavam sentados num pequeno sofá e pareciam estar numa conversa profunda. Eu assistia enquanto o sr. M. fazia gestos freneticamente com as mãos e a sra. M. balançava a cabeça. Quando olhei mais de perto, pude ver que os olhos dela estavam vermelhos e havia um tecido dobrado em sua mão. Obviamente, este não era o melhor momento para interromper.

Silenciosamente, enfiei a mão na minha bolsa de presentes e retirei o deles. Afofando as bordas do laço levemente amassado, olhei em volta procurando o local mais seguro para colocá-lo. O caixilho da porta chamou a minha atenção. Era grande, profundo e seco.

Firmei o presente ali, apoiado em um ângulo, e reajustei uma ou duas vezes antes de bater suavemente à porta. Mesmo se eles não respondessem imediatamente, eu sabia que eles iriam encontrá-lo mais cedo ou mais tarde. Pegando minha bolsa e dando um último olhar por cima do meu ombro, arrastei-me para fora da varanda e peguei a direção do cemitério. Para o meu próximo destino.

Apertei mais meu casaco em volta de mim à medida que caminhava, sentindo a picada da neve cortante. Não tinha percebido quanta diferença fazia ficar numa varanda coberta por alguns minutos. Estava congelando aqui fora.

Em vez de voltar, segui em frente, segurando firmemente minha bolsa. Quando cheguei aos grandes portões do cemitério, aumentei o ritmo. Eu ainda tinha uma boa caminhada pela frente, e o tempo estava ficando pior. Pegando o caminho principal, passei pelo túmulo de Irving e fui adiante até o outro lado do cemitério. A rota ainda estava fresca em minha memória e segui a estrada sinuosa, fazendo várias voltas quando precisava.

Com a respiração fria do inverno no ar, a floresta a minha volta estava cinza e ameaçadora. Não havia pássaros desta vez, e a maioria das plantas tinha definhado. Tudo parecia tão árido e vazio, era bem diferente desde a última vez em que eu tinha estado aqui.

Voltei meus olhos para a frente, continuando no caminho adiante. Eu não podia parar agora. *Não* queria ficar presa numa tempestade de neve.

Avistando a grande chaminé de pedra, corri o resto do caminho e bati sonoramente quando alcancei a porta da frente. Ela se abriu imediatamente, e Nikolas estava lá, parecendo preocupado, com Katy ao seu lado.

Os olhos deles se iluminaram quando viram que era eu, e tentaram me puxar para dentro, mas levantei a mão.

– Eu não posso me demorar. Apenas queria desejar a vocês um feliz Natal e lhes dar isto. – Puxei os presentes deles da minha bolsa e coloquei-os em suas mãos.

Um sorriso enorme irrompeu no rosto de Nikolas enquanto ele passava o perfume para Katy. Ela segurou a garrafa contra a luz tênue atrás dela e a examinou ansiosamente.

— É um perfume — expliquei. — Você se lembra que eu contei que faço perfumes? Esse é para você, Katy. Basta você destampar a parte de cima e mantenha o dedo sobre ela enquanto inclina de cabeça para baixo. Assim você consegue sentir o aroma.

Ela tirou a tampa e fez como eu havia dito e então levou seu dedo ao nariz para cheirar.

— É maravilhoso! — exclamou ela, com uma expressão de prazer em seu rosto. — Madressilvas e violetas selvagens. Duas das minhas coisas favoritas. Você tem bastante talento, Abbey. Muito obrigada pelo meu lindo presente.

Concordei com a cabeça, impressionada com a capacidade dela de detectar odores individuais.

Nikolas voltou sua atenção para o seu presente, tirando a tampa da lata que estalou. Katy e eu rimos da expressão de alegria no rosto dele quando viu o que havia dentro.

— Biscoitos! Você por acaso fez alguns destes, Abbey?

Concordei com a cabeça de novo, em resposta a pergunta dele.

— Sim, eu ajudei a fazê-los.

— Eles parecem deliciosos. Obrigado, Abbey. Significam ainda mais para mim sabendo que você colocou seu tempo e atenção neles.

Corei, dominada pelas palavras deles de elogio.

— Não foi nada. De verdade. Vocês dois são tão bons para mim, eu só queria lhes dar um pequeno sinal do meu reconhecimento.

– Por que você não entra e se aquece por um momento? – sugeriu Katy. – Eu farei um pouco de chá para nós.

Neguei com pesar.

– Adoraria, mas não posso. Tenho mais uma parada para fazer e então devo ir para casa para o jantar. Na verdade, é melhor eu ir.

Katy curvou-se para a frente para me dar um abraço rápido.

– Está certo, querida. Mas venha nos ver novamente para uma visita depois do Natal, certo? Temos muito a conversar.

– Certo. – Nikolas deu um passo à frente para me dar uma abraço meio de lado, e por um momento me perdi em lembranças do meu avô e seus abraços de urso. Apertei bem Nikolas, desejando, mesmo enquanto eu o deixava ir, que ele fosse meu avô. *Isso* seria um bom presente de Natal.

Katy desapareceu por um minuto e, então, voltou. Havia um pequeno pacote em suas mãos.

– Quase esqueci. Isto é para você, querida. Nós não sabíamos quando iríamos ver você de novo, então, nós o guardamos para você. Feliz Natal.

Aceitei o pacote que ela estendeu para mim e o coloquei em segurança na minha bolsa.

– Obrigada. Obrigada a ambos. E Feliz Natal para vocês também. Eu voltarei para vê-los depois do Natal. Guardem um pouco de chá de hortelã para mim.

Eles riram e acenaram quando comecei a andar pelo caminho que me levava para longe da casa deles. Sorri para eles mais uma vez por cima do ombro e gritei:

– Feliz Natal para todos e boa-noite! – Mas o vento levou minhas palavras para longe e as espalhou pelas árvores ao meu redor.

Olhando para o céu já escurecendo, eu me agachei e me lancei para encontrar meu caminho de volta para o cemitério. Eu tinha pouco tempo.

Quando finalmente consegui voltar ao caminho, eu o segui até que ele me levou a um túmulo familiar; parei de repente, atingida novamente pela lembrança vívida de que minha melhor amiga estava morta.

Segurei o frasco do perfume de Kristen e joguei minha bolsa no chão. Eu o abri, segurando cuidadosamente, tentando não derramar. Então, eu me ajoelhei em frente ao túmulo. Limpei um pouco da neve presa na inscrição gravada em sua superfície e falei:

– Ei, Kris. Feliz véspera de Natal. Eu trouxe um presente para você. – Esvaziando o vidro de perfume no chão gelado, eu assistia enquanto ele lentamente era absorvido através de uma fina camada de neve e gelo.

O aroma doce de pomelo, gengibre e baunilha subiu a minha volta.

– Eu tenho de ir agora – eu disse. – Mas queria que você soubesse que seu pai e sua mãe não estarão sozinhos no Natal. Eles concordaram em vir jantar conosco. Oh, e eu já dei o presente deles. Dei o seu nome a uma estrela.

Enfiei o frasco agora vazio perto de algumas flores falsas no pé do túmulo dela e me levantei.

– Tchau, Kristen. Vejo você amanhã. Não vou esquecer nossa tradição.

O vento rugiu novamente, e eu me virei, inclinando-me para pegar minha bolsa enquanto ia. O caminho mais rápido para sair do cemitério era passar pelo canteiro da família Irving, então, escolhi esse caminho, dando uma espiadela enquanto passava por lá.

Imediatamente percebi que o portão de metal estava aberto e calçado com uma pedra grande para mantê-lo no lugar. Subi as escadas intrigada sobre quem teria deixado o portão daquela maneira. Um rápido exame na área cercada revelou que não tinha sido feito por ninguém com intenção de destruir os túmulos. Nada havia sido perturbado. Em vez disso, parecia que havia sido feito para mim...

Uma caixa comprida e achatada estava encostada próximo ao túmulo de Washington Irving, e meu nome estava rabiscado nela. Ou melhor, quando cheguei mais perto, vi que meu apelido estava rabiscado nela.

Uma pontada agridoce atingiu meu coração enquanto eu olhava ao meu redor. Este pacote *definitivamente* não estava ali quando eu passara mais cedo. Ele devia ter sido deixado enquanto eu estava no chalé. Aparentemente, a pessoa que estava me dando o presente tinha decidido não ficar por ali, porque ela não estava à vista.

Tirando-o de lá, sacudi um pouco da neve e o segurei com reverência. As palavras NÃO ABRIR ATÉ O NATAL estavam escritas em letras delineadas sob o nome "Astrid" com vários pontos de exclamação. Sorri e olhei em volta novamente antes de retirar os presentes de Caspian da minha bolsa.

Desenrolando o longo cachecol preto do meu pescoço, usei aquilo como uma camada extra de proteção para a pequena pilha de presentes de Caspian. Eu não tinha ideia de quanto tempo levaria para que ele os encontrasse, mas esperava que não ficassem muito úmidos. Colocando-os exatamente no mesmo local onde ele havia colocado o meu, eu beijei a ponta de um dedo e toquei a pilha com ela. Se eu não conseguisse vê-lo no Natal, então, isso teria de ser minha mensagem silenciosa para ele.

A neve fria começou a pousar rapidamente no meu pescoço nu e logo me lembrou de onde eu estava, então, enfiei o presente dele na minha bolsa e me afastei do túmulo.

– Feliz Natal, Caspian – sussurrei ao vento. – Eu amo você.

Capítulo Vinte e Um

UMA TRADIÇÃO

Se algum dia eu quiser um lugar para descansar ou me aposentar ou me retirar, onde eu possa me afastar do mundo e de suas distrações...não conheço lugar com mais potencial do que esse vale.

— *A lenda do cavaleiro sem cabeça*

A neve foi uma companheira fria enquanto eu corria para casa. O jantar era ensopado de carne com pão fresco e cheirava muito bem. Mamãe e papai pareciam estar tão distraídos quanto eu, e nós todos nos arrastamos um a um até a cozinha, onde enchemos nossas tigelas de ensopado e, então, fomos para nossos respectivos cantinhos. Obviamente, hoje era uma noite onde cada um se servia.

Carreguei meu jantar e meus presentes para meu quarto, ansiosa para dar uma olhada neles. O ensopado ainda estava quente demais, então, eu o coloquei em minha escrivaninha e botei a sacola de presentes sobre minha cama. Com um movimento de ombros, tirei o casaco molhado que ainda vestia, pendurei atrás da porta e chutei meus sapatos encharcados para longe. Depois de encontrar um par de calças de moletom e uma camiseta de manga comprida, eu estava seca de novo e me instalei com gosto em uma posição confortável.

Pegando o presente de Caspian e, em seguida, o de Nikolas e Katy, eu os coloquei lado a lado e me afundei na cama para observá-los. Era difícil de imaginar o que o de Caspian continha, porque tudo o que eu podia ver pelo lado de fora era uma caixa marrom, lisa. O aviso de esperar até o Natal ressoava em minha consciência, e dei uma olhada no relógio. Faltavam quatro horas e meia até a meia-noite...

Tecnicamente, se eu esperasse até lá, seria madrugada de Natal e eu poderia abri-lo sem violar as regras. Era uma formalidade sem importância, mas eu levava aquilo a sério. Empurrei o presente de Caspian para o lado e me distraí com o pacote de Nikolas e Katy. Pelo menos, eu podia abrir um presente antes.

O pacote deles era de algum tipo de material acolchoado e, quando comecei a desenrolá-lo, notei que seu interior ia ficando cada vez menor. Uma linda xícara de chá de porcelana apareceu quando retirei o último pedaço de tecido. Era pequena e delicada, com a borda preguedada e a alça rodeada de folha de ouro. Minúsculas rosas cor-de-rosa estavam espalhadas sobre a superfície, e parecia que cada uma havia sido pintada à mão.

Eu a ergui para admirá-la de todos os ângulos. Então, percebi que havia algo espremido dentro da xícara, assim, eu a virei sobre a cama. Um feixe menor de material vermelho, um pedaço de madeira e uma folha de papel esvoaçaram para fora. Primeiro, examinei o papel, sorrindo feliz quando vi que uma receita de chá de hortelã estava escrita nele. Aquilo tocou meu coração, pois era evidente que eles tinham pensado muito no presente. Eles não poderiam ter escolhido algo mais perfeito para me dar.

O pequeno pacote de tecido estava próximo, e eu o segurei e dei uma esticada nele. Imediatamente pude ver que era um par de luvas tricotadas vermelhas e voltei para o pedaço de tecido mais longo para perceber que era um cachecol combinando com as luvas. Eles eram encantadores e feitos em minha cor favorita. Katy era boa para adivinhar as coisas.

Vesti as luvas e o cachecol e estendi minha mão para pegar o pedaço de madeira. Ele cabia na palma da minha mão e era uma réplica exata do letreiro nos portões de metal onde se lia "Cemitério de Sleepy Hollow".

Os detalhes eram *surpreendentes*. Obviamente entalhadas à mão, cada letra era nítida e se destacava num fundo sombreado. A palavra "Zeladores" tinha sido gravada na parte de trás. Eu podia dizer que Nikolas havia gasto muitas horas trabalhando naquilo. Emocionada de novo pela gentileza e generosidade deles, pensei que deveria passar para vê-los assim que pudesse. Talvez eu levasse alguns biscoitos a mais comigo.

Levantando-me da cama, coloquei a xícara de chá e a madeira esculpida em minha escrivaninha e estendi a mão para pegar o ensopado. Foi um pouco desajeitado com as luvas, mas, naquele ponto, eu realmente não ligava. A exaustão estava se instalando, e eu só queria jantar o mais rápido que pudesse.

Depois de acabar de comer, coloquei a tigela vazia sobre a escrivaninha de novo e fui me deitar ao lado dos presentes de Caspian. Meu estômago estava agradavelmente cheio, e senti a sonolência me atingir como uma britadeira. Seria bom se eu tirasse uma *soneca*. Afinal, eu tinha quatro horas de espera à minha frente...

Quando acordei, o relógio piscava 00:48 e eu estava perigosamente perto de rolar sobre a caixa que Caspian tinha me deixado. Tonta, sentei e puxei um cobertor em torno de meus ombros, antes de tirar as luvas que ainda estava usando. Olhando mais uma vez para o relógio, peguei a caixa de papelão. A hora finalmente havia chegado. O nervosismo fazia meu coração saltar, mas me concentrei na caixa e arranquei uma de suas extremidades.

Um caderno com um espiral fino e um pequeno pacote embrulhado em papel vermelho estavam lá dentro, e, primeiro, retirei o pacote pequeno. Ele era similar em forma e tamanho ao tecido vermelho com o qual meu colar tinha sido embrulhado, e decidi abri-lo primeiro. Quando rasguei o papel numa tira longa, outro colar apareceu.

Fiquei encantada por ele e segurei-o contra a luz.

Feito do mesmo modo que o primeiro, esse pingente tinha um desenho do cavaleiro sem cabeça de um lado e uma gorda abóbora do outro. O cavaleiro era um ousado contorno preto de carvão, lindo e dramático, enquanto a abóbora era totalmente colorida e sombreada por dentro. Parecia que ela havia sido arrancada do canteiro de abóboras mais próximo.

Ambos os desenhos eram impecáveis e completamente cheios de vida. Dizer que eu estava apenas feliz com aquilo seria muito pouco. Era uma representação *perfeita* da lenda que eu amava. Eu não podia acreditar que ele tinha feito outro colar para mim.

Pulando para fora da cama, corri para colocá-lo no pescoço. Admirando sua beleza, eu me virei para um lado e pro outro para vê-lo no espelho. Então, lembrei-me do caderno.

Corri de volta para a cama para poder vê-lo e inclinei a caixa. O caderno deslizou para fora, fazendo um barulho surdo quando bateu contra as cobertas. O desenho de um lápis estava na capa, mas a parte de trás era feita de papelão. Eu o abri, e a primeira página era simplesmente chamada de "O caderno de esboços".

Fiquei espantada quando vi a página seguinte.

Caspian tinha desenhado um lindo retrato do cemitério, com as linhas pronunciadas e irregulares das lápides acentuadas contra as curvas mais suaves da grama e das árvores. Ele havia capturado cada detalhe, até mesmo as inscrições nas lápides e as bordas recurvadas das folhas espalhadas que tinham caído das árvores.

O papel enrugou levemente quando o toquei, e recostei-me em silêncio, pensando. Talvez eu devesse ter feito algo para ele também. Esse presente era tão pessoal, tão... *maravilhoso*. E se ele não gostasse do telescópio e do livro que havia comprado? Como algo adquirido em uma loja poderia se comparar ao tempo e esforço óbvios que ele havia despendido criando isso?

Preocupada e em dúvida, comecei a folhear as páginas para me distrair. Parecia que todo o caderno estava preenchido com desenhos. Havia um da ponte e um do rio. Em outro, estava o túmulo de Washington Irving e, no seguinte, estava um retrato dos altos portões de ferro guardando a entrada do cemitério. Eles todos eram feitos a carvão, indo de simples contornos pretos a cenários com incontáveis quantidades de luz e sombras em tom cinza-escuro.

Fiquei espantada quando uma das últimas páginas revelou um desenho de mim, e olhei para ele mais próxima. Caspian tinha me desenhado sentada ao lado do túmulo de Kristen, olhando a distância. Alguns fios de cabelos voavam levemente numa brisa inexistente, e a tristeza era evidente em meus olhos. Ele havia dado o título de "Abbey & Kristen".

Lentamente, virei para a próxima página, incerta do que iria encontrar.

Havia outro desenho meu lá, desta vez no rio, na noite do baile da escola. Caspian tinha captado perfeitamente a água correndo e eu em meu vestido preto, deitada no meio dele com o cabelo flutuando ao meu redor. Ele até mesmo desenhou a gargantilha preta que eu tinha usado naquela noite, e meus olhos estavam brilhantes. Esse retrato ele havia intitulado de "A dor de Abbey".

Faltando três páginas para acabar o caderno, havia uma que mostrava um retrato da frente de uma loja, no centro, na rua principal. Eu não tinha dado muitos detalhes a ele, mas estava desenhado exatamente como a loja que eu havia escolhido para ser a minha. Ele também tinha adicionado no alto da loja um letreiro que dizia "O vale de Abbey". Esse desenho se chamava "O futuro de Abbey".

De repente, uma lágrima rolou pelo meu rosto e eu a enxuguei, tentando não deixá-la cair no papel e estragar o desenho. A hesitação me fez parar antes que virasse para a última página, mas eu sabia que *não* deixaria de olhá-la. Então, contei até três e prendi a respiração, enquanto virava a página para o próximo desenho.

Era só um retrato meu, minhas mãos nos quadris e meu cabelo todo ajeitado de lado, usando jeans e uma camiseta regata. Ele tinha escrito "Abbey, a Corajosa" na parte inferior da página e eu não conseguia descobrir por quê. Então, vi um pequeno espaço entre o cós da calça e a parte inferior da camisa. No inicio achei que estava imaginando aquilo.

Mas não estava.

Exatamente onde estaria meu osso do quadril esquerdo, Caspian tinha desenhado uma tatuagem. O desenho parecia algum tipo de modelo de triângulo e círculo, uma réplica da dele. Sorri e balancei a cabeça, sentindo um calor descer sobre mim. Como eu iria agradecer-lhe por *isso*?

Quando fechei cuidadosamente o caderno, uma carta caiu de entre as páginas, e eu a peguei, imaginando como eu não a havia visto. Prestando atenção a cada palavra, comecei a ler com avidez.

> Querida Abbey,
> Tomara que você goste dos seus presentes de Natal. Eu queria dar algo que fizesse você se lembrar de mim. Eu não sei para onde ir a partir daqui. Não acho que nossa relação esteja dando certo. O que eu quero e o que posso ter são duas coisas muito diferentes. Eu sinto muito. Apenas tem que ser deste modo.
> Feliz Natal (Eu espero)
> Amor, Caspian.

Meu coração parou de bater e afundou como uma pedra diante daquelas palavras. O brilho quente desapareceu, e eu sentia a sensação de frio nas profundezas do meu ser. Ele estava rompendo comigo? Nós pelo menos tínhamos algo para *romper*? Cobri meu rosto com as mãos e pensei sobre isso com calma por um minuto, antes que as lágrimas viessem. Então elas realmente vieram.

Empurrando os retratos sobre a beirada da cama, engatinhei até meu travesseiro e retirei o colar. Enterrando-me sob uma montanha de cobertas, empurrei o colar para baixo do travesseiro, e usei-o para abafar meus soluços enquanto chorava até dormir.

Definitivamente, seria um Natal melancólico para mim.

Meus olhos pareciam arenosos e inchados quando acordei na manhã seguinte, e uma olhada no espelho confirmou que eles pareciam tão ruins quanto eu os sentia. Meu nariz estava entupido também, então, engatinhei de volta até a cama para ficar sob as cobertas por mais algumas horas.

 Mamãe foi a primeira a tentar conseguir me fazer levantar, perguntando inúmeras vezes por que eu ainda não estava lá embaixo abrindo os presentes. Quando o pensamento de coisas gratuitas nem mesmo me perturbou, eu soube que estava mal. Finalmente engatinhei para fora da cama e cambaleei escada abaixo feito um zumbi. Os rostos de mamãe e papai estavam felizes e animados, e eu desembrulhei os presentes automaticamente, sem me importar de verdade com o que eles tinham comprado para mim.

 À medida que crescia a pilha de roupas, livros, sapatos, CDs e estoque de perfume, eu me sentia cada vez pior. Tentei fazer uma cara feliz quando dei a eles seus presentes, e ambos pareciam genuinamente animados ao recebê-los, especialmente papai. Mas mesmo aquilo não durou muito, e acho que mamãe estava começando a ver que era tudo uma representação.

 – Você está se sentindo mal, Abbey? – perguntou ela, usando seu tempo para separar, dobrar e organizar cada pedaço de papel de embrulho rasgado que encontrou.

 Concordei com um gesto de cabeça, infeliz demais para dizer mais alguma coisa. Com olhos vermelhos e nariz entupido, eu *parecia* doente. E por dentro, eu definitivamente me *sentia* doente. Caminhando até a janela, inclinei-me sobre o vidro e olhei para fora. Era um "Natal branco" afinal de contas. Mamãe continuou a trabalhar à minha volta, parando uma vez para sentir minha testa com as costas da mão e murmurar algo sobre febre.

Papai começou fazendo o café da manhã, e não demorou para um prato com panquecas com várias gotas de chocolate de um lado e ovos com bacon do outro aparecer na minha frente. Eu não me sentia cheia ou faminta, ou qualquer outra coisa, apenas anestesiada e vazia por dentro.

Aceitei as panquecas para não ferir os sentimentos de papai, mas ignorei todo o resto. Depois de alguns minutos, entreguei o prato à mamãe, agradeci aos dois pelos presentes e me dirigi de volta lá para cima. Hoje parecia o tipo de dia bom para ficar na cama, e eu não ia lutar contra isso.

Quando cheguei a meu quarto, apenas fiquei deitada ali por um tempo. Eu não conseguia dormir e meus pensamentos pareciam perambular de um assunto para o outro. Era como se eu não pudesse me desligar. Finalmente, me cobri com os lençóis e tentei fazer uma espécie de casulo para me aconchegar e morrer lá dentro. Minha mão bateu em algo frio e duro quando movi o travesseiro, e me agarrei àquilo, sentindo o receio preencher o buraco em meu coração, enquanto eu puxava o que quer que fosse.

Assim que meus olhos reconheceram o objeto, os portões da inundação se abriram novamente. Imediatamente mais lágrimas vieram, e chorei baixinho enquanto me sentava ali acariciando o vidro liso. Mexi nele compulsivamente. E mesmo que eu não ache que seja realmente possível chorar *enquanto* se está adormecido, eu não poderia dizer a diferença. Parecia que minhas lágrimas nunca deixariam de cair.

Horas mais tarde, senti um impulso lento; aquela urgência indolente que lhe diz que é hora de levantar porque você dormiu absurdamente. Mas eu queria ficar onde estava para sempre e nunca mais mover um músculo de novo. *Nunca mais.*

No entanto, o impulso era forte, e me tornei cada vez mais desperta mesmo permanecendo deitada lá com meus olhos fechados, bem apertados. Eu podia dizer que era final do dia, porque a luz havia mudado. Sombras brincavam por trás de meus olhos, e os abri para um quarto escurecido, com um despertador piscando que me fez saber exatamente o quão tarde era.

Sentando-me na cama devagar, inspecionei o que estava ao meu redor. Tudo parecia diferente, meio camuflado no escuro, e tentei afastar minha embriaguez. Algo me incomodava no fundo de minha mente até que, de repente, eu me lembrei de que dia era. Não me restava muito tempo.

Saí da cama com dificuldade e apanhei um par de jeans e um suéter o mais rápido que pude. Mas tive de parar várias vezes para me dar um descanso. Cada músculo do meu corpo doía. *Quem diria que chorar exigia tanto da gente?* Agarrando minhas luvas e um cachecol, eu os coloquei enquanto descia as escadas, dois degraus de cada vez. Eu tinha de me apressar para estar de volta a tempo para o jantar com os Maxwells.

Fui até a cozinha para o armário que guardava o velho recipiente plástico e lancheiras extras. Quase tropeçando em uma cadeira, procurei por todos os recipientes nos fundos do armário e puxei uma pequena garrafa térmica para viagem. Exatamente o que eu estava procurando.

Então, caminhei até a geladeira e tirei várias embalagens de suco.

Mamãe veio quando eu estava de costas, mas havia um tom de desaprovação em sua voz.

– O que você está fazendo, Abbey?

Tentei agir como se eu não tivesse ouvido, enquanto procurava por meu prêmio. O tempo estava passando e eu tinha de fazer aquilo antes que a noite de Natal tivesse terminado.

– E por que você está usando luvas e cachecol? Você está com tanto frio? Deixe-me ver sua testa de novo.

Agora eu estava procurando desesperadamente, movendo caixas de ovos e vasilhas com massa de biscoito para fora do meu caminho.

– Só estou procurando a gemada. Você comprou este ano? Você sempre compra um pouco. – Arrisquei um olhar na direção dela. – E por que nós temos três caixas de leite? Quem bebe tanto leite?

Ela deu um passo para mais perto, tentando estender a mão e sentir a minha testa.

– Está à esquerda, mais adiante dos dois tubos de manteiga e um pacote de salsão – suspirou ela. – Mas talvez você devesse tomar chá em vez da gemada. Não sei se agora ela seria boa para você.

Levantei a garrafa térmica enquanto deslocava os tubos de manteiga e agarrava a bebida.

– Não é para mim, mamãe. É a nossa tradição, você se lembra?

Ela me olhou, séria. E já ia balançando a cabeça antes mesmo que eu tivesse terminado de falar.

– Este ano não, não é a tradição. Você não vai lá fora com este tempo. Os Maxwells estarão aqui a qualquer momento.

Olhei incisivamente para o relógio na parede atrás de mim, antes de destampar a garrafa térmica e despejar a bebida.

– Eles ainda vão demorar vinte minutos para chegar, no mínimo. E eu não vou demorar muito. Você sabe que eu tenho de fazer isso, mamãe. Não posso falhar com Kristen. E eu já disse a ela que este ano faria isso por nós duas.

A tampa da garrafa térmica deslizou de volta para seu lugar e eu a apertei bem até ouvir um estalo alto. Coloquei a gemada lá dentro e, em seguida, o suco e as caixas de leite de volta na geladeira e, então, bati a porta.

– A *quem* você já disse? O que você quer dizer com isso? – Mamãe parecia confusa.

– Eu disse a Kristen, você sabe... em seu túmulo. Eu disse a ela que faria isso hoje por nós duas. Olhe, estou toda agasalhada, e até mesmo abotoarei meu casaco até em cima. Mas eu tenho de ir. Vai ser rápido, e estarei de volta a tempo para o jantar, mas para fazer isso tenho que sair agora.

Beijei-a no rosto e peguei a garrafa térmica, em seguida, eu me dirigi ao armário para pegar meu casaco. Ela estava parada lá, com a boca bem aberta. Gaguejou por um minuto e ergueu um dedo para enfatizar o que ia dizer.

– Está bem, Abbey. Mas se você pegar uma pneumonia, não diga que não avisei. E se você se atrasar para o jantar, nós não esperaremos.

— Está certo, mamãe — falei da porta, enquanto abotoava meu casaco com uma só mão. — Vejo você em breve. Também amo você.

As últimas palavras dela chegaram flutuando, meio murmuradas, enquanto eu fechava a porta da frente.

— Não pense que vou passar o dia inteiro fazendo canja de galinha *quando você ficar doente!*

Sorri para mim mesma. Quem ela pensava que estava enganando? Provavelmente haveria chocolate quente esperando por mim quando eu chegasse em casa hoje à noite.

Segurando a garrafa térmica com uma só mão e meu casaco com a outra, eu mantinha a cabeça baixa e caminhava rapidamente. A neve ainda estava caindo, girando à minha volta, e sendo triturada ruidosamente sob meus pés. Se continuasse nesse ritmo, nós iríamos ter uma nevasca de manhã.

Enquanto eu marchava adiante, pensei sobre a última vez que em tinha feito isso...

— Apresse-se, Kristen. O sol logo estará se pondo. Eu queria fazer isso à luz do dia.

— Por que nós não fazemos isso à noite, Abbey? Seria mais assustador. E você tem certeza de que a gemada sem açúcar vai servir? — perguntou ela. — Minha mãe só comprou a sem açúcar este ano...

Sorri diante da pergunta dela.

— Claro que sem açúcar vai servir. Não é como se ele realmente fosse beber alguma coisa. É só simbólico. E não se espera que seja assustador. Deixar cartas no túmulo dele na noite do

Dia das Bruxas foi assustador. Mas no Natal? Não tem nada de assombrado.

– Ah, é? – Kristen riu. – Bem, diga isso para Tim Burton. Ele acha que o Natal é completamente assombrado.

Nós duas rimos enquanto caminhávamos para cima da colina e empurrávamos os portões do cemitério. Quando chegamos mais perto do túmulo dele, Kristen se inclinou e sussurrou:

– Acho que deveríamos fazer disso uma tradição anual.

– Concordo – sussurrei de volta.

Essa lembrança me fez sorrir. Nós nos divertíamos *tanto* juntas. Era difícil acreditar que aquilo nunca voltaria a acontecer. O pensamento me fez ficar séria e, quando estendi a mão para os portões principais, meus dedos escorregavam no ferro frio e molhado. A frustração brotou dentro de mim e bati minha garrafa térmica contra o portão numa súbita explosão de raiva.

– Maldição!

Ele não se moveu, claro, apenas enviou uma dor cortante por todo meu braço e ombro, e abaixei minha cabeça por um minuto, antes de tentar novamente.

Desta vez, enquanto eu me concentrava, o portão avançou apenas o suficiente para que eu entrasse, e eu estava agradecida pelos pequenos favores. Corri até o túmulo de Kristen primeiro, escorregando para parar em frente a ele.

– Estou aqui, Kristen. Trouxe a bebida. – Levantei a garrafa térmica. – Farei com que ele saiba que é da parte de nós duas. Feliz Natal.

Tive um estranho sentimento de libertação enquanto encarava a lápide dela. Talvez *fosse* realmente bom que eu não soubesse todos os segredos dela e nunca descobrisse quem era D. Talvez o importante fosse o fato de ela ter *desejado* me contar, mas, por uma razão qualquer, simplesmente não pôde. Talvez aquilo tivesse de bastar.

Levantando a mão, acenei antes que eu me virasse e me dirigisse na direção de Washington Irving. Estava ficando cada vez mais difícil de ver através da neve, então me apressei para chegar lá.

Uma vez que alcancei as escadas e atravessei o portão sem escorregar, dei uma olhada no canteiro da família. Fiquei contente ao ver que os presentes de Caspian tinham desaparecido, mas triste em ver que ele não estava em nenhum lugar à vista. Meu coração esfarrapado e ferido estremeceu um pouco, mas coloquei meus sentimentos de lado e voltei à tarefa a ser cumprida.

Ao lado da lápide, apressei-me para tirar a tampa da garrafa térmica. Não era uma tarefa fácil com as luvas, mas estava frio demais para tirá-las, mesmo que por alguns segundos. Um minuto depois, tive sucesso e despejei uma pequena quantidade na tampa antes de segurá-la sobre o túmulo.

– Feliz Natal, Sr. Irving. Terá de ser rápido, mas isto aqui é da minha parte e da Kristen. Que todos os seus Natais possam ser alegres.

Com cuidado, bati na pedra com a minha caneca e então tomei um gole da minha bebida, antes de despejar o conteúdo da garrafa térmica na lama congelada diante de mim. Esperei um breve segundo em silêncio e fiz um aceno de cabeça, uma vez.

– Vejo você no ano novo.

Ficando em pé, tampei a garrafa térmica enquanto deixava o lote da família. A claridade do dia quase havia ido embora, e dei passos curtos e cuidadosos, consciente do gelo escondido, que era potencialmente perigoso. Quando finalmente estava fora do cemitério, aumentei o ritmo, então a caminhada para casa não demorou muito. Cheguei à porta da frente ao mesmo tempo que os Maxwells estavam pisando na entrada para tirar suas botas e casacos cobertos de neve.

Dei aos dois rápidos abraços e as boas-vindas ao sr. Maxwell, antes que ele entrasse. Assim que viu uma espessa camada de neve em meu casaco, a mãe de Kristen fez uma expressão engraçada em seu rosto. Levantei a garrafa térmica como minha resposta a sua pergunta não feita.

– Apenas tive que dar uma passada na casa de um velho amigo. É uma tradição.

Ela sorriu um pouco enquanto concordou com um gesto de cabeça. Eu podia dizer, pela expressão em seus olhos, que ela sabia exatamente sobre o que eu estava falando. Estendendo o braço para outro abraço, ela me segurou apertado por um momento, e então relaxou o abraço.

– Eu queria agradecer-lhe pelo lindo presente, Abbey. Ele realmente significou muito para nós.

– Não há de quê – respondi.

Ela colocou seu braço no meu, e nós caminhamos juntas para nossas cadeiras. Mamãe havia realmente se superado e a mesa, coberta com várias travessas, bandejas, pratos e tigelas, estava literalmente tremendo sob o peso da comida.

Sentei-me à esquerda da sra. M. e peguei meu copo de água quando todos os outros seguravam suas taças de champanhe para um brinde.

— Por festas felizes, um ano novo saudável e boas lembranças daqueles que amamos — falou papai alto.

— Àqueles que amamos — ecoou o resto da mesa. Olhando lá fora pela janela para a neve, fiz meu próprio brinde silencioso. — Àqueles que amamos...

Capítulo Vinte e Dois

UMA NOVA DUPLA

Aquele que ganha mil corações tem, então, o direito a certo renome; mas aquele que mantém domínio inquestionável sobre o coração de uma mocinha é, de fato, um herói.

– A lenda do cavaleiro sem cabeça

Janeiro chegou com festa. Ou, pelo menos, foi assim para as outras pessoas. O meu foi mais um barulho surdo. Passei a noite de Ano-Novo sozinha, deprimida demais até para esperar a bola descer. Mamãe e papai saíram para comemorar com amigos, então, fui para a cama cedo. Sinceramente, eu não tinha nada pelo que ficar feliz.

Meu namorado não queria ser meu namorado. Minha melhor amiga estava morta. E o período de provas iria começar assim que eu voltasse para a escola.

Com certeza, não havia nenhuma razão para ficar feliz.

Nos meus últimos dias fugidios de liberdade, trabalhei sem parar no meu projeto do perfume Sleepy Hollow. Eu havia decidido fazer uma fragrância para cada personagem principal, mas primeiro queria criar aromas que lembrassem o cenário e as emoções criadas pela lenda. Eu tinha uma combinação perfeita em mente para um que iria chamar "Meia-Noite", e passei longas horas tentando aperfeiçoá-la.

Pensei em também me debruçar sobre meus planos de negócios, mas a tentação de brincar com os perfumes era mais forte e a distração que mexer com aromas me proporcionava era terapêutica. Acima de tudo, foram férias tristes e quietas, ainda que produtivas.

Quando as aulas recomeçaram, tivemos dois dias de preparação antes que as provas começassem. Na verdade, eu estava feliz com o trabalho extra da escola e fiquei enfiada nos livros o tempo todo. Parecia que eu tinha esquecido quase tudo que tínhamos revisto antes das férias. Era como se meu cérebro estivesse vazio, mas, ao mesmo tempo, minha cabeça estivesse pesada. Tio Bob provavelmente teria feito alguma brincadeira com isso, dizendo que saía fumacinha dela.

No final das contas, surpreendi a mim mesma, pois fui bem em todas as provas. Passei raspando em matemática, com um C bem mediano, mas tirei B em história e todo o resto ficou na casa do A. Mamãe e papai me passaram um bem ensaiado sermão você-tem-que-se-esforçar-mais, como era de esperar, mas entrou por um ouvido e saiu pelo outro. Eles provavelmente teriam o mesmo discurso se eu tivesse tirado só notas A.

Nós não tivemos muito descanso depois que a semana de provas terminou. A outra bomba foi jogada na manhã da segunda-feira seguinte, na aula de ciências. O sr. Knickerbocker esperou pacientemente até que todos estivessem sentados e tivessem pegado seus livros, antes de dar a grande notícia.

Eu estava brincando com meu lápis, rolando pra lá e pra cá, quando o ouvi limpar a garganta.

– Senhoras e senhores, um minuto de sua atenção, por gentileza.

Os sussurros cessaram e a classe ficou parada.

– Eu sei que todos estão muito tristes pelo fim da semana de provas. – Nós murmuramos e ele deu um sorriso falso. – Mas eu tenho boas notícias para vocês.

Sua gravata-borboleta marrom enrolou-se levemente e ele começou a caminhar na frente da lousa, as mão cruzadas atrás das costas. Oh-oh. Aquela não era a linguagem corporal de alguém que daria boas notícias. Aliás, o que o professor de ciências teria a ver com boas notícias, de qualquer forma?

Ele parou e levantou um dedo.

– É hora de ciência, pessoal. – Outro resmungo coletivo encheu o ar, mas ele continuou falando, como se não nos tivesse ouvido: – Para ser preciso, é hora da Feira de Ciências. A maravilhosa época do ano na qual vocês põem suas cabecinhas para trabalhar e me surpreendem com seu brilhantismo.

Revirei os olhos. Isso *definitivamente* não era uma boa notícia. O sr. Knickerbocker tinha uma reputação de não deixar as pessoas escolherem seus pares para a Feira de Ciências e, com a minha sorte, acabaria atolada com uma das meninas do grupo das animadoras de torcida.

– Este ano, em vez de pensar em um modo alternativo de escolher os parceiros, vou fazer isso em ordem alfabética, começando do Z. Assim que você e seu parceiro forem escolhidos, gostaria de que mudassem de lugar. Vocês se sentarão juntos até o final do ano.

Aí é que eu prendi *mesmo* o fôlego e até rezei em silêncio. Passando mentalmente pelo alfabeto, dei um suspiro de alívio quando percebi que nenhum sobrenome das animadoras de torcida começava com A, B ou C.

O sr. Knickerbocker continuou:

– Vocês terão três meses para trabalhar no projeto. A entrega é na segunda semana de abril. Nessa época será a Feira de Ciências e vocês serão responsáveis por fazer uma apresentação de seu projeto. Isso valerá vinte e cinco porcento da nota de vocês, crianças; portanto, pensem bem e se esforcem. Qualquer dúvida, por favor, procurem por mim depois da aula.

Eu me desliguei completamente quando ele começou a formar as duplas e a sala logo se encheu do barulho de cadeiras e mesas sendo arrastadas. Levou um tempo enorme para que ele chegasse a meu nome e logo passei a ter uma expressão entediada no rosto, esperando que quem quer que ficasse comigo, percebesse que eu *não* queria fazer novos amigos.

As cadeiras ainda estavam sendo arrastadas de forma barulhenta e os alunos estavam se acomodando enquanto faziam muita algazarra quando, por fim, ele falou meu nome, mas eu não estava prestando atenção quando ele disse quem deveria formar dupla comigo. Fiquei ali, congelada em minha cadeira, na esperança de que a pessoa que iria se sentar perto de mim pelos próximos meses estivesse se aproximando, porque eu não estava me mexendo.

 Olhando discretamente para trás, vi uma menina sentada com a mesma cara de tédio e uma cadeira vazia perto dela. Eu me virei para trás para tirar meus livros e sentar perto dela, quando, de repente, Ben apareceu.

 – O que você está fazendo? – perguntei a ele. *Certamente* eu estava com cara de ponto de interrogação.

 Ele levantou a sobrancelha e sorriu para mim.

 – Eu sou Bennet, você é Browning, certo?

A ficha ainda não tinha caído.

 – Sim, e...?

 – Somos uma dupla! – Ele riu.

Meu rosto ficou vermelho.

 – Ah – eu disse, sem convicção. – Eu não devia estar prestando atenção.

Ele balançou a cabeça e empilhou seus livros direitinho em um dos lados da mesa.

 – Então, alguma ideia do que podemos fazer? Ou você não estava prestando atenção em nada que o sr. Knickerbocker disse?

Chutei o pé dele debaixo da mesa e senti uma pontinha de satisfação quando ele se curvou. Ainda estava rindo, mas pude ver que não estava sendo maldoso.

 – Não, senhor "Ouvido Acurado", eu não tenho nenhuma ideia. E você?

Ele falou alguma coisa sobre uma ideia envolvendo matemática, DNA e algum tipo de viagem espacial, mas eu já estava balançando a cabeça.

– Ah, cai na real, nerd da ciência. É um projeto não ficção científica. Se você quer ser responsável pelo projeto todo, de verdade, manda ver esse aí. Mas, caso você queira alguma participação da minha parte, então temos que escolher algo menos *Jornada nas estrelas* e um pouco mais... normal.

Ao cruzar os braços sobre o peito, ele inclinou a cadeira para trás até que ela ficou apoiada em apenas duas pernas.

– Bem, se você não tem nenhuma ideia, então, como você vai participar?

Dei de ombros.

– Não sei. Vou até a biblioteca e pesquiso em algum livro ou algo assim. Deve haver uma tonelada de ideias lá.

Aí *ele* deu de ombros.

– Que seja. Como eu não pretendo deixar de lado nenhuma ideia legal, eu também vou.

– Você tem horário de estudo no último horário? – perguntei.

Ele fez que sim com a cabeça.

– Está bem, vamos nesse horário então.

Ele apoiou a cadeira de volta no chão e piscou para mim.

– Ótimo! Está marcado.

Cobri o rosto com as mãos e balancei a cabeça. Seriam três meses *muito* longos.

Combinei de encontrar Ben na porta principal da escola no final das aulas, e eu mexia impacientemente na alça da minha bolsa enquanto esperava por ele. O sinal havia tocado há dez minutos e eu estava pronta para ir embora dali antes que alguém perguntasse o que estava fazendo andando de um lado para o outro.

 Ele apareceu cinco minutos depois, sorrindo envergonhado e balbuciando uma desculpa esfarrapada, mas eu já estava voando pela porta dupla, feliz por deixá-lo para trás. Ele logo me alcançou e segurou na alça da minha bolsa quando comecei a virar para a esquerda, na direção da biblioteca.

 – Aonde você vai? – perguntou ele. – O estacionamento é do outro lado.

 Eu parei.

 – A biblioteca não é tão longe, achei que íamos andando.

Ben balançou a cabeça.

 – Eu não vou deixar meu carro aqui e está frio. Venha.

Dei um espirro alto ao segui-lo até o estacionamento dos estudantes, passando por um labirinto de carros pelo caminho.

 – O que estou procurando? – falei, procurando em várias direções.

 – Está bem aqui.

Eu não conseguia vê-lo mais, então, segui o som de sua voz e parei quando cheguei a um Jeep Cherokee verde. Ele já estava sentado, acelerando o motor.

 – Sua carruagem a espera – disse ele, no meio de todo o barulhão. – Venha, entre. – Tentei não rir quando uma nuvem de fumaça preta saiu do escapamento.

 Ao jogar minha bolsa no banco de trás, balancei a cabeça e entrei pela porta do passageiro.

– Sabia que você é muito mandão?

Lentamente, ele saiu do estacionamento enquanto eu me debatia com o cinto de segurança no ombro.

– Assim – disse ele, segurando-o e dando um puxão –, você tem de encontrar o ponto macio.

Desatei a rir.

– Seu carro tem um ponto macio? Está brincando, certo? Depois você vai me dizer que tem nome também?

Ele manteve os olhos na estrada, mas concordou.

– É claro. Todos os carros bons têm nome. Esse aqui é Doce Christine.

Eu não consegui segurar. E explodi dando risadas mais risadas.

– Doce Christine? Você escolheu esse nome quando tinha doze anos?

As bochechas dele ficaram muito vermelhas e ele começou a verificar os espelhos retrovisores antes de responder.

– Como você adivinhou? Ganhei o carro quando eu tinha doze anos, ajudei o meu pai a montá-lo e quando chegou a hora de dar um nome, eu... ah... Só coloquei meus dois nomes favoritos na época. Eu estava na fase Stephen King.

Continuei rindo. A imagem era demais. Um Ben de doze anos dando o nome de Doce Christine para seu futuro carro era absurdamente engraçado para mim.

– Desculpe – falei entre risadas. – Eu acho que podemos ficar felizes por você não ter esperado crescer para dar o nome. "Doce" provavelmente não é mais o número um da sua lista.

Ele deu de ombros.

– Você está certa. Se eu tivesse esperado para dar o nome até eu ter minha carteira de motorista, ela teria sido um tipo diferente de doce. – Zombando de mim, ele riu quando fiquei vermelha ao me dar conta do que ele quis dizer.

É, *provavelmente* eu deveria ter ficado com a boca fechada com esse lance todo de "nome do carro". Mas ele teve pena de mim e parou de zombar.

– Então, que carro você tem?

– Não tenho – suspirei triste. – Meus pais estão esperando eu completar dezessete para me deixar tirar a habilitação.

– Cara, isso é mau. Não ter um carro significa não ter liberdade. Eu não consigo imaginar o que faria se não tivesse "Doce Christine". Ela é parte da família.

– Não é tão ruim assim – eu disse. – Meus pais são bem tranquilos com regras, então, vou a todos os lugares que quero. E já que eu cresci indo para todo canto, eu meio que me acostumei a não ter meu próprio carro. Minha mãe me deixa no trabalho nos finais de semana.

Tínhamos chegado à biblioteca e estávamos procurando uma vaga de estacionamento.

– Você tem um emprego? Legal. Onde?

Eu expliquei enquanto saíamos do carro e andávamos até os degraus da biblioteca. Ele ouviu o que eu disse e segurou a porta para mim, enquanto entrávamos. Eu não tive a chance de perguntar se ele tinha ou não um emprego, porque fomos imediatamente cumprimentados por uma bibliotecária com cara de pedra que nos deu uma olhada severa.

Parando no meio da frase, baixei a voz.

– Em que seção você acha que deveríamos começar?

– Vamos ver se eles têm uma seção para estudantes – sugeriu ele. – Podemos achar algo lá.

Concordei e rapidamente saí procurando pela seção. Não achamos nada no primeiro andar e o segundo andar também acabou sendo uma roubada. Mas o terceiro nos deu *exatamente* o que estávamos procurando.

– Ali. – Ben gesticulou ao darmos a volta no corrimão e subirmos o último degrau. – Eu vi uma seção de estudantes. – Eu o segui por um arco e nós nos separamos e tomamos direções opostas.

– Parece que tem uma seção inteira sobre projetos de ciências – falei do meu lado da prateleira.

– Achei uns livros diferentes, especificamente sobre matemática e ciências – falou ele de volta.

Fiquei mais alguns minutos procurando. Devia estar muito concentrada, porque dei um pulo quando Ben veio do outro lado e me surpreendeu. Os braços dele estavam lotados de livros.

– Aqui, segure estes. Eu vou ver quantos podemos levar.

Colocando os livros empilhados aos meus pés, ele saiu correndo e eu voltei a minha atenção para a prateleira. Quando ele voltou, eu havia adicionado vários livros que escolhi à considerável pilha que ele deixara.

– A bibliotecária disse que só podemos levar oito livros de cada vez – disse ele, olhando para a montanha à minha frente. – E mesmo que *cada um de nós* leve oito, temos *muito* mais que isso aqui.

Olhei para a pilha e contei rapidamente. Juntos, tínhamos trinta e dois livros.

– A bibliotecária também falou de algum tipo de sala de estudo que fica nos andares de cima e que ela poderia reservar por duas horas – continuou ele. – Então, eu disse a ela que nós a usaríamos agora. Está a fim de carregar uns livros comigo?

Meu coração deu uma cambalhota. E não porque eu temesse carregar livros. Não, tinha um *pouco* a ver com o fato de que eu sabia exatamente de qual sala ele estava falando. Vacilei por um instante, depois espaireci.

– Claro – eu disse, indiferente. – Vamos.

Cada um de nós pegou um monte de livros e Ben fez questão de pegar o dobro da quantidade que eu levava. Dei uma olhada de desdém para ele, que apenas se virou e começou a andar em direção à porta.

– É a coisa cavalheira a se fazer – falou ele olhando para trás. – Eu tenho que carregar mais livros que você.

Arrumei a pilha em meus braços e o segui, tentando guardar o que eu pensava para mim mesma. *Não seria difícil. Era apenas uma sala. É claro que eu podia fazer isso. Eu não pensaria em Caspian de jeito nenhum e, em vez disso, me concentraria totalmente nas ideias que Ben e eu poderíamos ter para a Feira de Ciências.*

Quando finalmente chegamos à sala, joguei meus livros na mesa. Distraída momentaneamente pela dor aguda em meus braços, jurei para mim mesma que começaria a malhar um dia desses. Mais algumas viagens dessas iriam me matar.

Ben apoiou seus livros também e deu uma olhada na sala.

– Eu acho que esses são suficientes pelas próximas duas horas. – Ele olhou para o teto descascando e para os quadros apagados nas paredes.

– Parece que eles gastaram a verba para decoração em todas as *outras* salas da biblioteca.

Sorri sem graça enquanto espalhava meus livros na minha frente e sentava. Então, de modo cuidadoso, dei uma empurradinha nos livros dele para o outro lado da mesa. Ele ainda estava rondando pela sala e tentei ignorá-lo, pegando um livro que parecia bem pesado antes de abri-lo na página do índice.

– Eles obviamente não querem ninguém aprontando aqui – disse ele, apontando para a placa que dizia: MANTENHA SEMPRE A PORTA ABERTA.

Eu gelei.

As palavras de Caspian voltaram a mim e à minha cabeça e ouvi minha resposta. *"Bem, eles não falaram que a porta tem de ficar completamente aberta."* Espantando a memória sem dó, forcei minha atenção de volta para o livro e fitei a página aberta à minha frente.

Mas eu não estava vendo as palavras escritas. Estava vendo, em minha memória, cabelos louros esbranquiçados e olhos verdes profundos que faiscavam acima de um sorriso. Aquele raio vívido se elevou, e, por um segundo, jurei que quase podia tocá-lo.

A mão de Ben passando pelo meu rosto terminou com a lembrança, e meus pensamentos se despedaçaram. Olhei para ele e levantei uma sobrancelha.

— Sim?

Ele estava sentado agora onde eu tinha empurrado os livros dele e parecia sério.

— Eu estava chamando seu nome, mas você não respondia. Você está bem?

Não, não estou bem, eu gritava em silêncio, mas apenas olhei brava para ele.

— Desculpe, eu estava concentrada. Nós temos algo para fazer aqui, você sabe.

Ele se recostou na cadeira e abriu um livro.

— Está bem. Fale quando encontrar alguma coisa interessante.

Dei de ombros e virei de volta para a página em frente, passando sem entusiasmo por um monte de capítulos e assuntos. Eu sabia que deveria prestar atenção ao que estava diante de mim, mas era muito difícil fazer meu cérebro cooperar.

Lembrando-me novamente da regra "não pense em Caspian", comecei a ler sobre o projeto que usava diferentes aromas e uma pessoa vendada para testar os cinco sentidos. Eu rapidamente fiquei vidrada naquela seção. A ideia parecia muito interessante.

Ben interrompeu minha linha de pensamento.

— Você acha que poderíamos conseguir petróleo, álcool e etanol? Tudo seria usado estritamente em nome da ciência, é claro. Acho que poderíamos fazer nossa própria gasolina.

Colocando meu dedo no lugar que eu estava lendo, olhei para ele.

— E o objetivo disso seria...?

– Não ter mais que pagar pela gasolina do meu carro – disse ele. – Você tem ideia de quanto está custando um litro de gasolina comum agora?

Revirei os olhos.

– Não. Nós definitivamente *não* vamos descobrir como fazer gasolina para o seu carro como projeto de ciências. Agora, continue a ler.

Voltando ao meu assunto, tentei terminar de ler, mas acabei olhando para Ben. Eu soube exatamente quando ele achou outra ideia que gostou, porque seus olhos se acenderam e ele se remexeu na cadeira como um macaco.

Suspirando, baixei meu livro de novo e olhei direto para ele.

– O que foi agora?

Ele olhou para mim, praticamente balançando no assento e disse:

– O que você acha da continuidade espaço-tempo? Se pudermos pegar alguns espelhos e retrair a luz, acho que poderíamos calcular a teoria física do quantum e, então, poderíamos... – Ele parou quando reparou na minha expressão. – Isso se encaixa na categoria nerd anormal?

Eu fiz que sim com a cabeça.

– E quanto a viagens no tempo? – tentou.

Balancei a cabeça.

– Deixe isso para a NASA ou onde quer que seja o lugar em que eles descobrem essas coisas. Aqui, talvez eu tenha achado um. – Enquanto lia para ele o livro no qual havia um projeto baseado na sensibilidade nasal e o poder de compensar sentidos perdidos, ele me encarava sem expressão o tempo todo.

– Você ouviu alguma coisa do que falei? – perguntei quando terminei de ler. – Eu acho que poderia ser um projeto bem apropriado a se fazer. Sempre me pergunto o quanto o sentido do olfato era forte. Quando faço meus perfumes, às vezes juro que eu...

Ele me interrompeu:

– Você faz perfume? Eu não sabia disso.

Eu o ignorei e continuei falando sobre o projeto.

– Você poderia apenas se concentrar aqui, Ben? Por favor? Eu acho que esse é bom para nós. Não será chato. E você vai fazer as pessoas cheirarem coisas nojentas. Dá pra ser mais engraçado?

Ele parecia intrigado com a ideia e aproveitei a oportunidade para ler mais um pouco do livro para ele, que logo me interrompeu de novo.

– Você vai fazer aquelas luzes ruivas no cabelo de novo, Abbey? Eu as achava tão bonitas.

Eu perdi o fôlego e me senti como um peixe, tentando pegar ar. Foi um golpe direto no meu coração e machucou fundo até minha alma. Não teria como ele saber. Não dava para dizer que essa pergunta poderia me machucar tanto.

– O que você acha do meu cabelo? – perguntou Ben. – Será que eu deveria fazer umas luzes ruivas também? Iria combinar com as suas.

Ele sorriu para mim, mas fiquei sentada lá, feito uma estátua, em choque. Para meu tremendo pavor, uma lágrima escorreu por meu rosto e imediatamente a limpei, baixando a cabeça, envergonhada. Senti a mesa mexer embaixo de mim e, então, senti um toque esquisito no braço.

– Ei – disse Ben baixinho. – Nós podemos fazer o projeto de coisas fedorentas. É legal. Eu falei sobre os outros apenas para provocá-la. Não queria realmente fazê-los.

Ri, trêmula, e limpei outra lágrima antes de levantar a cabeça.

– Não é isso, Ben, mas obrigada. – Olhei a sala toda e gesticulei desajeitada. – Esta sala... traz lembranças... e quando você falou sobre as mechas vermelhas, bem...

Ele baixou a mão e deu um passo para trás.

– Isso te faz lembrar dele, certo? Isso é bom? Ou é ruim?

Balancei a cabeça e passei a mão no cabelo, colocando um cacho solto atrás da orelha.

– De verdade? Não sei ao certo. – Meu nariz estava escorrendo e eu tentei fungar tão discretamente quanto possível. – As coisas estão meio confusas e não sei o que fazer. É só que estar nesta sala de novo... as coisas eram *muito* mais felizes naquela época e eu achei que ia ficar bem... Mas não estou.

Ele deu a volta na mesa e colocou a mão no meu braço de novo.

– Abbey, está tudo bem. Você deveria ter me dito. Nós não precisamos ficar aqui.

– Levantei-me e comecei a arrumar as coisas para lá e para cá

– Tudo bem se formos embora? Nós podemos ir para minha casa ou algo assim. Talvez pedir pizza?

Ele fez que sim e começou a juntar os livros.

– Eu vou devolver estes aqui à bibliotecária. Leve o tempo que precisar e me encontre lá embaixo quando terminar, está bem?

– Obrigada, Ben. – Empurrei o livro que estava lendo para ele. – Retire este aqui para levarmos.

Ele pegou todos os livros da mesa, inclusive aqueles que eu tinha trazido, virou para a porta e depois voltou-se para mim.

– Você vai ficar bem agora? Não vai mais chorar? Eu não sei lidar com meninas chorando. Toda vez que minha irmã de cinco anos liga a cachoeira, acabo comprando uma Barbie para ela. Você não precisa de uma Barbie nova, precisa?

Balancei a cabeça.

– Fique quieto, Benjamin Bennet. Não se esqueça de que sei a história do nome do carro. Você não ia gostar que eu contasse para a escola inteira, ia?

Ele desapareceu pela porta e sua risada ecoava escada acima. Depois de respirar fundo algumas vezes, forcei meu queixo para cima e arrumei os ombros. Então, a regra "não pense em Caspian" havia sido quebrada. Pelo menos não podia ficar muito pior do que desabar e chorar na frente de um colega de classe.

Não, eu disse a mim mesma ao desligar a luz e deixar a sala para trás, *de fato, não podia piorar...*

Desci sem pressa os cinco lances de escada e passei o dedo no corrimão empoeirado conforme andava. Foi quando estava descendo para o primeiro andar que algo conhecido me chamou a atenção. Meus olhos registraram antes do meu cérebro, mas tão logo me dei conta do que era, corri em sua direção. Eu o segui até o piso inferior e me encontrei na sala escura dos arquivos.

O ar estava pesado e torres de livros me ameaçavam cada vez que eu virava. Passei por todos os longos corredores, olhando ansiosa em todas as direções. Vi um lampejo de cabelos loiros e só havia uma pessoa que eu conhecesse que tinha o cabelo daquele tom.

Caspian estava ali.

Procurei por todos os locais, totalmente convencida de que o tinha visto. Havia tão poucos lugares ali embaixo para alguém se esconder. Dei a volta na última curva antes das escadas pela segunda vez e foi quando eu o vi sentado em uma pequena mesa, com um livro à sua frente. Ele não me ouviu chegar e eu estava quase a seu lado quando ele, enfim, olhou para cima.

– Oi – eu disse, baixinho. Olhei para o que ele estava lendo e vi figuras de estrelas. Era o livro que eu tinha dado a ele de Natal.

– Oi – respondeu ele. – Recebi seus presentes. – Ele apontou para o livro e acenei com a cabeça. – Eles são ótimos. Obrigado, Abbey.

Meu pobre ego machucado se elevou com o jeito como ele falou meu nome.

– Recebi os seus também, Caspian. Os desenhos são... incríveis. E o colar... é lindo.

Claro, eu ainda não tinha usado, pois só olhar para ele me fazia chorar toda vez. Então, agora ele morava embaixo do meu travesseiro, longe dos olhos, mas perto dos meus sonhos.

 Ele olhou de novo para o livro e uma estranheza encheu o espaço entre nós. Quebrei a cabeça para dizer algo, mas apenas consegui lembrar que Ben estava esperando por mim e que, provavelmente, eu deveria ir encontrá-lo.

 – Tenho de ir. Tem uma pessoa me esperando – eu disse. Ele levantou o olhar do livro de novo, encontrando o meu, e fiquei com os joelhos bambos. Eu sabia que naquele exato momento teria dado qualquer coisa para voltar no tempo e estar naquela sala de estudos com ele novamente.

 – Está bem – disse ele, virando a página e desviando o olhar. – Vejo você por aí qualquer hora.

 – S-Sim, vejo você por aí – gaguejei. Ele voltou a ler antes que eu tivesse terminado a frase. Continuei resoluta e me virei. Se era assim que ele queria agir, então, os dois podiam jogar aquele jogo.

 Subindo as escadas, dei uma olhada para trás mais uma vez antes de ficar fora do campo de visão. Quase caí do degrau quando vi que ele estava olhando para mim. Meus olhos se encontraram com os dele antes de eu virar e continuar a subir a escada.

 Não significava nada. Eu não podia me permitir pensar que isso significava alguma coisa.

Ben estava esperando por mim na mesa de retirada de livros e me olhou confuso quando me viu nas escadas da sala dos arquivos. Ele ficou surpreso.

 –Achei que você estava lá em cima.

— Eu estava — respondi. — Mas vi uma pessoa que eu conhecia e parei por um minuto para dizer oi. — Fui em direção à porta da frente, em busca da luz do sol. Ben me seguiu pelos degraus abaixo.

— Era Caspian? Tudo bem para ele se eu for para sua casa? Não quero pisar nos calos de ninguém.

Olhei para os dois lados antes de atravessar em direção ao estacionamento e segui para o carro dele.

— Você não está pisando em nada de ninguém. *Pode acreditar.*

Ben não falou nada ao entrarmos e ligou a Doce Christine. Ensinei o caminho para minha casa a ele e ficamos em silêncio. Quando chegamos, fiz as apresentações rápidas a mamãe e papai, que *por acaso* estavam em casa juntos, e, então, liguei para pedir pizza.

Ben e eu logo começamos a trabalhar, delineando o que precisaríamos para o projeto e passamos a hora seguinte repassando tudo. Mamãe e papai permaneceram no canto deles e fiquei impressionada com a discrição generalizada.

Mesmo quando papai começou a piscar para mim cada vez que me olhava e tive de lançar meu olhar bravo tipo eu-vou-te-matar-se-voce-não-parar-com-isso, eles conseguiram ficar na boa. Fiquei chocada.

Quando Ben falou que tinha de ir, peguei meu casaco e me ofereci para ir com ele até o carro. Dei aquela olhada para papai quando passei por ele, mas ele nem piscou. O brusco ar de inverno esfriou meu rosto quando saí e ajustei meu casaco, abotoando-o. Ben abriu a porta do carro e sentou, colocando seu livro no banco do passageiro, ao lado dele.

Fiquei ao lado da janela do motorista.

— Então, quando você quer fazer isso? Tenho de trabalhar com meu tio nos fins de semana, mas estou livre depois da escola.

Ben ligou o motor e o escapamento cuspiu fumaça branca no ar gelado.

— Quer marcar os encontros na quarta e na sexta à tarde? — perguntou ele. — Amanda tem treino de animação de torcida nesses dias e eu só começo a trabalhar às sete da noite.

Olhei para baixo, para a entrada de carros de cascalho abaixo dos meus pés. *Nós estávamos planejando meus horários de acordo com a agenda da namorada dele, que lindo!*

Meus pensamentos deviam estar estampados na minha cara, pois ele falou meio na defensiva.

— Ou podemos marcar de outro jeito. Do jeito que for melhor para você.

Puxei um fio solto do meu casaco antes de olhar para ele de novo.

— Assim está bom. Funciona para mim. Vamos nos encontrar durante o horário de estudos no fim de cada dia.

Ele fez que sim com a cabeça.

— Está bem — eu disse. — Vejo você amanhã na escola. E obrigada por ter sido tão legal em relação a tudo o que aconteceu hoje, Ben. Muito obrigada mesmo.

Olhei para ele para que percebesse que eu realmente queria dizer aquilo. Mas ele ficou envergonhado e deu de ombros como se não fosse grande coisa.

— Então, onde você trabalha? — perguntei, com um sorriso provocador. Eu queria mudar de assunto o mais rápido possível antes que ele fosse embora. – Talvez eu vá atormentar você qualquer dia desses.

Ele riu e engatou a marcha do carro, mas pisando no freio.

– Eu sou garçom naquele restaurante, O Cavaleiro Assombrado. Um glorioso ajudante é mais apropriado. Se você for lá, faço questão de que ganhe um copo d'água de graça. Por conta da casa.

Eu ri.

– É uma oferta muito boa para eu perder.

Ele sorriu e acenou enquanto saía devagar com o carro.

– Tchau, Ben – falei. – Tome conta da Doce Christine.

Ouvi a gargalhada dele ao andar de volta para dentro de casa. Papai estava parado perto da porta, piscando para mim enquanto eu suspirava ao pendurar o casaco. Era óbvio que eu teria de dar uma bronca nele.

Capítulo Vinte e Três

CONFUSÃO

Ele parecia ser um cavaleiro de grandes dimensões, montado em um cavalo negro de constituição robusta.

— *A lenda do cavaleiro sem cabeça*

Janeiro passou voando e logo já era fevereiro. Às quartas e sextas, eu me encontrava com Ben por uma hora ou duas na escola e, nos fins de semana, trabalhava com o tio Bob. Eu ignorava o cemitério firmemente e passava cada momento de folga que tinha trabalhando em meu plano de negócio. Se eu queria conseguir o dinheiro do papai, já era hora de levar isso a sério. Eu só tinha mais alguns meses até o fim do ano escolar.

Foi durante uma pequena folga nos trabalhos no plano de negócios, numa quinta-feira à noitinha, que fiquei com vontade de tomar chá de hortelã. Ao pegar minha nova e ainda não usada xícara de cima da mesa, eu me dei conta de que não havia tido ainda a chance de agradecer pelos presentes de Natal de Nikolas e Katy. Eu tinha ficado tão envolvida com o projeto da feira de ciências, meus perfumes e meu coração partido que não tivera tempo ou cabeça para essa visita.

Eu me senti mal por isso. Eles foram tão legais comigo e estavam tão ansiosos pela minha visita que era um absurdo eu ainda não ter ido até lá. Quando a água ferveu e joguei um saquinho de chá de hortelã em minha xícara, prometi a mim mesma que se acabasse meu trabalho mais cedo naquele dia, iria visitá-los.

Com meus planos acertados, voltei para cima, sentei na minha escrivaninha e continuei com meus cálculos de lucros brutos estimados para três anos. Quando os músculos do meu pescoço gritaram de dor e meus olhos doloridos me lembraram de que eu estava trabalhando por tempo demais, olhei para o relógio na parede com medo. Era quase meia-noite.

Muito tarde para uma visita e, como eu tinha aula no dia seguinte, era hora de pular na cama. Cansada, empurrei meus papéis para a lateral da mesa e deixei minha xícara de chá lá. Ela podia esperar até amanhã para ser lavada. Lutando contra vários bocejos, coloquei um pijama felpudo, bem quentinho, e me aconcheguei debaixo das cobertas. *Amanhã*, garanti a mim mesma.

Eu iria visitá-los amanhã.

Porém, quando a sexta à tarde chegou, eu estava trabalhando no projeto com o Ben na escola, e meus planos mudaram de novo. Se ele pudesse me dar uma carona até o cemitério e me deixar na casa de Nikolas e Katy, eu faria uma visita rápida, agradeceria e combinaria uma nova visita, mais longa, para um outro dia. Pareceu-me um bom plano e logo me peguei trabalhando com Ben mais uma vez.

Nós estávamos fazendo a lista de todas as coisas das quais precisaríamos para que as pessoas cheirassem, e ele estava se esforçando para me deixar enojada. Tentando ficar confortável na cadeira à frente da mesa vazia em que trabalhávamos, repassei a lista de categorias outra vez. Estavam divididas em "Sim", "Não" e "Talvez".

– Acho que deveríamos adicionar uma nova categoria aqui, Ben – eu disse. – A categoria "Não mesmo", que é onde a sua ideia de ovos podres deveria estar.

Os ombros dele chacoalhavam com a risada e o sorriso em seu rosto era contagiante. Também comecei a rir.

– Estou falando supersério com você, Ben – eu disse, entre risadas. – Não existe nenhuma possibilidade de eu me envolver em um projeto no qual faremos as pessoas cheirar ovos podres. Você quer que elas vomitem em cima da gente?

Os olhos dele se iluminaram e levantei as mãos, sabendo imediatamente que eu tinha acabado de sugerir algo que ele acharia extremanente interessante.

– Não. Não! Definitivamente, não.

Ele fez a cara mais triste do mundo.

– Ah, vai, Abbey, assim você não deixa isso divertido. Pensei que tivesse dito que eu poderia fazer as pessoas cheirarem coisas muito nojentas. Não foram exatamente essas as suas palavras?

Suspirei, derrotada. Ele estava certo.

— Está bem, está bem — desisti. — Ovos podres ok, mas vômito não. E se as pessoas vomitarem por causa do cheiro, vou fazer *você* limpar. Está bem?

Seu sorriso largo foi a única resposta que consegui, ao escrever "ovos podres", abaixo da categoria "Sim". Quando acabei de escrever, ele debruçou e rabiscou BB ao lado. Olhei para o papel tentando entender o que ele havia feito e depois levantei uma sobrancelha para ele.

— Eu desisto. O que isso significa?

Ele apontou para as letras BB.

— Ben Bennet. Minhas iniciais. Eu não queria que você esquecesse de quem tinha sido a maravilhosa ideia.

Eu o encarei como se ele tivesse ficado verde bem na frente dos meus olhos.

— Maravilhosa? Ah, sim. Eu farei questão de lembrá-lo disso quando você estiver com vômito até os joelhos.

O olhar dele foi tão cômico que quase morri de tanto rir e ele juntou-se a mim.

— Sua risada é contagiante, Abbey — disse-me ele depois de eu ter me controlado.

Eu o cutuquei no braço.

— A culpa é sua, sabia? Você me faz esquecer tudo e rir demais. Nós nunca vamos acabar este projeto se não trabalharmos sério.

Ele pegou a caneta da minha mão e começou a rascunhar no papel.

— É melhor rir do que chorar, não é?

A seriedade da questão me pegou e solucei, sinalizando positivamente com a cabeça, lentamente. Ele continuou a olhar para baixo, para o que estava fazendo e se manteve escrevendo. Senti uma tensão em volta dos ombros e pensei novamente na cena da biblioteca, lamentando aquele momento mais uma vez.

Ben ficou em silêncio, até que olhou para o relógio e pulou de repente.

– Ai, cara, estou atrasado. Tenho de ir. Hoje, eu deveria pegar a Amanda às cinco. Temos um encontro.

Tirei meu celular do bolso e vi que já eram 4:53.

– Pode ir. Vejo você na segunda.

Ele pegou sua mala de livros enquanto eu guardava a lista que tínhamos feito, virou-se para mim antes de ir em direção à porta.

– Até mais, Abbey. Foi divertido. Você é a melhor parceira de Feira de Ciências que já tive.

Eu ri.

– Claro. Eu sou a *única* que você teve. Até agora nós nunca tivemos de participar de uma Feira de Ciências.

Rindo, ele levantou um ombro, concordando.

– Mesmo assim.

– Vá – eu disse. – Saia daqui. – Ele acenou antes de ir e terminei de fechar o zíper da minha mochila, verificando se tudo estava fechado direito.

Ben podia ser bagunceiro, mas, pelo menos, na maior parte do tempo, ele mantinha minha cabeça ocupada com outras coisas.

Erguendo a mochila até o ombro, andei até a porta e parei quando me dei conta de que tinha esquecido de pedir a ele uma carona até o cemitério. Hesitei, sem saber se devia me ater ao plano e ir a pé até a casa de Nikolas e Katy ou se devia ligar para minha mãe e pedir uma carona para casa.

Olhando pela janela mais próxima, tentei verificar como estava o tempo. Estava ficando escuro lá fora. Peguei meu telefone e mais uma vez liguei para mamãe, esperando que ela atendesse. O tom de voz dela parecia distraído e quando me contou que o jantar seria mais tarde por causa de uma papelada de última hora, a decisão estava tomada.

Disse a ela para não se preocupar. Eu iria andando para casa e pararia no meio do caminho para comer alguma coisa. Depois de verificar se eu tinha dinheiro suficiente, ela deu um suspiro de alívio e se despediu.

Com isso combinado, coloquei meu telefone de volta no bolso e saí andando da classe. Ainda era um pouco estranho estar na escola tão tarde e apertei o passo pelos corredores, em direção à porta principal. O som distante de uma enceradeira zunia ao fundo e alguns professores olharam para cima, deixando a correção de seus trabalhos, quando passei pelas salas em que estavam. Dei um sorriso falso e continuei andando, ansiosa para me colocar a caminho de casa.

Assim que saí, fui imediatamente envolvida por uma sensação de liberdade. Arrumei minha mochila, enfiei meus dedos sem luvas nos bolsos e então segui na direção do cemitério. Eu tinha de fazer uma parada.

Escolhi o caminho que me levaria direto ao cemitério, cruzando o rio. Era uma escolha perigosa e a primeira vez que eu iria quebrar o pacto com a Kristen, mas era o caminho mais rápido. Estava andando bem rápido e logo cheguei aos bancos de rochas que marcavam meu destino à frente.

Observando as águas revoltas por um minuto, fiz uma oração breve para que chegasse ao outro lado sem cair. Tudo que tinha a fazer era prestar atenção enquanto andava nas pedras e cruzaria num piscar de olhos. Apoiando minha mochila com maior firmeza nas costas e segurando os braços para me equilibrar, dei um passinho para a pedra mais próxima para verificar se estava escorregadia. Parecia que a maior parte da neve já havia derretido, mas, com o tempo frio, o gelo era minha maior preocupação.

Coloquei o outro pé na pedra e fiquei parada por um minuto. Até ali, tudo bem. Eu só tinha que pisar em mais quatro ou cinco pedras para chegar ao outro lado. A água passava apressada e tentei não olhar para baixo, diretamente para ela. Mantendo os olhos no outro lado do rio, pulei para a próxima pedra.

Escolher apenas as maiores e mais planas era meio difícil, mas pisei na seguinte e vi que já estava no meio do rio. Olhei em volta, vi a costa de onde tinha acabado de sair ficar para trás e a que tentava alcançar ainda bem longe.

A pedra seguinte se projetava de modo angular e afiado e eu sabia que provavelmente seria difícil passar por ela. Tentei, mas meu pé escorregou da pedra e quase caiu na água. Eu me equilibrei e permaneci em pé, tentando me manter o mais ereta possível. Tentando de novo, meu pé escorregou novamente e quase perdi minha mochila.

Aquilo me fez tremer e tive de me conter para não entrar em pânico. Eu não sabia se deveria continuar ou simplesmente voltar. A água a minha volta fazia um barulho assustador e me senti ilhada. Era quase a mesma situação do sonho angustiante que tive na noite em que Kristen morreu.

Encarei o rio cristalino. Sabia que estaria frio, entorpecedor, de tirar o fôlego e tão frio quanto o gelo. E era rápido. A corrente iria me engolir e me carregar assim que eu caísse.

Fui instantaneamente arrebatada por um pensamento e olhei para a pedra em que estava empoleirada. *Foi nessa que ela bateu a cabeça?* O sangue da Kristen ainda manchava essa água em algum lugar? Houve alguma dor ou tristeza...?

O som de alguém gritando alguma coisa me tirou desse estado de contemplação e olhei para o outro lado do rio. Uma figura escura estava parada lá, acenando para mim e mal pude identificar quem era pelo contorno do sobretudo. Fazendo uma concha em volta da boca, gritei:

– Nikolas, é você?

– Sim, Abbey, sou eu – falou ele de volta.

–Espere – gritei. – Já estou quase terminando de cruzar.

Analisei a pedra à minha frente. De modo lento, escorreguei meu pé para fora, tentando um ângulo diferente dessa vez. Funcionou e consegui apoiar meu pé com mais firmeza. Estendendo-me sobre as duas pedras, segurei minha mochila e me joguei.

Não fiquei parada por muito tempo, tentei continuar me movendo. A pedra seguinte era a maior de todas e passei por ela rapidamente. Quando pisei na última pedra que ficava entre mim e o chão seco, pude ver Nikolas parado bem perto da beira d'água. Ele estendeu uma de suas mãos frágeis para mim, e eu me agarrei a ela assim que alcancei o banco do rio, agradecida pela ajuda.

Dando uma última e longa olhada para trás, eu me virei para ele e deixei que toda a gratidão que sentia transparecesse em meus olhos.

– Obrigada, Nikolas. Você é o segundo homem a vir ao meu resgate neste rio. Uma garota pode se acostumar com gentilezas como essa.

Ele mudou a posição dos pés e fez barulhos de desaprovação, mas acho que minhas palavras o haviam deixado contente. Quando finalmente soltei sua mão, ele puxou seu casaco gasto de flanela para mais perto dos ombros e me olhou ansioso.

– Você não devia ter cruzado o rio, Abbey. Se você tivesse escorregado ou caído, não sei o que eu teria feito. Não é a sua vez ainda. – Seu rosto marcado pelo tempo parecia preocupado e eu estava incrivelmente sentida por tê-lo deixado assim.

Dei tapinhas em sua mão para acalmá-lo e coloquei um braço em volta dos ombros dele.

– Prometo que não vou cruzar o rio de novo tão breve, Nikolas. Quando acabarem de construir a "Ponte do cavaleiro sem cabeça" vou poder usá-la todas as vezes que vier visitá-los, está bem?

Ele fez que sim e pareceu aliviado.

– Além disso – eu disse –, o que você está fazendo aqui fora com esse tempo? A Katy não está aqui fora também, está? – Dei uma olhada em volta, mas não vi nada.

Ele se sentiu afrontado com a possibilidade de que Katy estivesse andando por lá naquela escuridão gelada.

– Minha amada dama está a salvo e quentinha em casa, bem na frente de uma lareira crepitante. Ela não estava se sentindo muito bem, então, me ofereci para vir aqui fora e pegar lenha e aproveitei para dar uma caminhada.

Fiquei preocupada com a possibilidade de Katy estar doente. Não conseguiria suportar a ideia de que algo acontecesse a ela e agarrei as duas mãos dele com urgência.

– Ela está bem? Você quer que eu faça alguma coisa por ela?

Nikolas balançou a cabeça.

– Ela está bem. É apenas o frio do inverno. – Passando meu braço pelo seu, ele se encaminhou para o banco levemente molhado. – Nada mais, nada menos. Mas vou contar a ela que você ficou preocupada e tenho certeza de que ela ficará feliz. – Com apenas uma ponta de hesitação, nós subimos o barranco juntos e paramos perto do topo, perto do caminho que levava para a casa dele.

– Se houver qualquer coisa que eu possa fazer, por favor, diga – respondi. – Você poderia também dizer a ela obrigada por mim, por favor? As luvas e o cachecol são muito lindos. E a xícara de chá é maravilhosa. – Ele esperou pacientemente enquanto eu matraqueava. – Ah, e obrigada pela escultura de madeira! Eu amei! Os detalhes são incríveis. E como a Katy sabia que vermelho era minha cor favorita? Ela deve ser vidente ou algo assim.

Nikolas fez que entendeu e apertou meu braço.

– Eu certamente repetirei suas palavras gentis a ela. Ela teve um palpite de que você gostaria do vermelho. Fico feliz de poder contar a ela que estava certa.

Sorri e dei um abraço espontâneo nele.

– Espero que tenham tido um Feliz Natal – sussurrei em sua orelha. Ele me abraçou e então se afastou, parecendo um pouco constrangido.

– Então – ele disse, arrumando sua jaqueta –, tenho de voltar para minha dama. Diga uma coisa: quando você pode vir nos visitar?

Virei a cabeça de lado e olhei séria para ele.

– Bem, já que você não quer que eu cruze o rio à noite... – Ele levantou um dedo e balançou a cabeça. – E você quer que eu dê a Katy tempo para descansar... – Agi como se estivesse pensando na questão por um minuto. – E se eu vier na próxima quinta, depois da escola? Eu não tenho nada marcado nesse dia. O que você acha?

Nikolas concordou e puxei minha mão delicadamente do braço dele.

– Está bem, então, vejo você na quinta. Ponha um pouco de chá de hortelã para ferver nesse dia.

Um olhar de alegria encheu os olhos dele e esperei que ele partisse. Ainda assim, não foi. Por isso esperei, imaginando se ele tinha esquecido alguma coisa. Então se virou para olhar a água de novo.

– Você não vai cruzar esse rio de novo para ir para casa, vai? – Eu o ouvi balbuciando algo como "... cair de novo", mas não tive certeza.

— Não — eu disse, balançando a cabeça. — Vou pelo outro caminho, pelo portão principal e... — Um barulho vindo de trás nos interrompeu e me virei para ver o que era. Parecia que algo tinha sido jogado.

Caspian saiu da sombra de um mausoléu à minha esquerda, meu queixo caiu com a surpresa. Eu não esperava *vê-lo* aqui esta noite.

— Vá embora, Abbey. Vá para longe dele agora. — O tom dele me deixou chocada, seus olhos verdes eram frios. Tudo ficou muito claro quando vi uma pedra em sua mão e percebi que todos os meus sentidos estavam aguçados. Um pequeno calafrio de medo subiu pela minha espinha e arrumei as costas imediatamente. Isso era muito real e eu tinha de lidar com aquilo.

Virando as costas para Nikolas, coloquei-me na frente dele e estendi a mão para Caspian, dando um passo à frente com cuidado.

— O que faz aqui, Caspian? O que aconteceu?

Ele visivelmente apertou mais a pedra em sua mão, mas o que confundia eram seus olhos. Estavam duramente cravados em Nikolas, mas quando me olhavam, ficavam suaves, quase implorando. Parei e o encarei. *O que estava acontecendo ali?*

Ele estendeu uma das mãos, a que não estava segurando a pedra e fez sinal para eu ir para o lado dele. Sua voz era muito, muito suave.

— Apenas venha aqui para o meu lado, Abbey.

De modo automático, dei um passo na direção dele, mas, então, parei de novo. A pedra me assustava e eu não entendia nada. Minha cabeça estava rodando e coloquei as mãos para fora para tentar controlar um pouco a situação.

— Por que você está segurando uma pedra, Caspian? Não sei se você acha que estou com algum tipo de problema aqui, mas não estou. Este é Nikolas e ele é... — A próxima interrupção veio de uma forma que eu não estava esperando.

A mão segurou meu pulso pelo lado, com gentileza, mas a pegada era sólida e forte. Olhei para trás, surpresa. Era Nikolas.

Havia algo diferente nele, uma linha de poder e autoridade, por um breve segundo, eu não sabia de quem deveria ter mais medo. Abandonei aquela sensação e olhei para baixo, para meu braço. Caspian gritou alguma coisa, mas não pude ouvi-lo. Nikolas estava falando agora e era apenas para meus ouvidos.

— Não fique com medo dele ou de mim — disse ele, baixinho. — O jovem pensa que está protegendo você. Ele tem sentimentos muito fortes por você. Eu sei que você não entende tudo que está acontecendo aqui, Abigail, mas você vai entender. A hora é agora.

Ele soltou meu braço e parou ao meu lado.

— Não se preocupe — disse ele para Caspian. — Ela não corre nenhum perigo. Eu juro.

Caspian jogava a pedra de uma das mãos para outra e deu um passo adiante.

— Afaste-se, velho. Se ela não está em nenhum perigo, então, por que não a deixa vir para perto de mim?

Nikolas virou-se e me deu um leve empurrão para a frente.

– Vá – sussurrou ele –, mostre ao tolinho que não sou mentiroso.

Dei um passo na direção de Caspian e fiquei a menos de trinta centímetros dele. Seus olhos estavam angustiados e eu os encarei, procurando respostas.

– Astrid, por favor. Por favor, venha aqui. Eu vou protegê-la, eu juro – implorou ele para mim.

Por um momento, balancei. Imaginei Caspian me pegando com seus braços fortes e me carregando a salvo para casa. Nós chegaríamos à porta da frente e ele me poria no chão com gentileza e nós...

De repente, bati na minha própria testa. *Atenção*, menina. *Atenção*. Eu não precisava ser resgatada. Era Nikolas. O homem que eu considerava um avô. Algo estava muito, muito errado e eu precisava consertar. *Imediatamente*.

Fazendo um gesto de "chega" com as mãos, coloquei os dois punhos nos quadris e me virei para Caspian.

– Antes de qualquer coisa, você tem de soltar essa pedra idiota... *agora*.

Cruzei os braços e esperei que ele me ouvisse. Quando ele hesitou, bati o pé no chão até que cumprisse minhas ordens.

– Obrigada – disse, com doçura. Então, fui direto ao assunto. – Agora, eu não sei como as coisas estão entre nós neste momento, Caspian, mas você certamente não virá aqui me dar um susto de morrer e depois ameaçar um amigo meu.

Nikolas deu um passo para trás e me voltei para ele.

– Um minuto, Nikolas. Vou falar com você em seguida.
– Ele voltou para seu lugar com um olhar severo.

Eu me virei de volta a Caspian.

– Eu não os apresentei adequadamente antes, mas este é Nikolas. Ele e a mulher, Katy, moram perto daqui. Eles são zeladores do cemitério e acabaram se tornando meus bons amigos. E Nikolas, este é Caspian. Ele é, bem, ele era... ele é um amigo. Agora, por que você estava segurando uma pedra na mão desse jeito, Caspian?

Ele parecia agitado e passou as duas mãos nos cabelos antes de falar.

– Eles não são o que parecem, Abbey. Tem muito mais que qualquer ladainha que ele tenha contado a você. Ele é perigoso.

Funguei sem acreditar e virei para encarar Nikolas.

– Você é perigoso, Nikolas?

Ele abaixou a cabeça, parecendo não ser nada além de um homem velho e frágil e depois olhou para mim.

– Alguma vez eu machuquei você, Abbey?

– Entendido – respondi. – Agora você pode explicar para Caspian aqui, que tomou uma pílula da loucura hoje, que você é apenas um zelador que mora na floresta.

Nikolas inclinou a cabeça e falou com Caspian de novo:

– Não importa quem ou o que tenhamos sido em outra vida, tudo que dissemos a ela sobre nós é verdade.

– Isso é mentira – retorquiu Caspian. – Eu sei a verdade. Eu vi o cavalo. Eu os vi falando com *eles*.

Minha cabeça estava rodando a essa altura, e eu estava começando a sentir os efeitos do ar gelado da noite. Eu não tinha a menor ideia do que as palavras de Caspian significavam.

— Não sou nada além de um homem — respondeu Nikolas —, e, neste momento, sou um homem que precisa voltar para casa para ver sua amada.

Balancei a cabeça e olhei desgostosa para os dois.

— Espere. Espere só um minuto. Agora, eu não sei o que está acontecendo aqui entre vocês dois, mas quando todos sentirem que estão prontos para parar de falar em código, sabem onde me encontrar.

Caspian falou antes que eu pudesse ir embora, pisando duro, de modo digno.

— Desculpe, Abbey. Eu não queria que você estivesse metida nisso.

— *Isso*? O que é *isso*, Caspian? — perguntei, brava. — Eu nunca sei o que estou fazendo com você. Você nunca está onde eu posso encontrá-lo, você esconde coisas o tempo todo... Eu não estou entendendo nada. Agora você está aqui, esta noite, com uma *pedra*? O que você ia fazer? Jogar a pedra em um cavalo, em Nikolas... ou em mim?

Ele pareceu triste, como seu eu o tivesse magoado e isso só me deixou mais brava.

Eu é que tinha sido magoada.

Caspian balançou a cabeça.

— Eu nunca a machucaria, Abbey, você sabe disso. — Senti uma dor de culpa, pois em algum lugar lá no fundo eu *sabia* disso. — Atirei aquela pedra para chamar sua atenção. Para tirar você de perto *dele*. Eu mirei nos arbustos ali. — Ele apontou para um monte de arbustos que estavam a pelo menos seis metros de onde Nikolas e eu estávamos parados.

– Ainda assim – eu disse –, você realmente me assustou, Caspian. Não consigo lidar com isso, com todas as coisas estranhas que estão acontecendo aqui. Eu tenho que ir... apenas tenho que ir.

– Deixe-me andar com você – adiantou-se ele.

Eu estendi a mão para impedi-lo.

– Acho que você deveria me deixar em paz agora. Prefiro ficar sozinha.

Olhei para trás, enquanto andava para longe de toda essa confusão, e não pude ver Caspian de jeito nenhum. Mesmo seu cabelo brilhante tinha se fundido na escuridão.

Mas Nikolas estava lá e juro que vi o contorno de um nariz de cavalo atrás dele, enquanto ele acariciava sua cabeça. E, com isso, aconteceu a coisa mais assustadora de todas. Comecei a questionar *a minha* sanidade.

Capítulo Vinte e Quatro

A LENDA

...Ichabod ficou paralisado de medo quando percebeu que ele não tinha cabeça! Mas seu horror aumentou ainda mais ao observar que a cabeça, que deveria estar sobre os ombros do cavaleiro, era levada à sua frente, na parte mais alta da sela...

— *A lenda do cavaleiro sem cabeça*

Não consegui mais me concentrar em nada durante todo o resto da semana. Mas acho que assistir a uma dramática lavação de roupa suja entre pessoas completamente insanas durante um passeio noturno pelo cemitério faz isso com você.

No entanto, Ben tomou as rédeas da situação e me ajudou com minha parte do projeto de ciências. Ele até mesmo se absteve de me fazer quaisquer perguntas, e eu estava grata por pequenos favores como este. Especialmente porque eu não tinha nenhuma resposta para as perguntas que eu já estava fazendo a mim mesma.

Quando quinta-feira à tarde finalmente chegou, reuni toda a coragem que eu tinha para parar ao lado do armário dele e pedir alguns conselhos. Ele estava conversando com alguns amigos, mas eles logo se dispersaram ao notarem que eu me aproximava. Ben bateu a porta de seu armário, fechando-a, e esperou por mim.

Eu não sabia por onde começar.

– Ben, eu queria lhe dizer que... – Hesitei... *Conto tudo a ele? Ou não conto nada?* – Olhe, sei que tenho andado bem esquisita esta semana e sinto muito por isso. A próxima semana será melhor, prometo. Vou cuidar de algo hoje que acho que ajudará.

Ele não parecia saber como responder, mas apenas mexia na barra de sua camisa marrom-escuro.

– Não se preocupe com isso, Abbey – disse ele depois de um momento. – Está tudo bem. Cuide do que tiver que cuidar e tenha certeza de que tudo fique bem com você. Eu cuido do resto.

Olhei para baixo, para minhas botas, constrangida por aquilo ter chegado a este ponto.

– Que parceira eu tenho sido, hein?

Ele balançou a cabeça.

– Não estou no jogo "culpar Abbey". Apenas resolva o que precisa ser resolvido, siga em frente, e venha ser minha parceira de novo, certo?

– Combinado – respondi. – E sinto muito sobre não ter concordado com suas sugestões sobre aquela coisa de viagem pelo espaço-tempo.

Alguém chamou seu nome no extremo oposto do corredor, e ele gritou uma saudação.

– Sem problema – disse ele. – Já esqueci isso.
– Posso pedir uma coisa a mais? – eu disse, de repente.
– Mande.
– Você e Amanda confiam um no outro? Quero dizer, se você descobrir que ela anda escondendo segredos de você, você perguntaria a ela sobre isso?

Ele pareceu intrigado pelas minhas perguntas, mas, de qualquer forma, respondeu.

– Amanda e eu confiamos um no outro, eu acho, até certo ponto. Nossa relação não é tão séria e profunda, mas acredito que ela não vá me enganar. No que diz respeito a se eu perguntaria ou não sobre algo que ache que ela possa estar me escondendo... Sim, perguntaria. – Ele encolheu os ombros. – Sem confiança, que tipo de relacionamento você espera ter com alguém?

Concordei com um gesto de cabeça. As palavras dele eram exatamente o que eu precisava ouvir, e elas iam ao encontro de meus próprios pensamentos sobre o assunto.

– Obrigada, Ben. Verei você mais tarde. Sei que seus amigos estão esperando por você.

Eu me virei, mas ele pegou minha mão e olhou diretamente em meus olhos.

– Não permita que esse seu namorado trate você como lixo, Abbey. Existem muitos caras por aí. Você não precisa de um babaca.

Suspirei e puxei minha mão da dele enquanto comecei a dar passos lentos para longe do armário.

– Esse é o problema. Ele não é um babaca. E é o único que quero.

Ben me deu um sorriso triste.

— Eu sei o que você quer dizer — disse ele, suavemente.

Encolhendo os ombros com desânimo, acenei um adeus para ele enquanto me dirigia ao lado oposto do saguão. Estava na hora de ver Nikolas e Katy e conseguir algumas respostas para essas perguntas de uma vez por todas.

Ensaiei o que eu ia dizer no caminho inteiro para a casa deles. Enquanto seguia a trilha, disse a mim mesma para relaxar e ir com calma. Aproximando-me da porta da frente, bati, cheia de nervosismo. Katy veio abrir e me cumprimentou com um sorriso caloroso quando abriu a porta para me deixar entrar. Nikolas estava sentado em sua cadeira de balanço no canto, e dei-lhe um pequeno aceno antes de tirar meu cachecol vermelho e as luvas e colocá-los sobre a mesa.

A chaleira já estava borbulhando sobre o fogo, e três lugares tinham sido arrumados sobre a mesa. Sentei-me no lugar que tinha sentado da última vez e dei uma olhada em torno do chalé. Nada tinha mudado, ele ainda parecia quente e aconchegante no interior.

— Estamos contentes por você ter vindo — disse Katy, sentando-se à mesa, com as agulhas de tricô na mão.

Fiz um gesto para a pilha de fios em frente a ela.

— Fico contente em ver que você está se sentindo melhor. Nikolas lhe deu meus votos de melhoras e disse que agradeci muito por meus presentes?

Ela sorriu.

— Ele me falou, e eu estou tão feliz por você ter gostado dos presentes! Algo me disse que vermelho era sua cor favorita.

Sorri para ela. Eu não sabia quando ou como começar a fazer minhas perguntas, assim, me virei para encarar Nikolas no canto e disse:

— Eu realmente sinto muito pelo que aconteceu na outra noite. Não sei por que Caspian estava agindo daquela maneira. Você já teve oportunidade para contar a Katy sobre isso?

Ele balançou a cabeça uma vez concordando enquanto falava.

— Contei tudo a ela. Tenho certeza de que você deve ter muitas perguntas para nós.

Concordei com um gesto de cabeça, em resposta.

— Sim, tenho.

— Entretanto, antes de você começar – disse ele –, quero que saiba que Katy e eu aprendemos a admirá-la muito neste curto espaço de tempo, e nós a consideramos como se fosse nossa própria neta.

Não pude conter meu enorme sorriso.

— É mesmo? Estou honrada. Eu sinto da mesma forma. Parece que nós nos conhecemos há muito mais tempo do que nos conhecemos de verdade.

— Isso pode ser porque, de algumas maneiras, nós partilhamos uma ligação especial.

Eu o encarei, imaginando o que aquilo realmente queria dizer.

— Entenda, Abbey, há algo... único... em você, e seu rapaz vê isso também.

— O nome dele é Caspian, e com certeza espero que ele veja algo especial em mim. – Sorri para Katy, mas ela não sorriu de volta. Foi então que senti uma pontada de desconforto em meu estômago.

– Continue – eu disse a Nikolas. – Não queria interromper.

Ele se voltou para olhar para o fogo enquanto continuou falando:

– Na outra noite quando seu... quando Caspian estava tentando defendê-la, ele apenas pensou que estava fazendo o que era certo. Como eu disse, o menino tem sentimentos arrebatadores, e acho que isso deve ser a razão por trás de suas ações.

Agora eu estava ficando frustrada e queria que ele fosse direto ao ponto, em vez de ficar dizendo coisas que eu já sabia. Eu mal consegui manter minha boca fechada e meus pensamentos para mim mesma.

Ele recomeçou a falar:

– Quando eu a encontrei pela primeira vez no túmulo de Washington Irving, fiquei surpreso quando você falou comigo. Outras pessoas... não o fazem. Você entende onde quero chegar com isso?

Minha impaciência ficou evidente, e suspirei.

– Eu realmente quero, mas não entendo. O que você quer dizer?

– Sua habilidade em me ver e conversar comigo quando ninguém mais pode. É porque nós somos todos parte deste lugar... Nós temos uma ligação com Washington Irving e com *A lenda do cavaleiro sem cabeça*.

Comecei a entrar em pânico, mas teimosamente agarrada à pequena esperança de que ele estivesse brincando, por alguma estranha razão.

– Não entendo o que você quer dizer, Nikolas. Você está falando coisas sem sentido. Olhei para Katy esperando algum tipo de confirmação, mas ela estava me olhando também sem um pingo de expressão em seu rosto.

– Você não vê, querida? – disse ela. – Caspian estava com medo de Nikolas porque ele ainda não nos entende completamente.

Senti meu coração começar a bater mais forte, e minha respiração se tornou mais rápida. Eu estava hiperventilando? Será que era assim um ataque do coração? Tentei manter a calma, mas a conversa maluca naquela sala estava começando a subir à cabeça.

– O que há para entender? – perguntei a Katy. – Ele é só um senhor idoso inofensivo, e você é inofensiva também, certo? – Imediatamente lembrei do chá de hortelã que eu tinha consumido ali. *Bom Deus, essas pessoas tinham colocado folhas alucinógenas no chá deles?*

Levantei-me e comecei a andar em volta da sala. Nikolas e Katy pareciam estar esperando que eu me acalmasse. Eles estavam me observando com expressões reservadas, e ouvi as palavras de Caspian no fundo de minha cabeça. *"Eles não são o que parecem, Abbey. Existe mais do que qualquer história falsa que ele lhe contou."*

Parei meu andar de lá para cá no meio dos pensamentos e me voltei para eles com um grande sorriso no rosto.

– Entendi. Vocês dois são como algumas daquelas pessoas que fingem que são a parte viva da história ou algo assim, certo? Vocês põem roupas da época e vão aos campos de batalhas e coisas assim. Só que como nós moramos em

Sleepy Hollow, vocês fingem que são parte disso. Entendi.
– O alívio fluiu por mim quando percebi aquilo. Eles apenas levavam sua "representação" um pouco longe demais.

Katy balançou a cabeça olhando para mim.

– Nós não fingimos ser da lenda. Nós *somos* a lenda.

Revirando meus olhos, eu me virei para Nikolas.

– Falando sério, pessoal! Preciso que vocês sejam diretos comigo.

Nikolas levantou de sua cadeira e veio para mais perto de mim. Senti aquela mudança acontecendo de novo e uma força estranha invadiu a sala.

– Eu sei que é difícil, Abbey, mas você precisa acreditar em nós – disse ele, gentilmente. – O nome completo de Katy é Katrina Van Tassel. Nós temos provas. Um registro de nascimento, fotos, e mais ainda...

Zombei dele. Isso estava indo longe demais.

– E quem se supõe que você seja? Ichabod Crane? Ou Brom Bones? A lenda diz que ela se casou com Brom, mas eu sempre tive minhas suspeitas que Ichabod voltou à história.

– Nenhum dos dois. Eu sou o Cavaleiro sem cabeça.

Fiquei tão surpresa que meu queixo não caiu, desabou. Realmente olhei para baixo para ver se precisava pegá-lo.

– O Cavaleiro sem cabeça? – repeti num golpe. – Mas você... você... tem... bem, *uma cabeça*.

Eu me dei uma sacudidela ao chegar a essa conclusão idiota, mas aparentemente eu estava agora na terra dos loucos, por isso com alguma esperança que isso fosse algo que fizesse sentido.

— As coisas nem sempre são o que parecem, Abbey — disse Nikolas, com suavidade.

À essa altura, comecei a olhar discretamente em direção à porta, calculando a que distância eu estava da única saída. Se eu começasse a me mover para mais perto, poderia dar uma corrida até ela.

— Tudo bem — admiti, adaptando-me a eles enquanto comecei meus lentos avanços em direção à porta. — Então, se você é o Cavaleiro sem cabeça, o *verdadeiro*, da lenda, como você acabou aqui?

— Bem, a lenda é verdadeira — disse Nikolas. — Até o ponto em que eu *era* soldado, e *realmente* morri numa batalha. Mas então eu me apaixonei pela Katrina. Ela podia me ver quando ninguém mais podia.

Concordei num gesto de cabeça como se estivesse acompanhando a história, e então, eu me virei para Katy.

— Então, o Cavaleiro sem cabeça era um fantasma, que se apaixonou por você. Mas e Brom Bones? O fim da lenda diz.... — Eu estava me movendo cada vez mais para perto da porta e acenei com a cabeça para que ela terminasse.

Havia uma expressão animada em seu rosto, e senti uma pequena pontada de culpa por fazê-los pensar que eu acreditava na loucura deles de qualquer maneira que fosse.

— Washington Irving escreveu a lenda daquela forma para nos proteger. Ele mudou o final.

Estendendo a mão atrás de mim, senti a maçaneta da porta e a girei vagarosamente.

— Então, você realmente terminou com ele, o Cavaleiro sem cabeça, e vocês dois decidiram ficar juntos em Sleepy Hollow?

Katy sorriu.

– Sim, querida, desde então nós temos sido os zeladores do cemitério. Estou tão feliz que você acredite em nós.

Empurrando para abrir a porta, fiquei enquadrada pela luz do sol da tarde inclinando-se sobre nós.

– Na verdade – eu disse –, acho que vocês são um casal de certa idade, duas pessoas gentis, que têm se iludido pensando essas coisas porque não querem encarar a realidade. Sinto muito se as coisas ficaram muito estranhas e complicadas para vocês lá fora, no mundo real, mas é onde eu moro, e é para onde eu estou voltando.

Virei-me e corri a toda a velocidade pelo caminho. Deixando para trás minhas luvas e cachecol, o calor e a amizade que pensei que tinha. E deixando um pedaço do meu coração partido por aqueles pobres solitários.

Capítulo Vinte e Cinco

A VERDADE

As velhas esposas do interior, entretanto, que são as melhores juízas nesses assuntos, afirmam até hoje que Ichabod foi raptado de forma sobrenatural...

— *A lenda do cavaleiro sem cabeça*

Eu me afundei no projeto com Ben para me manter ocupada. Isso mantinha minha mente trabalhando, e tentei compensar todo o tempo em que, envolvida com minha própria vida, não fiz minha parte no trabalho. Não me permiti pensar sobre cemitérios ou pessoas de idade que eram malucas, ou chá de hortelã, ou rapazes de olhos verdes, ou melhores amigas mortas...

Cada vez que eu começava a me perder em meus pensamentos, imediatamente puxava um caderno e anotava ideias de novos aromas para o projeto de ciências. Claro, nós já tínhamos a lista principal completa há semanas, e era uma chatice procurar por um caderno na escuridão da noite, na cama... Mas era a única coisa que funcionava.

Quando faltava menos de uma semana para o dia dos namorados, implorei para não trabalhar com tio Bob no fim de semana. Eu não estava em condições de ver casais felizes trocando olhares apaixonados enquanto tomavam *sundaes* na mesma taça. Planejei ficar em casa e continuar meu processo de não pensar em absolutamente nada.

No sábado à tarde, eu estava me arrastando, deprimida pela casa. O tempo lá fora estava frio e gelado, e havíamos tido temporais com relâmpagos durante a manhã toda. Não parecia que os céus iriam se abrir e que, de repente, teríamos um dia claro e brilhante. Eu deveria mesmo ter voltado para cama com um pouco de chocolate quente e um bom livro, mas estava inquieta.

Depois de perambular sem rumo de janela em janela, arrastei-me até o sofá. Mamãe estava lendo um livro, então desabei ao lado dela. Peguei o controle remoto e comecei a zapear de um canal para outro, mas pareceu levar uma eternidade para ela perceber que eu estava muito, *muito* entediada.

Suspirei, fazendo o maior drama, depois de cada comercial, até que ela finalmente se obrigou a fechar o livro e olhou para mim.

– Tudo bem, eu já entendi. Você está entediada ou triste, ou alguma outra coisa. Quer falar sobre isso?

Sinalizei negativamente com a cabeça, teimosa, e continuei zapeando.

– Então, por que você não vai para o seu quarto? Alguns de nós estávamos aproveitando a paz e o silêncio por aqui.

Desligando a TV, cruzei os braços. Mamãe pegou seu livro de novo e voltou para sua leitura. Inclinando minha cabeça para olhar para o teto, tentei seguir uma pequena rachadura de um lado da sala até o outro. Era um exercício dolorosamente chato, mas eu não tinha mais nada para fazer.

Suspirei de novo.

Aquilo deve ter sido demais para mamãe porque ela fechou seu livro batendo a capa e se levantou.

– O silêncio não é silêncio com você por perto, não é? Pegue seu casaco. Vamos ver um filme ou fazer alguma coisa.

Dei um pulo do sofá para pegar minha jaqueta.

– Podemos ver algo que tenha bombas ou explosões? Eu *definitivamente* não estou com humor para uma comédia romântica.

– Nós veremos o que estiver passando. – Ela se juntou a mim na porta e deslizou para dentro de sua jaqueta antes de levantar suas chaves da mesinha de entrada.

Nós saímos e corri para o carro. A chuva tinha parado por um momento, mas o ar ainda estava frio. Assim que ouvi as portas sendo destravadas, instalei-me no assento dianteiro e esperei impacientemente enquanto mamãe dava a partida. Meus dentes batiam de frio, e liguei o aquecimento na temperatura mais quente.

Quando o interior do carro estava quente e meu nariz não estava mais parecendo ter sido colocado no congelador, mamãe colocou as duas mãos no volante e mudou a marcha para "impulso". Então, ela se virou para me encarar e colocou a alavanca de volta em "estacionar".

– Por que você não dirige hoje?

– Eu? Dirigir? – respondi. – Mas ainda nem tenho a carteira de habilitação, e você só me levou para praticar duas vezes naquele estacionamento vazio.

Ela deu de ombros.

– E daí? Seu aniversário de dezessete anos será em alguns meses, e então você terá sua carteira. Além disso, são só quinze minutos até o cinema, e não há muita gente na rua hoje. Praticar será bom para você.

– Está certo. – Agarrei a oportunidade e abri a porta do passageiro com fúria. Mamãe trocou de lugar comigo, e ajustei os espelhos cuidadosamente e, então, coloquei meu cinto de segurança.

– Bom trabalho – disse mamãe. – Agora ponha o carro em movimento bem devagar e vá com cuidado. Você conhece o caminho.

Olhando para os dois lados enquanto saía da entrada de nossa garagem, liguei a seta do carro sinalizando uma virada à esquerda. *Aquilo era a maior moleza.* Fui devagar pelas estradas secundárias, mas acelerei de verdade quando alcançamos a rodovia nove. A placa informava que o limite de velocidade era de noventa quilômetros por hora, e tratei de me certificar de que alcançaria toda essa velocidade.

Segui em frente, acelerando, progredindo, e dei uma olhada para mamãe. Ela estava sorrindo e balançou a cabeça em aprovação.

– Você está indo bem, Abbey. Está dirigindo bem. – Sorri de volta. Tirei meus olhos da estrada por um segundo, mas foi por isso que não o vi até que fosse muito tarde.

Bem à frente, apenas alguns centímetros adiante, estava um pedaço de madeira com vários pregos enferrujados saindo dele.

Pisei fundo nos freios e desviei para a esquerda. O meio-fio formava uma rampa ali e, por alguns segundos, fomos levantadas no ar antes de tocar o solo novamente. Segurei firme no volante, mesmo quando escutei as batidas surdas, e freei de novo até que paramos numa área coberta de cascalho.

— *Que diabos* aquilo estava fazendo na estrada? — explodi.

Mamãe não disse nada, mas havia aquela expressão de pavor em seu rosto.

— Desculpe, mamãe — eu disse —, não tive a intenção de...

Ela interrompeu-me:

— Não se preocupe com isso, Abbey. Você está bem? — Quando acenei a cabeça positivamente, ela deu uma olhada pelo espelho retrovisor. — Você fez o que foi necessário. Uma vez que você viu que frear não ia funcionar a tempo, saiu do caminho. Era a coisa mais inteligente a fazer. — Ela suspirou profundamente. — Vamos dar uma olhada para ver o que aconteceu com o carro.

Desliguei o motor e escorreguei para fora do meu assento. Mamãe já estava dando a volta do seu lado do carro e examinando-o de cima a baixo.

— Parece que está tudo bem — gritou ela.

Olhei o meu lado e vi na hora o que tinha acontecido.

— Foi aqui. Os dois pneus estouraram. — Eu me senti péssima nessa hora. Isso podia ser uma má notícia para mim e minha futura carteira de habilitação.

Mamãe deu a volta para inspecionar o prejuízo. Ela se agachou e olhou cada pneu antes de me mandar abrir o porta-malas de dentro do carro. Fiz o que ela pediu, e ela foi olhar lá dentro.

– Droga. – Ouvi, um minuto mais tarde. Depois, ouvi um som como de pancada e fui lá atrás ver o que ela estava fazendo.

– Bem, nós temos um macaco, mas não um pneu sobressalente – informou ela. – Não que um pneu sobressalente fosse nos fazer alguma diferença, mas isso não vem ao caso. Eu *disse* a seu pai que nós *tínhamos* de substituir aquele que *já tivemos um dia*, e ele me ouviu? Não, ele não me ouviu.

Ela continuou murmurando alguma coisa, mesmo enquanto pegava o celular e ligava para algum lugar em busca do telefone do guincho mais próximo. Então, ligou para a companhia de seguros para lhes dar algumas informações e dava para ouvi-la brigando com eles. Fui tirar o pedaço de madeira para que ninguém mais se acidentasse. Chutei aquela coisa para fora da estrada com um pontapé violento, xinguei e resmunguei antes de voltar para o carro.

Mamãe tinha acabado de dar todos os telefonemas necessários. Ela disse que devíamos esperar dentro do carro, porque a coisa toda poderia demorar um pouco. Aceitei seu conselho e subi pelo lado do passageiro, a uma distância segura do volante.

A chuva começou de novo, e ficamos sentadas lá, encolhidas em um silêncio miserável. Duas horas se passaram, e vários telefonemas foram feitos antes que o guincho finalmente aparecesse. Ficamos lá fora, na chuva, enquanto o motorista erguia o carro.

– Acho que nós, afinal, não vamos ver aquele filme – eu disse à mamãe. Ela só revirou os olhos e me disse para entrar no caminhão do guincho. Abri meu caminho através de um mar de embalagens de sanduíche amassadas e um zilhão de latas de refrigerante vazias, antes que mamãe e o motorista entrassem.

– Então, a oficina mecânica é perto daqui? – mamãe perguntou ao sujeito, enquanto me dava uma cotovelada para que eu lhe desse um pouco mais de espaço.

Ele correu a mão gordurosa por seu cabelo esparso antes de responder.

– Sim. Mais ou menos oito quilômetros estrada acima fica a oficina Mike Conserto de Automóveis.

Mamãe soltou um suspiro de alívio audível.

– Se você puder nos levar até lá, realmente ficarei grata.

Ele concordou com a cabeça e em seguida mudou a marcha enquanto nos sacudíamos pela estrada.

Não demorou muito para que eu descobrisse que oito quilômetros, apertada ao lado da marcha, era tempo longo demais para o meu conforto, e fiquei feliz em sair de lá quando chegamos à oficina mecânica.

Mamãe pagou ao motorista do guincho e nós duas entramos em um prédio baixo e cinzento. Enquanto ela se dirigia ao balcão de peças, perambulei por um saguão na parte de trás, procurando por uma sala de espera. Encontrei-a bem facilmente, mas suspirei desanimada quando notei que tudo que ela oferecia era uma velha TV, uma máquina de café de aparência terrível e algumas revistas de automóvel.

Não exatamente como eu tinha imaginado passar minha tarde.

Mas sentei e estiquei minhas pernas sobre as cadeiras de plástico laranja vazias ao meu lado. Tentei ignorar o cheiro de graxa velha que saturava o ar e estendi a mão para o controle remoto da televisão. Ela "pegava" um total de sete canais, e três deles muito mal.

– Claro, claro – eu disse, para a sala vazia.

Fechando meus olhos, inclinei minha cabeça para trás contra a parede, fingindo que estava em casa, no sofá. *Talvez tudo isso esteja acabado quando eu abrisse os olhos de novo...*

Alguém entrou na sala e abri os olhos para ver que era mamãe.

– Bem – disse ela –, a boa notícia é que eles têm nossos pneus no estoque e devem levar apenas uma hora e meia para pegá-los.

Eu gemi.

– E depois de pegá-los, quanto tempo levarão para trocá-los?

– Oh, não irá demorar muito. Mas essa não é a melhor parte. A melhor parte é que, com as peças e mão de obra, isso acabará me custando cento e cinquenta dólares.

Resmunguei novamente, mais alto desta vez. Eu podia me ver lavando uma quantidade infinita de roupas e dando partes dos meus pagamentos do tio Bob pelos próximos cinco anos para pagar essa conta.

– Eu realmente sinto muito, mamãe. Eu pagarei por isso. Não tive a intenção, foi um total acidente.

– Não se preocupe com isso – disse ela. – Eu sei que provavelmente me arrependerei de dizer isso mais tarde, mas acidentes acontecem com todo mundo.

Quase dei um pulo. Eu a abracei bem ali; naquele momento, meu alívio era enorme.

– Obrigada, mamãe, realmente obrigada. Mas *eu estava* dirigindo muito bem antes daquilo, não é?

Ela me olhou.

– Não force. Eu ainda posso fazer você lavar um monte de pratos daqui para a frente – advertiu ela.

Fechei minha boca e meus olhos novamente. Faria o que ela quisesse, contanto que eu não tivesse que pagar por aqueles pneus.

– O que temos para nos entreter aqui? – perguntou ela.

Levantando a mão, apontei em direção à TV ou, pelo menos, onde eu achava que ela estava, pois meus olhos estavam fechados.

– Uma TV que pega quatro canais, um pouco de café velho e algumas revistas.

Ela pareceu mais animada.

– Revistas?

Abri meus olhos brevemente, e então os fechei novamente.

– Você não irá querê-las. A menos que você leia secretamente "Carro e motorista" ou "Apaixonados por carros".

A voz dela diminuiu.

– Oh.

Arrumei meus pés, e ela ficou silenciosa. Mantive meus olhos fechados e, alheia a tudo que ela estava fazendo, tentei dormir.

A próxima coisa que percebi foi que dei um salto acordando, conseguindo me equilibrar antes de cair da cadeira. Olhei ao redor da sala, sonolenta. Devo ter adormecido, afinal de contas. Mamãe estava digitando algo furiosamente em seu smartphone, e bocejei alto antes de me levantar.

– Vou dar uma rápida caminhada por aí para esticar minhas pernas um pouco, talvez ver quanto tempo ainda leva para o carro ficar pronto.

– Está certo – murmurou ela.

Saí da sala de espera e encontrei o caminho de volta para a parte principal da oficina. Nosso carro ainda estava aguardando para ser colocado no macaco hidráulico, então, era certo que ia demorar um pouco. Suspirando, virei uma esquina e caminhei até o fim do saguão onde parecia haver outra sala. Eu não tive a intenção de bisbilhotar ou me intrometer, mas estava terrivelmente entediada. Aquilo tinha de valer como circunstância atenuante ou algo assim.

Coloquei minha cabeça para dentro da sala e vi um homem com cabelos escuros sentado atrás de uma mesa grande. Ele usava macacão de mecânico, mas não pude ler o nome bordado nele. Bati duas vezes no batente de madeira da porta e esperei.

Ele olhou para cima com uma expressão vazia em seu rosto, e falei hesitante:

– Sinto muito por incomodá-lo, senhor, mas minha mãe e eu estamos esperando nosso carro ser consertado, e eu estava me perguntando se vocês têm alguma coisa para se ler, por aqui, que *não* esteja relacionada a carros.

O homem me encarou, e então, apontou para o canto.

– Há uma caixa de revistas velhas ali. Elas foram doadas, então não sei o que tem lá. Acho que nós podemos ter jogado um livro ou dois ali da última vez em que limpamos a oficina. Mas esteja à vontade para dar uma olhada nela.

Sorri para ele e fui pegar a caixa.

– Obrigada. Tenho certeza de que isso vai nos ajudar a matar o tempo.

– De nada – disse ele. – Fico feliz em poder ajudar.

A caixa estava meio pesada, mas dei um jeito de carregá-la para fora do escritório. Entretanto, depois de sair de lá com ela, só consegui dar três passos inteiros em direção à sala de espera antes de deixá-la cair. Como não havia mais ninguém por perto, me ajoelhei para ver o que tinha lá dentro.

Escavando por entre todos os tipos de revistas, incluindo algumas dos anos oitenta, rapidamente percebi que havia *muita* porcaria naquela caixa. Um livro grosso e sólido estava enterrado perto do fundo, e eu o peguei apenas para ler na lateral "Guia do carro chilton: Toyota 1984", antes de deixá-lo cair de volta na caixa.

Continuei escavando.

Momentos mais tarde, meus dedos atingiram outra coisa lisa e dura, e eu levantei um anuário empoeirado. Estava com a capa para baixo, mas quando o virei, fiquei surpresa em ver que era do colégio de White Plains e era só de dois anos atrás.

Prêmio.

Sentei-me no chão, de pernas cruzadas, com minhas costas contra a parede. Todos os meus anuários em casa tinham várias assinaturas rabiscadas, cada uma me desejando de várias maneiras "tenha um bom verão", mas notei que as páginas deste livro não tinham nenhuma assinatura.

Interessante...

Folheando-o devagar, não fiquei surpresa em ver que a maioria das fotos mostrava pessoas bonitas. Passei por elas até que vi as fotos individuais. Um dos professores, num terno amarrotado e peruca bem óbvia, chamou minha atenção, e eu me lembrei de um jogo que Kristen e eu tínhamos jogado na aula de história no ano passado.

– Está na hora de outra rodada de "Adivinhe quando a peruca do sr. Ives cairá" – murmurei para mim mesma. – Você era realmente boa naquele jogo, Kristen.

Pobre sr. Ives, tinha sido o alvo de muitas piadas naquele ano. Toda vez que ele atravessava a sala muito rápido, sua peruca mal colocada saía voando de sua cabeça. Agora ele tinha ido de perucas ruins a apliques ainda piores. O homem, obviamente, não fazia a menor ideia do quanto alunos do colegial podiam ser cruéis.

Balancei a cabeça, sorrindo pela lembrança da peruca voadora. Deus, aquele tinha sido um ano divertido.

Continuei folheando e finalmente cheguei às últimas páginas. Sentando-me mais ereta, apertei meus olhos enquanto olhava para o grupo dos formandos que anunciavam o fim de seus anos de escola. Era uma foto granulada em preto e branco, feita no que parecia ser o ginásio da escola, logo antes da formatura. Os rostos eram difíceis de identificar. Mas eu os examinei com atenção, procurando por Caspian. Ele deveria estar ali. Essa era a turma de formatura dele.

Procurei nas legendas do lado esquerdo da foto, amaldiçoando o minúsculo tamanho quatro da fonte que eles tinham escolhido, atenta aos "Cs". Ele estaria registrado lá.

Mas entre "Carlotta" e "Cruz", não havia "Crane".

Olhei por todos os nomes em "C" de novo, pensando que eu devia ter deixado de ver ou estava em ordem alfabética errada, mas não pude encontrá-lo em nenhum lugar. Então, fui linha a linha, passando os olhos até que cheguei ao nome de Caspian registrado nos "Vs". Eles tinham registrado seu nome como Caspian Vander.

O erro me desconcertou. Claro, na época ele era um aluno novo e tudo, mas ninguém verificou os registros da escola para se certificar de que eles não confundiram os nomes de família antes que marcassem as fotos? Verifiquei o anuário de novo com mais cuidado, mas não vi nenhuma outra foto em que ele estivesse.

Então, folheei até a página dos retratos dos formandos, imaginando que *pelo menos ali* a identificação teria sido feita corretamente. Mas os nomes listados em "C" renderam os mesmos resultados que antes. Eles tinham um registro no "V" mais uma vez, para um Caspian Vander, mas no quadrado onde deveria estar uma foto estavam as palavras "Desculpe, sem foto disponível". Eu não tinha como saber se realmente era ele ou não.

Fechando o anuário delicadamente, coloquei-o sobre meu joelho e pousei meu queixo em minha mão. Isso era estranho. Eu duvidava seriamente que houvesse dois sujeitos com o nome Caspian, que *por acaso* estudassem na mesma escola. Era um nome bastante incomum. Ainda assim, eu me lembrava de forma clara que o Caspian que *eu* tinha conhecido havia me dito que tinha estudado no Colégio de White Plains e que seu sobrenome era Crane.

Não havia nenhum Caspian Crane neste anuário.

Passos ecoando alto no saguão interromperam meus pensamentos, e olhei para cima para ver o homem com quem eu tinha conversado antes. Era óbvio que ele tinha saído de seu escritório e estava caminhando em minha direção. Eu automaticamente disse "oi" enquanto ele passava, mas meus pensamentos de forma alguma estavam nele.

Meu cérebro estava muito ocupado tentando juntar as peças do quebra-cabeça que eu tinha achado por acaso.

Ele me saudou de volta de alguma forma, mas eu não prestei a menor atenção, e deu dois passos adiante antes de parar e dar a volta. Olhei para ele confusa, com o anuário ainda pousado sobre meu joelho.

– Esse anuário estava na caixa? – Ele parecia confuso. – Eu não queria que ele fosse colocado ali.

Olhei para baixo, para o anuário, e então de volta para ele antes mesmo de perceber que ele estava falando comigo. Meu cérebro ainda estava ausente resolvendo coisas em outro lugar.

– Oh, sim – deixei escapar, olhando para a caixa. – Estava. – Ah, meu cérebro estava de volta! – Você sabe a quem pertence?

Ele esboçou um sorriso pequeno e triste.

– Sim, eu sei. Era do meu filho.

Pela terceira vez na minha vida, o tempo congelou. Eu agora podia ver claramente a identificação com o nome dele, e estava escrito Bill Vander. Minhas palavras saíram devagar e distorcidas, como se eu estivesse falando sob a água. Pareceu engraçado até mesmo para meus próprios ouvidos.

– Do seu... filho?

Ele concordou com a cabeça e de repente as coisas se aceleraram novamente. O tempo zumbiu à minha volta, e eu sabia que ele estava indo depressa demais. Eu tinha que fazê-lo ir mais devagar... parar aquilo antes que viesse... mas eu não podia.

– Ele frequentava o colégio de White Plains – disse o homem. – Ele se formou há aproximadamente dois anos.

Não pergunte, Abbey, apenas não pergunte.

– Qual era o nome dele? – perguntei a ele.

– Caspian Vander. Por quê? Você o conheceu? Você também frequentava aquela escola?

Eu não podia me fazer parar.

– Não. Mas acho que o vi por lá uma ou duas vezes. Cabelo alourado com uma mecha preta nele... e olhos verdes?

O homem riu, mas era um riso triste.

– Sim, com certeza é ele. – Ele balançou a cabeça e falou baixinho, quase para si mesmo: – Aquela droga de mecha preta.

Não faça isso, Abbey, apenas não faça isso.

Meu cérebro estava absolutamente em pânico agora, dando pulinhos a cada novo pensamento, tentando fugir da minha cabeça e me deixar ali, sozinha. Eu não queria, mas sabia o que eu tinha de fazer.

Estendi minha mão, ou melhor, estendi minha mão para cima, pois eu ainda estava sentada no chão.

– Eu sou Abigail Browning. Mas todo mundo me chama de Abbey.

Ele segurou minha mão e a sacudiu num cumprimento.

– Bill.

– Então, Caspian deixou isso para trás quando partiu para a faculdade ou algo assim?
– Não.
Não diga isso. Por favor, não diga isso.
– Ele morreu há pouco mais de dois anos, num acidente de carro. Antes do Dia das Bruxas.

Alguma força cósmica pareceu transformar meu cérebro em milhões de pedacinhos minúsculos, e minhas orelhas quase murcharam com a força da explosão. Deixei cair o anuário.

– Eu tenho que... tenho que ir agora – gaguejei, tropeçando em meus pés. – Sinto muito pela sua... Minha mãe... Tenho que ir. – Às cegas, virei-me e senti o caminho de volta para a sala de espera, segurando na parede para ter apoio.

– Você está bem? – gritou ele atrás de mim. Mas eu o ignorei. Minha visão estava embaçada e minúsculas manchas brancas dançavam por trás das minhas pálpebras quando eu as fechava. Eu me apoiava na parede e tentava desesperadamente não chorar.

Mamãe estava em pé, mexendo na tampa da cafeteira, quando entrei.

– Ah, que bom que você está de volta – disse ela. – Acabaram de me informar que vai demorar mais vinte minutos, mais ou menos.

Sentei-me entorpecida nas cadeiras de plástico e puxei meus joelhos até meu peito. Eu não disse nada em voz alta... mas minha mente estava gritando.

Quando finalmente vieram chamar mamãe, vinte e cinco minutos mais tarde, e ela pagara a conta, eu me instalei no assento do lado do passageiro e olhei para fora. Mamãe deu a partida e abaixou o rádio antes de pegar a direção de casa.

– Não vamos dizer nada para seu pai por enquanto, certo, Abbey? Eu mesma quero contar a ele, quando ele estiver de bom humor.

Dei de ombros, ainda encarando a janela, e permaneci quieta. Estava tudo bem para mim. Papai e os novos pneus eram as coisas mais distantes em minha mente agora, considerando que o mecânico tinha acabado de me dizer que meu namorado estava morto há dois anos.

A chuva começou a cair novamente assim que entramos na garagem, e mamãe fez uma corrida maluca até a porta da frente. Fiquei onde estava. A chuva caía forte e rapidamente, e eu observava as grandes gotas respingarem e depois rolarem pelo para-brisa.

Tentei organizar meus pensamentos, mas não consegui. Parecia que todos os fios de minha cabeça tinham sido fritados, como um fusível que tivesse sofrido curto-circuito. Mas eu sabia que havia uma coisa que eu podia fazer, que ia melhorar tudo. Descendo do carro, caminhei até nossa casa, sem me importar com a chuva. Não entrei, apenas abri a porta o suficiente para chamar a atenção de mamãe. Ela estava tirando alguma coisa da geladeira. Parecia um saco de almôndegas congeladas.

– Tenho que ir fazer uma coisa mamãe – eu disse. Meu tom de voz era normal, o que meio que me surpreendeu. – Não sei quanto tempo vai demorar, mas é importante.

Ela levantou os olhos da sacola que tinha na mão. Algo no meu tom de voz ou no meu rosto deve ter indicado o quanto era sério porque ela não disse nada, apenas olhou para fora, para a chuva.

– Você vai ficar doente se ficar lá fora muito tempo. Tente se apressar.

Concordei com a cabeça e me virei, mas ela chamou meu nome. Dei uma olhada para trás.

– Espero que um dia você possa me dizer o que está acontecendo, Abbey. Eu estou preocupada, *realmente* preocupada com você.

Meus olhos se encheram de lágrimas e olhei para ela, tentando mostrar-lhe o que eu não podia dizer naquele momento. Ela deu um passo em minha direção, os olhos arregalados, mas me virei e deixei a porta fechar-se após minha saída. Mamãe não poderia me ajudar agora. Apenas uma pessoa seria capaz de fazer isso.

A chuva caía forte, e levantei minha cabeça para deixar que ela me molhasse inteira. Eu não me importava de ficar encharcada. Minha jaqueta cobriria meu corpo, mas no que dizia respeito a meu rosto e meu cabelo... eu apenas não me importava.

Mantive meu ritmo lento e constante, com meu destino escolhido em mente. Tentei encaixar tudo em minha cabeça, mas eu ainda não conseguia pensar claramente. Era como tentar ler um livro escrito com números em vez de letras. Eu não conseguia fazer com que as coisas fizessem sentido.

Cheguei a tempo àquela grade de ferro que marcava a entrada e tomei o caminho familiar, agora, correndo à medida que ia cada vez mais e mais longe. Cada passo ecoava o som do meu coração contra meu peito, criando uma canção que girava e girava dentro de minha cabeça. "Por favor, esteja aqui, por favor, esteja aqui", ela dizia.

Não parei de correr até que o túmulo de Irving apareceu em meu campo de visão, mas continuei em frente, indo em direção ao rio. Meus pés escorregavam na trilha enlameada e continuei me forçando a seguir em frente. Eu *tinha* de encontrá-lo. Eu tinha de saber *e tinha de ser naquele instante*. Antes mesmo que eu percebesse, minha boca começou a falar as palavras que ecoavam dentro do meu cérebro. "Por favor, esteja aqui, por favor, esteja aqui", eu ofegava tentando manter-me no ritmo. Contornando o declive que levava até a velha igreja holandesa e ao rio Crane, permaneci na minha rota.

O rio surgiu em meu campo de visão. Diminuí o ritmo dos meus passos e, finalmente, alcancei sua margem rochosa. Escorregando por ela, dei uma olhada por toda a área. Mas ele não estava ali. Joguei minha cabeça para trás e uivei minha frustração para o vento. *Onde eu iria encontrá-lo?*

Algo silencioso dentro de mim me disse para calar a boca e prestar atenção. Tirei as mechas pesadas de cabelo molhado dos meus olhos, e comecei a respirar com mais calma. Então, fiquei muito quieta. Respirei fundo e me virei para olhar em direção à ponte novamente.

Uma figura escura estava apoiada contra o pilar de concreto, quase mimetizada. Eu sabia, sem dúvida, que minha busca havia terminado. Comecei a correr e parei sob a proteção da ponte. Apenas a meio metro de distância dele. Ele parecia surpreso em me ver.

– Abbey, o que...
– Por que você não me beijou de novo? – interrompi. – Desde aquele dia na biblioteca? Foi real, não foi? Eu não inventei aquilo, inventei?

Ele não disse nada, e dei um passo mais para perto. Agora eu estava somente a uns dez centímetros de distância dele.

– É porque você não quer? – Silêncio de novo. – Ou porque você *não pode*?

Ele deu um passo se distanciando, e eu dei um para a frente, repentinamente querendo confronto.

– Conversei com Nikolas e Katy. Eles tinham algumas coisas interessantes a dizer. Por exemplo, como eles pensam que realmente são personagens da *Lenda do cavaleiro sem cabeça*. – Dei uma risada exagerada pelo absurdo da coisa. – Nikolas disse que supostamente ele é o Cavaleiro sem cabeça, que se apaixonou por Katy, que é um apelido para Katrina, como aquela, você sabe, Van Tassel, enquanto ele era um fantasma. Algo bastante louco. O quanto você sabia sobre isso?

Eu o encarava, esperando por uma reação.

– Isso explicaria algumas coisas sobre eles – disse ele, baixinho. Então, falou mais alto: – Eu não sabia mais do que você, eu juro, Abbey.

– E sobre você, então, Caspian? – perguntei. – Qual é seu sobrenome? O seu *verdadeiro* sobrenome?

Ele olhou para mim, mas não me respondeu. Tive vontade de ir até ele e cutucá-lo enquanto enunciava cada palavra.

– Minha mãe e eu paramos numa oficina mecânica hoje – comecei. – Encontrei um homem cujo nome era Bill. Também encontrei lá um anuário do colégio de White Plains, de dois anos atrás. Entretanto, que coisa engraçada, não há ninguém lá chamado Caspian *Crane*. Há apenas um Caspian *Vander*.

Sua expressão me disse tudo, e eu cambaleei para trás, quase caindo.

– É verdade, então? – sussurrei. – Mas como... por quê?

Ele passou as mãos pelos cabelos. Um gesto que uma vez eu tinha achado adorável, agora era devastador.

– Eu não sei por quê, Abbey. Eu nem mesmo sei realmente como. Tudo o que sei é que estou aqui, e você está aqui e, de algum modo... – Ele não terminou.

– Mas seu pai... ele disse que você teve um acidente de carro... – Coloquei a mão na boca para sufocar o soluço, mas era um ato inútil. Não se pode segurar uma onda com um único saco de areia.

Ele concordou num gesto de cabeça, e a dor encheu seus olhos.

– Não acredito em você – eu disse, ferozmente. – Todo mundo nesta cidade enlouqueceu, e sou a única pessoa sã que sobrou. Eu não sei por que aquele homem disse aquilo hoje, mas eu não acredito nele. E não acredito em *você*! – Apontei um dedo acusador para ele.

Ele estendeu a mão.

– Abbey, eu sinto muito. Não queria que você descobrisse assim. Esperava que nós pudéssemos encontrar um jeito de... eu não sei. Então pensei que podia ser melhor se eu tentasse manter você afastada de mim, mas isso só...

Tentei não olhar nos olhos dele. Isso tudo era demais para mim.

– Seu sobrenome é Vander? – perguntei a ele.

Ele concordou com um gesto de cabeça.

– Então, por que você me disse que era Crane?

Ele olhou para a água ao nosso lado, correndo em redemoinho sob a chuva implacável.

– Por alguma razão, fui atraído para este rio. Um dia, no começo do ano passado, vi você e Kristen aqui no cemitério, e desde então... Ele se tornou uma espécie de refúgio para mim. Um lugar que me trazia algum sentimento de paz. Então, quando você me perguntou meu nome, isso simplesmente saiu....

Eu não conseguia olhar para ele.

– E o resto? Se aquele era seu pai... tudo aquilo é verdade? – Eu fazia minhas perguntas para o rio, não queria olhar para o rosto dele.

– Eu não sei – sussurrou ele. – Vi os artigos no jornal, mas não consigo me lembrar de nada. Só vejo escuridão. Tudo o que sei é que sou atraído para este lugar e para você. Você é tão linda... Em todo lugar aonde você vai, vejo estas cores. Você é a única...

Agora, virei-me para encará-lo.

– Talvez, então, não seja realmente verdade – eu disse, ansiosa. – Quero dizer, talvez você só tenha tido uma concussão ou algo assim, e é por isso que você não tem parte da memória. Ou talvez eles tenham pegado a carteira de identidade da pessoa errada.

Ele balançou a cabeça em negativa.

– Abbey, não.

– Mas você não sabe! – eu gritava com ele. – Você não tem como saber com certeza!

Ele deu um passo para mais perto, até que estávamos lado a lado.

– Pegue minha mão – ordenou ele, suavemente.

Olhei para ele incrédula.

– O quê?

– Pegue minha mão – disse ele de novo.

Suspirei e estendi a mão para tocá-lo. Mas meus dedos deslizaram direto através dele. Movi-me para trás, ficando sob a chuva, horrorizada.

– O que você fez? – gritei, dançando perigosamente perto do limite da histeria. – Por que você fez isso?

– É como as coisas são, Abbey – disse ele. – Elas são assim.

Agora eu estava balançando minha cabeça freneticamente para a frente e para trás. Parecia que eu estava à beira de um colapso nervoso. Algo tinha partido em minha cabeça, algum circuito havia sido danificado.

– E aquela noite em meu quarto? – perguntei, tentando me agarrar a algum pequeno fio de sanidade. – Você tocou meu rosto. E na biblioteca, eu segurei sua mão. *E o beijei.* E você me beijou também, droga, então faça o que quer que você tenha feito naquela hora, agora. – Eu estava oscilando entre um colapso nervoso histérico e um ataque de fúria irracional.

Ele caminhou para mais perto de mim, até que estivesse exatamente sob a extremidade da ponte.

– Eu não posso fazer aquilo novamente, Abbey. Foi por isso que me afastei de você. Só consegui fazer aquilo por um dia. Aquele dia, especificamente.

Dei um passo de volta na ponte.

– Faça de novo – eu disse. – Deixe-me ver você fazer aquilo novamente. Estendi minha mão e ele posicionou seu braço diretamente acima dela.

Então, ele o impulsionou para baixo.

Meus olhos se surpreenderam e quase saltaram para fora do meu crânio enquanto eu observava o braço inteiro dele passar pelo meu. Então, ele o levantou e fez aquilo mais uma vez.

Eu só sentia um leve formigar cada vez que ele passava através de mim.

– Chega – ofeguei, curvando-me para colocar as mãos na cabeça. Ela estava latejando, e aquela mesma explosão de sentimentos estava presa na base do meu pescoço de novo.

– Agora você entende, Abbey? – perguntou Caspian. – Você entende por que eu tinha que ficar afastado?

Minha cabeça explodiu, causando uma mancha escura temporária sobre meu globo ocular esquerdo. Quando a mancha clareou, tropecei em meus pés e voltei novamente para a chuva. Mantendo os dois braços à minha frente, eu os usei como um escudo para evitá-lo.

Então, a dor chegou a meu coração.

Era uma dor alucinante e brutal, tão forte que me fez cair de joelhos e ter ânsia de vômito. Levantando-me de novo, e de novo, vomitei até que não havia sobrado nada, enquanto meu corpo estremecia e se contorcia. Quando o pior havia passado, engatinhei até a margem do rio. Sem prestar atenção às minhas roupas ou ao repugnante gosto em minha boca, mergulhei meu rosto naquela água corrente fria e engoli um bocado dela.

Barulhos suaves ao meu redor me diziam que Caspian tinha me seguido, mas ele se manteve afastado. Juntei meu cabelo pesado, encharcado, em uma das mãos e o torci para o lado antes de ficar de pé. Eu estava completamente molhada, mas não prestei nenhuma atenção a isso.

– Só me diga uma coisa – sussurrei, com minha garganta dolorida, enquanto me virava para encará-lo. As lágrimas jorravam, e eu lutava para recuperar minha compostura. –

Naquela noite em meu quarto e no dia seguinte na biblioteca... você ia... você ia dizer que me amava?

Ele balançou a cabeça, mas não respondeu. Eu esperava. E olhava bem no fundo dos olhos dele.

– Pelo menos me dê a dignidade de uma resposta – gritei, quando vários minutos tinham se passado. – Você me deve isso.

Ele olhou para longe, e então, de volta pra mim. Quando ele falou, cada palavra era pesada e cheia de agonia, como se elas estivessem sendo arrancadas das profundezas da alma dele.

– Claro que não amo você, Abbey. Eu não tenho uma alma. Não sei o que esse sentimento é, mas não é amor. Não *pode* ser.

– Mas eu... amo você – disse, enfraquecida.

E com aquela confissão, virei-me de costas para ele e fui embora.

Epílogo

Caminhei calma e vagarosamente em direção à casa de Nikolas e Katrina, com apenas um pensamento em mente. Devo ter batido meu joelho numa pedra quando caí na chuva, porque cada passo era uma agonia. A dor crescente se irradiava pela parte superior do meu joelho e comecei a tentar poupá-lo, mancando um pouco.

Cada respiração que eu dava pelo caminho parecia esfregar uma lixa em meus pulmões, e não conseguia parar de chorar. Depois de um tempo, simplesmente não havia sobrado mais nenhuma lágrima, e meu corpo apenas estremecia um pouco de vez em quando. Mas, ainda assim, eu mancava.

Quando a porta deles finalmente entrou em meu campo de visão, manquei até ela, e bati com toda a minha força. Eu não parava, só continuava batendo. Foi Nikolas quem veio atender.

– Apenas me diga uma coisa – eu disse, com voz rouca, enquanto ele permanecia na minha frente. – Apenas uma coisa. Como você sabia sobre Caspian, se ele não sabia sobre você?

Nikolas abriu a boca para falar, mas Katrina caminhou até o lado dele e colocou a mão em seu braço.

– Nós vimos a mecha preta, querida. Ela o marca como um de nós... uma Sombra.

Cobri meus ouvidos com as mãos. Eu não queria ouvir as palavras deles.

– E então? – gritei. – Ele é um fantasma, você é um fantasma... Kristen é um fantasma também? Ela está escondida em algum lugar por aqui? Onde ela está? Diga-me! Eu preciso vê-la novamente.

Nikolas estendeu a mão para mim, mas dei um passo para trás.

– Lamento muito aumentar sua dor, Abbey – disse ele –, mas Kristen não é uma de nós. Ela realmente está morta. Eu a vi, mas não pude ajudá-la.

As palavras dele não faziam nenhum sentido, mas balancei a cabeça e me virei para voltar ao caminho mais uma vez. Eu não podia ficar e pedir-lhes para explicar tudo. Nada mais fazia sentido.

A inspiração me alcançou enquanto eu estava mancando pela floresta, e puxei meu celular para verificar a hora. Eram cinco e onze da tarde. Eu ainda podia conseguir. Forçando meu joelho fraco a suportar a carga do meu peso, peguei o ritmo de uma corrida lenta.

Dezoito minutos depois, encontrei-me ofegante na escadaria da biblioteca. Depois de verificar as horas no meu telefone mais uma vez, abri a porta e me dirigi direto à recepção.

— Preciso consultar alguns jornais de White Plains. De dois anos atrás, logo antes e depois do Dia das Bruxas — disparei.

A sra. Webber estava de plantão e me olhou com preocupação.

— Você está bem, Abbey? Precisa usar o kit de primeiros socorros ou algo assim?

Olhei para mim mesma. Eu estava um caos, parecia a fúria divina.

— Ah não, sra Webber, estou bem. — A mentira fluía da minha língua facilmente. — Eu só me lembrei de um trabalho de escola de última hora, então, corri até aqui antes que vocês fechassem. Tropecei no caminho e então começou a chover, e... bem, eu só preciso realmente ver aqueles jornais.

Ela concordou, com relutância, e me conduziu a uma pequena salinha de computadores na parte de trás da biblioteca.

— Cada artigo de jornal dos cinco municípios ao redor está arquivado on-line aqui — disse-me ela antes de sair. — Apenas escreva o que você precisa pesquisar e aperte *enter*. E se você precisar de qualquer coisa, mas *qualquer coisa* mesmo, diga-me.

Ela me deu um olhar severo e acenei com a cabeça, humildemente. Assim que ouvi a porta se fechar atrás dela, peguei uma cadeira e digitei:

Obituário de White Plains, 1º a 3 de novembro.

Encontrei o que estava procurando na edição de 2 de novembro, na página C-17.

Edição da noite
Um rapaz de Sleepy Hollow foi declarado morto no local, hoje mais cedo, num acidente de carro fatal. Caspian Vander, recém-formado do colégio de White Plains...

Um zumbido alto tomou conta de meus ouvidos e parei de ler. Na edição de 3 de novembro eles tinham o obituário dele com uma foto em preto e branco distorcida. Reconheci a mecha preta de imediato...

Eu ainda estava encarando a tela uma hora mais tarde, quando a sra. Walker me encontrou me embalando para a frente e para trás. Ela chamou meus pais e ficou comigo, falando suavemente, até papai vir me apanhar. Ele não me perguntou o que estava errado ou por que eu estava agindo como uma louca, mas, cuidadosamente, ajudou-me a descer as escadas e entrar no carro.

Bem antes que nós fizéssemos a última curva em direção à nossa casa, ele parou num sinal de "Pare" por um minuto a mais e esperou.

Ele não teve de dizer nada. Eu sabia o que ele queria.

– Preciso de ajuda, papai – sussurrei e me virei para ele. – Não posso lidar com... – Minha voz falhou. – Acho que preciso de alguma ajuda imediatamente.

Ele acenou com a cabeça uma vez e colocou um braço em volta do meu ombro.

– Eu cuidarei disso.

Afastei-me e, enrolada como uma bolinha encolhida no canto mais distante do banco, embalei-me para a frente e para trás levemente, até que chegamos em casa. Papai me ajudou a entrar em casa, e mamãe levou-me direto para meu quarto. Ela me enfiou na cama como costumava fazer quando eu era menor, e adormeci rapidamente. Foi um alívio gratificante escapar do mundo real, mesmo que apenas por algum tempo.

A chuva caía por todo lado à minha volta, mas eu permanecia sob a proteção de uma árvore alta. Tão logo cada gota batia, minúsculas flores azuis imediatamente surgiam, e o chão estava inundado numa profusão de flores.

Kristen veio deslizando pelo caminho e as flores se afastavam, abrindo passagem para ela passar. Ela estava vestindo uma capa vermelha com um capuz que escondia seu rosto. Quando ela se ajoelhou em frente ao túmulo e colocou seus dedos sobre ele, as gotas de chuva se congelaram, tornando-se pelotas duras de gelo, com um som sibilante e áspero.

As flores murcharam e ficaram marrons, morrendo diante de meus olhos.

Eu queria dizer alguma coisa a ela, mas não sabia o quê. Tentei dar um passo para sair de baixo da árvore, mas não consegui. Meus pés estavam enraizados no chão.

Foi só então que eu pude ver as letras formando o nome dela, enquanto ela delineava cada uma. De novo e de novo, ela seguia com os dedos as palavras gravadas na pedra. De novo e de novo, tentei falar.

Mas eu estava muda.

De repente... o gelo parou. As flores brotaram novamente. E Kristen virou-se para mim.
– Não se preocupe, Abbey – disse ela. – Eu ainda estarei aqui, quando você voltar. Eu sempre estarei aqui.

Providências especiais foram tomadas na semana seguinte para que eu deixasse a escola mais cedo, e todos os professores concordaram em me dar trabalhos durante o resto do ano letivo. Tinha sido decidido que eu ficaria alguns meses com minha tia Marjorie e passaria algum tempo longe de Sleepy Hollow por "razões de saúde".

Acho que papai estava aliviado por eu finalmente ter pedido ajuda a ele, e fez o possível para garantir que eu iria ver o melhor psiquiatra dos três estados da região. Tudo o que era exigido de minha parte eram duas sessões por semana pelos próximos três meses, e eu estaria de volta em tempo para as férias de verão, no mínimo mais ajuizada.

Aquela era a parte que deixava mamãe aliviada.

No que me dizia respeito, eu estava disposta a fazer qualquer coisa que precisasse para consertar o que estava errado dentro do meu cérebro. Eu não ligava se envolvia um psiquiatra, um curandeiro paranormal ou uma sacerdotisa de vodu. Tudo o que eu queria era ficar bem novamente.

Quando a manhã que estava programada para que eu deixasse a cidade chegou, eu me encontrava numa espécie de torpor. Fui até o carro toda dura, e entrei nele. Tudo à minha volta parecia surreal, como se eu estivesse desconectada deste mundo.

Pedi a papai que parasse no cemitério antes que saíssemos da cidade, e ele concordou, vigiando de dentro do carro quando chegamos lá. Hesitando por um momento nos portões de entrada, deixei minha mão pousar no metal frio.

– Já volto. Obrigada por esperar, papai. – Ele balançou a cabeça uma vez, e eu me virei em direção a meu destino.

Andei de modo solene a maior parte do caminho até lá, mas minha determinação cedeu quando alcancei os degraus de pedra e comecei a subir por eles. Empurrando o portão, caí de joelhos em frente à placa de Washington Irving.

– Estou partindo. – Fui áspera e direto ao ponto. A única maneira que eu conhecia de colocar todas as palavras para fora. – As coisas são... demais para que eu possa lidar com elas agora e tenho de partir por um tempo.

Estendendo a mão para tocar as datas esculpidas, forcei-me a continuar.

– Eu voltarei. Não é para sempre. Mas preciso de algum tempo para me curar. – Ri baixinho. – Você não acreditaria na experiência que eu tive nas últimas semanas.

Eu me levantei.

– Você sabe – eu disse, pensativa –, você é a pessoa mais real que tenho em minha vida... e está morto. Isso é divertido.

Deixando o cemitério atrás de mim, voltei para dentro do carro e papai se afastou de Sleepy Hollow. Acho que eu deveria estar pensando em tudo o que estava deixando para trás. Ou no fato de que eu possivelmente estivesse no meio de um colapso nervoso. E em como eu deveria um profissional porque meus problemas eram tão grandes que eu não podia dar um jeito neles sozinha.

Ainda assim, tudo em que eu podia pensar era no incidente de tingir o cabelo de vermelho com Kristen...

Foi engraçado.

AGRADECIMENTOS

Primeiro e acima de tudo, preciso agradecer a Washington Irving. Sem *A lenda do cavaleiro sem cabeça*, este livro não existiria. Obrigada por suas palavras.

A Rachel Vaer e a todos da Folio Lit: obrigada por todo o trabalho duro de vocês.

A Michael Bourret: obrigada por ser o pai adotivo desse projeto. Você fez muita diferença.

A Anica Rissi, editora extraordinária: seu entusiasmo, sua dedicação, seu apoio e sua excelência absoluta tornaram esse projeto todo muito divertido. Obrigada por abraçar minha ideia e por ter feito um trabalho de edição tão lindo. (E obrigada também pelas carinhas sorridentes espalhadas pelo texto!)

A Bethany, Mara, Jen, o time editorial da Pulse, ao pessoal do marketing, da publicidade, de vendas e da produção: obrigada pelo apoio de todos vocês. Vocês me fizeram sentir muito bem-vinda.

A L. J. Smith: obrigada por ter escrito a trilogia *Forbidden Game*. Espero que minhas palavras inspirem alguém da mesma forma que as suas me inspiraram.

A Leah "GG" Clifford e Scott "Lege" Tracey: obrigada por dividirem comigo a felicidade pelas boas notícias, por me acalmarem quando faço minha "careta de pânico absoluto" e por me ajudarem a manter-me sã durante todo o processo. Mal posso esperar pelo BToA.

A Lee e Lucy Miller: obrigada por todo seu amor e compreensão. Vocês estiveram comigo quando meus pais se foram e me aceitaram incondicionalmente. Nunca serei capaz de dizer o quanto vocês significam para mim.

À minha professora de inglês no ensino médio, sra. Vincenty: certa vez a senhora me disse que eu deveria pensar em ser escritora (eu ainda guardo a redação onde a senhora escreveu isso!). Segui seu conselho. Obrigada por me encorajar.

Obrigada também a Patrick e à turma do QT; a Bill, no cemitério de Sleepy Hollow (obrigada pelo passeio), e aos muitos artistas, músicos, atores e escritores que me inspiraram com suas palavras, músicas, quadros e atuações. Dizem que é necessária toda uma aldeia para criar uma criança, e acredito que para escrever um livro também. Obrigada por me inspirarem tanto, todos os dias.

E por último, mas certamente não menos importante, a Erin e Keith: espero que um dia vocês queiram ouvir meu lado da história. Amo vocês.

Este livro foi impresso na Editora JPA Ltda.